Frances Elisa Hodges Burnett est née le 24 novembre 1849 à Manchester, en Grande-Bretagne. A l'âge de seize ans, elle suit sa famille qui se fixe aux États-Unis. Elle se rend populaire en écrivant des livres pour enfants, mais c'est *Le Petit Lord Fauntleroy* qui lui apporte le succès ; son fils lui servit de modèle pour le personnage principal.

Par la suite, elle publia de très nombreux romans, tant pour adultes que pour enfants.

Frances H. Burnett est morte à Knoxville, dans le Tennessee, le 24 octobre 1924.

Les illustrations intérieures et la couverture de ce livre sont l'œuvre de **Jacques Rozier** et de **Monique Gaudriault** qui, depuis longtemps, travaillent ensemble dans les domaines aussi divers que la publicité, la presse et l'édition. Un tandem artistique, une délicatesse de cœur et de dessin. Ils vivent à Paris, mais ils trouvent leur inspiration à la campagne. Tous deux ont un rêve commun : vivre sur une île déserte au large de la Bretagne. Et là, ne dessiner que des livres pour les enfants.

Frances H. Burnett

Le jardin secret

*Traduit de l'anglais
par Antoine Lermuzeaux*

Illustrations de Rozier-Gaudriault

Gallimard

Titre original :
The Secret Garden

1
Il n'y a plus personne ici

A l'époque où Mary Lennox fut envoyée à Misselthwaite vivre dans l'immense manoir où son oncle
voulait bien la recueillir, on n'aurait pu imaginer fillette plus vilaine à regarder. Chacun en faisait la
remarque. C'était une enfant chétive, avec une petite
figure étroite, des cheveux trop fins et d'un blond
filasse, et qui affichait en permanence un air sombre et
amer, au point de vous ôter toute envie de lui adresser
la parole. Elle avait toujours le teint jaune, presque
aussi jaune que ses cheveux, car le climat était si
chaud aux Indes, où elle avait grandi, qu'elle ne s'était
jamais vraiment bien portée.

A cette époque, les Indes étaient sous domination
britannique ; son père y occupait des fonctions importantes auprès du gouvernement. De faible constitu-
tion, lui aussi, c'était un homme extrêmement acca-
paré par son travail. Sa mère était remarquablement
belle ; son seul et unique souci était de se rendre dans
des soirées et d'y passer d'agréables moments en
bonne compagnie.

Elle n'avait jamais désiré d'enfant : peu de temps
après la naissance de sa fille, elle s'en était déchargée
en la confiant à une *ayah*. On lui avait fait
comprendre que si elle voulait plaire à la *Memsahib* il
valait mieux maintenir, autant que possible, l'enfant

loin de sa vue. Bébé malingre, morveux, grincheux et pleurnichard, Mary grandit ainsi à l'écart, et quand elle commença à trotter, toujours aussi grincheuse, aussi chétive, aussi pleurnicharde qu'auparavant, sa situation ne changea pas.

Par la suite, quand Mary se rappelait sa petite enfance, elle n'avait d'autres souvenirs que les visages à la peau brune de l'ayah et des domestiques. Ceux-ci avaient si peur que la Memsahib ne s'irritât des pleurs de l'enfant, que chacun trouva vite plus facile de lui passer tous ses caprices. On devine aisement la suite : Mary n'avait pas six ans qu'elle passait, aux yeux de tous, pour le tyran domestique le plus intraitable qui soit. La jeune gouvernante anglaise, venue pour lui apprendre à lire, la trouva si détestable qu'elle ne resta pas plus de trois mois. Et aucune de celles qui suivirent ne put la supporter aussi longtemps. En fait, si Mary n'avait pas eu le goût des livres, elle n'aurait sans doute jamais su plus du tiers de l'alphabet.

Par une matinée à la chaleur accablante – elle allait avoir dix ans –, elle s'éveilla de mauvaise humeur. Et cela empira encore quand elle vit une femme inconnue assise auprès d'elle, à la place de son ayah.

– Que fais-tu là ? lui dit-elle. Ce n'est pas toi qui dois t'asseoir là ! Où est mon ayah ?

La femme semblait effrayée mais ne bougeait pas cependant. Mary entra dans une violente colère, donna des poings et des pieds, mais rien n'y fit : la femme restait là, de plus en plus effrayée, répétant sans cesse :

– Non, non, l'ayah ne peut pas venir auprès de la mam'zelle sahib !

Ce matin-là, rien ne se déroulait selon l'ordre habituel. La plupart des domestiques indigènes semblaient avoir disparu ; les autres lui lançaient des regards fuyants en passant devant elle ; ils s'éloignaient à pas

furtifs, l'air hagard et terrorisé. Personne ne lui adressait la parole. Et l'ayah ne venait pas. Un peu plus tard, on la laissa complètement seule. Elle attendit un long moment puis, ne voyant venir personne, elle fit quelques pas dans le jardin et se résolut à jouer toute seule à l'ombre d'un arbre. Elle imaginait qu'elle dessinait un parterre de fleurs. Elle moulait des petits pâtés et y plantait de grandes fleurs rouges qu'elle cueillait sur un hibiscus. Pourtant, tout en jouant, elle enrageait ; elle marmonnait les insultes qu'elle préparait pour accueillir l'ayah, Saidie, à son retour.

– Cochonne ! Cochonne ! Fille de cochon !

Car il n'existe pas pire offense pour un domestique indigène que de s'entendre traiter de cochon.

Grinçant des dents avec méchanceté, elle ressassait ces invectives, quand des voix lui parvinrent de la véranda ; sa mère s'avançait en compagnie d'un jeune homme blond. Ils parlaient tous deux d'une voix assourdie, comme s'ils craignaient d'être entendus. Ce n'était pas la première fois que Mary voyait cet homme blond aux allures d'adolescent : un tout jeune officier fraîchement débarqué d'Angleterre. Elle le fixa un moment, mais, à vrai dire, c'était sa mère qu'elle regardait intensément... Elle la voyait si rarement ! Et avec ses cheveux soyeux, ses beaux yeux où dansait toujours une étincelle joyeuse, son nez si fin, un peu froncé et dédaigneux, la Memsahib – Mary, elle aussi, appelait ainsi sa mère –, la Memsahib était très séduisante. Ses vêtements étaient si légers, brodés de si jolies dentelles, qu'elle paraissait flotter...

Ses yeux étaient sombres, ce matin-là. C'était la peur qui se lisait dans le regard implorant qu'elle adressait au jeune homme blond.

– Ce serait vraiment si grave que ça ! Dites-moi, dites-moi, je veux savoir.

– Oui, c'est très grave, madame Lennox. Plus que cela, c'est terrible ! Vous auriez dû gagner les collines il y a deux semaines !

La Memsahib, nerveuse, se tordait les mains au point qu'on entendait craquer ses doigts.

– Je le savais bien ! Je m'en doutais ! Quelle insensée j'ai été ! Rester pour cette stupide soirée !

A peine avait-elle parlé que des gémissements leur parvinrent des cabanes des domestiques. Des lamentations si terribles qu'elle agrippa instinctivement le bras du jeune officier. Mary, cachée derrière son arbre, frissonna des pieds à la tête. Les lamentations redoublèrent.

– Qu'est-ce qu'il y a ? Mais que se passe-t-il ?

– On pleure un mort, répondit le jeune officier. Un domestique, sans doute. Ils sont donc atteints eux aussi ? Vous auriez pu me le dire !

– Mais je ne le savais pas, voyons !

Elle fit volte-face rapidement.

– Suivez-moi, venez, venez vite !

Sur ces mots, ils gagnèrent à la hâte l'intérieur du bungalow où Mary les vit disparaître.

Par la suite, Mary comprit les raisons de tous ces mystères. Une épidémie de choléra s'était déclarée soudainement, sous sa forme la plus grave. Les hommes mouraient comme des mouches. C'était bien l'ayah qu'on pleurait dans les cabanes des domestiques ; touchée dans la nuit par le mal, elle venait de décéder.

On dénombrait trois autres morts dans les cabanes des domestiques. Certains avaient pris la fuite. La panique grandissait. Dans la terrible confusion qui régna tout le jour suivant, Mary resta tapie dans son coin, à l'écart, dans la nursery. Personne ne pensait à elle. Personne ne venait la chercher. Elle ne comprenait pas grand-chose au remue-ménage alentour. Elle passait son temps à pleurer, puis à dormir. Elle sentait bien qu'il y avait des gens très malades autour d'elle. Elle entendait des gémissements étranges et terrifiants. Puis elle finit, malgré tout, par se faufiler sans bruit jusqu'à la salle à manger.

Le repas était servi, et pourtant la pièce était vide, comme si, pour une raison inconnue, tout le monde s'était subitement levé de table. Mary prit quelques gâteaux secs et quelques fruits ; elle avait soif... Apercevant un verre de vin presque plein sur la table, elle y goûta ; il était doux et sucré... C'était un vin fort en alcool, mais elle ne s'en rendit pas compte et elle vida le verre. L'effet ne se fit pas attendre.

Alors que de nouvelles lamentations s'élevaient des cabanes, elle retourna, terrorisée, se blottir dans la nursery. Elle avait la tête qui tournait, ses yeux se fermaient malgré elle : elle dut faire un effort immense pour arriver jusqu'à sa natte. Sitôt allongée, elle sombra dans un profond sommeil. Bien des événements se produisirent pendant les quelques heures qui suivirent, mais elle dormit si lourdement que ni les lamentations ni l'incessant va-et-vient dans le bungalow ne purent l'éveiller.

Quand elle revint à elle, elle resta quelque temps immobile, les yeux fixés au plafond. Tout semblait si calme alentour... Jamais un pareil silence ne s'était abattu sur la maison : pas une voix, pas même un bruit de pas. « Bon, c'est fini, se dit-elle, tout le monde est guéri. » Mais qui prendrait soin d'elle maintenant que son ayah était morte ? Une autre servante, qui aurait peut-être de nouvelles histoires à lui raconter. Elle ne pleura pas son ayah : elle n'était pas de ces enfants à se soucier des autres. En fait, elle avait eu très peur, et elle enrageait à l'idée que personne n'ait songé à elle ! Ils étaient bien trop affolés pour s'occuper d'une petite fille que personne n'aimait réellement ! A cause du choléra, ils ne pensaient plus qu'à eux-mêmes ! Mais maintenant on allait sûrement venir la chercher.

Le temps passait, pourtant, et nul ne venait. Elle demeurait toute seule sur sa natte. Le silence s'appesantissait d'instant en instant. Soudain, elle entendit un léger bruissement. Elle baissa les yeux aussitôt et vit un tout petit œil vif, scintillant comme une pierre précieuse ! Elle n'eut pas peur, cette espèce ne mordait pas. De plus, le serpent quittait la pièce ; il glissait déjà sous la porte. « C'est étrange tout de même, se dit-elle, j'ai l'impression qu'il n'y a personne à l'intérieur du bungalow, sinon moi et ce petit serpent. »

Peu après, elle entendit des pas. On pénétrait dans la maison, on entrait par la véranda : des pas d'hommes, des voix assourdies. Personne n'allait au-devant d'eux. Ils paraissaient ouvrir des portes, comme s'ils regardaient dans chaque pièce...

– Quel malheur ! lança soudain une voix. Une femme si belle ! Vraiment si belle ! Et l'enfant aussi, j'imagine... Il paraît qu'il y avait un enfant, bien qu'on ne l'ait jamais vu.

Mary avait quitté sa natte ; elle se tenait debout au milieu de la nursery, la mine boudeuse. Elle avait faim et se sentait abandonnée. Ce fut un robuste officier qui poussa la porte le premier. Mary l'avait vu quelquefois discuter avec son père. La fatigue creusait son visage. Quand il vit Mary, il faillit tomber à la renverse.

– Barney ! Hé, Barney ! cria-t-il en tournant la tête vers le couloir. Il y a une petite fille, là, dans cette pièce ! Une enfant toute seule, dans un endroit pareil !

Mary le fixa d'un air dédaigneux. Quel grossier personnage ! Entrer chez les gens sans frapper ! Et qu'il dise « dans un endroit pareil » en parlant du bungalow de son père !

– Je suis Mary Lennox, dit-elle. J'ai dû dormir un peu quand tout le monde avait le choléra. Mais il y a longtemps que je ne dors plus. Pourquoi ne vient-on pas me chercher ?

– C'est la fillette dont je t'avais parlé ! lança l'homme à son compagnon. Celle qu'on n'avait jamais vue. Ils l'ont tout bonnement oubliée !

– Pourquoi ils m'ont oubliée ? fit Mary en tapant du pied. Pourquoi ils ne veulent pas venir ?

Le plus jeune des deux officiers, celui que l'autre appelait Barney, la regarda d'un air triste. Un instant, elle eut l'impression qu'il avait cligné des paupières, comme s'il voulait chasser des larmes.

— La pauvre petite, soupira-t-il. Ils aimeraient bien pouvoir venir... Il n'y a plus personne, ici. Il n'y a personne pour venir...

C'est de cette manière étrange et brutale que Mary apprit qu'elle était orpheline, qu'elle n'avait plus ni père ni mère... Ils étaient morts tous deux la veille, et l'on avait emporté leur corps, à la nuit, loin du bungalow. Les rares domestiques épargnés s'étaient enfuis. Pas un d'entre eux n'avait songé à la petite mam'selle Sahib. Cela expliquait pourquoi tout était si tranquille ; Mary ne s'était pas trompée : il n'y avait effectivement plus personne dans le bungalow, sinon elle et le serpent.

2
Mary Amère est bien marrie, un petit rien la contrarie

Lorsque sa mère était vivante, Mary aimait à la regarder de loin parce qu'elle la trouvait belle. Mais elle la connaissait bien peu. Disparue, elle ne lui manqua pas vraiment. En fait, elle n'était préoccupée que d'elle-même. Si elle avait été plus grande, elle aurait sans doute éprouvé une grande angoisse à l'idée d'être seule au monde, mais c'était une petite fille. On avait toujours pris soin d'elle, elle ne voyait donc pas pourquoi cela ne durerait pas toujours. La seule chose qui lui importait, c'était de savoir si les gens qui allaient l'adopter auraient des égards pour elle et s'ils lui passeraient tous les caprices comme autrefois.

Elle sut très vite qu'elle ne resterait pas chez le pasteur anglais qui l'avait d'abord accueillie. D'ailleurs elle n'y tenait pas du tout. Il était pauvre et vivait chichement ; il avait cinq jeunes enfants plus mal vêtus les uns que les autres, et qui ne pensaient qu'à se chamailler et à se disputer leurs jouets. Elle n'avait pas fait trois pas dans leur bungalow mal tenu qu'elle avait déjà ce lieu en horreur. Il faut dire que, dès le premier jour, elle s'était montrée si désagréable que personne n'avait voulu jouer avec elle. Le lendemain, les enfants lui trouvèrent un surnom. L'œil malin, le nez en trompette, l'air déluré, le jeune Basile était le type même de garçon que Mary ne pouvait pas supporter ; c'était lui l'auteur du surnom... Elle jouait toute seule sous un arbre, ce jour-là, au même jeu que le fameux matin de l'épidémie de choléra. Elle dessinait son petit jardin en faisant des pâtés qui formaient des parterres de fleurs, et elle les reliait ensuite en traçant des allées... Basile vint à passer ; il la regarda jouer un moment et voulut lui donner un conseil.

– Tu devrais mettre quelques cailloux, ça pourrait faire une sorte de rocaille...

Là-dessus, il se pencha pour désigner l'endroit du doigt. La réaction de Mary fut immédiate :

– Va-t'en ! Je ne veux pas te voir ici ! Je ne joue pas avec les garçons !

Basile faillit se mettre en colère, mais il jugea plus habile de la taquiner ; c'est ce qu'il faisait avec ses sœurs... Tout à coup, il éclata de rire, se mit à tourner en rond en faisant des gestes et des grimaces et, tout en dansant, il chanta :

> *Mary Amère est bien marrie*
> *Un petit rien la contrarie*
> *Trop de soleil sur son persil*
> *Trop de pluie sur ses salsifis*
> *Dans son jardin tout dépérit*
> *Sauf les misères et les soucis...*

Il chantait ainsi à tue-tête pour que ses frères et sœurs l'entendent et reprennent la chanson en chœur. Plus Mary rageait, plus ils s'égosillaient : *Mary Amère est bien marrie, un petit rien la contrarie...* La chanson eut un tel succès que durant tout son séjour, ils ne l'appelèrent jamais autrement que Mary Amère.

– On te renvoie bientôt chez toi, Mary Amère, lui dit Basile peu après, à la fin de la semaine, je crois... On est drôlement contents que tu partes !

– Pas tant que moi ! répliqua Mary. Mais... « chez moi », où est-ce ?

– Elle ne sait même pas où c'est chez elle ! fit Basile du haut de ses sept ans. Chez toi, c'est l'Angleterre, pardi ! Mabel est allée l'an passé chez notre grand-mère qui vit là-bas. Mais toi, tu n'as même pas de grand-mère. C'est chez ton oncle que tu vas. Il s'appelle Archibald Craven...

– Je ne sais pas qui c'est, dit Mary.

– Bien sûr que tu ne sais pas qui c'est. Les filles, ça ne sait rien de toute façon. Hier, mes parents ont parlé de lui. Il habite une maison immense, très vieille, perdue dans la campagne. Une maison sinistre ! Il ne reçoit jamais personne. Il a tellement mauvais caractère qu'il ne veut pas que les gens l'approchent. Et d'ailleurs, même s'il le voulait, c'est les autres qui refuseraient. C'est un bossu ! Il est horrible !

– Je ne te crois pas ! cria Mary. Je ne crois rien de ce que tu racontes !

Mais, par la suite, l'information fit son chemin, comme on s'en doute ; Mary ne cessait d'y penser... Tant et si bien que, le soir même, lorsque le pasteur et sa femme la firent venir pour lui signifier qu'elle allait prendre le bateau pour aller vivre en Angleterre, au manoir de Misselthwaite, chez son oncle Archibald Craven, Mary se montra si indifférente qu'ils ne surent que penser. Le pasteur, pour l'encourager, lui posa la main sur l'épaule, mais elle resta figée. Quant à sa femme, elle tenta bien de déposer un baiser sur son front dans l'espoir de la consoler, mais Mary détourna la tête.

– Cette petite n'a vraiment rien pour elle, commenta, avec pitié, Mme Crawford un peu plus tard. Dire que sa mère était si belle ! Elle avait de jolies manières, au moins. Mary, c'est tout le contraire. Quand ils parlent d'elle, les enfants l'appellent toujours Mary Amère ; je ne dis pas que c'est gentil de leur part, mais en tout cas ça lui va bien, tout le monde est forcé de le reconnaître !

– La petite aurait profité de ses jolies manières, comme tu dis, si sa mère était venue parfois les lui montrer dans la nursery, dit le pasteur en soupirant. Maintenant qu'elle n'est plus de ce monde, c'est tout de même affligeant de penser que, toute jolie femme qu'elle fut, rares sont ceux qui savaient qu'elle avait une petite fille.

– A en croire ce que les gens racontent, c'est à peine si elle la regardait, renchérit la femme du pasteur. Dire que, à la mort de son ayah, personne ne s'est soucié de la gamine ! Quand on pense à ces domestiques qui s'enfuyaient en abandonnant cette petite dans le bungalow ! Le capitaine Mac Grewe a failli sauter au plafond quand il l'a trouvée plantée au beau milieu de la nursery...

Mary fit donc le long voyage des Indes à l'Angleterre en compagnie de la jeune femme d'un officier des colonies, qui conduisait ses enfants en pension, à Londres. C'était une mère soucieuse, absorbée par les soins qu'elle prodiguait à ses propres enfants ; aussi, ce fut avec un grand soulagement qu'elle remit Mary à la dame que M. Archibald Craven avait dépêchée de Misselthwaite pour l'accompagner. Cette dernière s'appelait Mme Medlock ; c'était l'intendante du manoir – une femme grande et robuste aux joues rouges, aux yeux noirs et vifs, qui portait une longue robe mauve et un long manteau de soie noire bordé de franges. Son chapeau était également noir, orné de fleurs de velours mauve qui se soulevaient dans un frisson à chaque hochement de tête. Elle ne plut pas du tout à Mary, ce qui n'avait rien d'étonnant, car il était rare qu'elle trouvât quelqu'un à son goût. Et il devint rapidement clair que c'était réciproque.

– Ma parole, en voilà un laideron ! s'exclama Mme Medlock en la voyant. Et j'ai entendu dire que sa mère était une vraie beauté !

– Elle va peut-être embellir avec l'âge, répondit d'un ton conciliant la jeune épouse de l'officier. Supposez qu'elle ait le teint moins jaune et un air plus avenant... Les enfants parfois changent vite.

– Alors il faudrait qu'elle change vraiment ! Or Misselthwaite, il faut bien le dire, n'est pas l'endroit rêvé pour ça !

Agenouillée légèrement à l'écart devant la fenêtre de l'hôtel où elles devaient passer la nuit, Mary regardait dans la rue le flot des passants et des fiacres – les femmes parlaient donc sans méfiance, croyant qu'elle n'écoutait pas. Elle entendait parfaitement, et se sentait dévorée de curiosité à propos de son oncle et de sa maison. À quoi pouvait-il bien ressembler ? Vivait-il dans un manoir ? Et qu'est-ce que c'était qu'un bossu ? On n'en voyait jamais aux Indes...

Depuis qu'elle vivait chez des étrangers, sans son ayah, elle commençait à se sentir affreusement seule et il lui venait des pensées tout à fait nouvelles. Les autres enfants avaient des parents bien à eux. Pourquoi avait-elle le sentiment de n'avoir jamais appartenu à une famille, même quand ses parents vivaient encore ? Elle avait eu des domestiques qui la nourrissaient, l'habillaient, mais personne qui se souciât vraiment d'elle. Elle était encore loin de se douter, alors, qu'une bonne partie de ses malheurs tenait au fait qu'elle ne montrait que le mauvais côté de sa personnalité. Elle n'avait pas vraiment conscience d'être une enfant désagréable. Les autres l'étaient, ça, oui ! Mais elle ne pensait pas du tout qu'elle pouvait l'être aussi.

Pour elle, Mme Medlock était la personne la plus antipathique qu'elle ait jamais vue, avec ses grosses joues rouges, son air commun et son horrible chapeau.

Le lendemain, en traversant la gare pour aller prendre un train pour le Yorkshire, Mary, la tête haute, s'efforça de marcher aussi loin d'elle que possible. Elle se serait sentie mortifiée si quelqu'un avait pu croire que cette paysanne était sa mère.

Mme Medlock se moquait bien de ces simagrées. « Je ne suis pas femme à me laisser embobiner par ce genre d'enfantillages », aurait-elle dit, si on lui en avait fait la remarque. C'était en fait à contrecœur qu'elle avait entrepris ce voyage à Londres, le jour même du mariage de sa nièce préférée. Mais elle avait une excellente place d'intendante à Misselthwaite, sûre et bien payée, et le seul moyen de la garder était d'obéir à la lettre, quels que soient les ordres du maître. Jamais elle ne se serait permis d'opposer la moindre objection à M. Archibald Craven.

— Madame Medlock, avait-il dit d'une voix froide et sèche, le capitaine Lennox et son épouse sont morts. Une épidémie de choléra... Le capitaine Lennox était le frère de ma femme, je suis donc tuteur de sa fille. Demain, vous partirez pour Londres. Vous ramènerez l'enfant ici.

Mme Medlock n'avait plus eu qu'à boucler sa petite valise.

Dans le compartiment de chemin de fer, Mary s'assit dans son coin, affichant une moue chagrine. Elle n'avait rien à lire, même pas un livre d'images, et elle avait croisé ses petites mains gantées de noir sur ses genoux. Sa robe, noire elle aussi, faisait ressortir son teint jaune. Quelques mèches de cheveux filasses débordaient du chapeau de crêpe qui couvrait à demi son front. « Eh bien, ça promet d'être gai ! pensa Mme Medlock en poussant un profond soupir. Je n'ai encore jamais vu de ma vie une fillette à l'air plus renfrogné. »

Mme Medlock était originaire du Yorkshire, où la plupart du temps, les enfants sont gais et débordants de santé.

Au bout d'un moment, lassée de regarder Mary, elle se résolut à engager la conversation, et dit, avec un entrain forcé :

– Je ferais mieux de te dire où on va... Tu sais quelque chose sur ton oncle ?

– Non, rien, lui répondit Mary.

– Tes parents ne t'ont jamais rien dit à son sujet ?

– Non, rien, lui répondit Mary.

Elle fronça les sourcils. Jamais son père ni sa mère ne lui avaient parlé de quoi que ce soit ; pourquoi lui auraient-ils parlé de son oncle ?

– Hmmm ! toussota Mme Medlock.

Elle se tut un instant, dévisageant le curieux petit phénomène impassible sur la banquette.

– Malgré tout, il y a une chose qu'il vaut peut-être mieux que je te dise... pour te préparer, reprit-elle. Il faut que tu le saches, tu vas dans une maison bizarre.

Mary ne réagit pas. Mme Medlock en resta bouche

23

bée. Elle reprit son souffle pourtant, et poursuivit sur sa lancée :

– C'est certainement une belle, une somptueuse demeure, mais sombre et mélancolique. M. Craven en est fier, à sa manière, et ça se comprend. La maison est située en bordure de la lande, et elle est vieille de six cents ans. Elle compte plus d'une centaine de pièces, inoccupées pour la plupart, condamnées ou fermées à clef. A l'intérieur de la maison, il y a toutes sortes d'objets qui remontent à la nuit des temps, des tableaux, des meubles anciens. Dehors, un parc immense avec des pelouses, des jardins, avec des arbres aux longues branches basses qui descendent jusqu'au ras du sol. Enfin... pas tous, mais quelques-uns.

Elle fit une pause.

– Mais il n'y a strictement rien d'autre à en dire, acheva-t-elle brusquement.

Mary ne pouvait s'empêcher de l'écouter attentivement. C'était si différent des Indes, et tout nouveau pour elle. Ça ne l'empêchait pas cependant de feindre l'indifférence, ainsi qu'elle en avait l'habitude.

– Alors, qu'est-ce que tu en penses ? lui demanda Mme Medlock.

– Rien du tout, répondit Mary. Je ne connais rien à ce genre d'endroit.

Mme Medlock eut un rire bref.

– Tu es une vraie petite vieille avant l'âge ! Ça t'est vraiment égal ?

– Que ça me soit égal ou non ne changera rien de toute manière.

– Pour ça, admit Mme Medlock, je dois dire que tu n'as pas tort... Il ne va certainement pas te demander ton avis. Je ne comprends pas très bien pourquoi il tient à te garder au manoir, mais tu peux être certaine d'une chose : s'il a choisi cette solution, c'est que ça l'arrange. Ne t'attends surtout pas à ce qu'il se soucie de toi, il ne s'inquiète jamais pour personne !

Elle parut un instant songeuse, commé si elle se rendait compte qu'elle avait oublié quelque chose...

– Son dos ne s'est pas bien développé quand il était encore enfant. Après, c'est allé à l'avenant. Même jeune homme, il était aigri. On ne peut pas dire qu'il ait jamais profité de son immense fortune, ni de sa somptueuse demeure, jusqu'au jour où il s'est marié.

Mary avait beau s'efforcer de paraître indifférente, elle leva les yeux malgré elle. Elle n'aurait pu imaginer que le bossu fût marié. C'était réellement une surprise ! Sa réaction n'échappa pas à Mme Medlock, qui, en bavarde impénitente, en profita pour renchérir. Au moins, cela faisait passer le temps !

– C'était une jeune femme adorable... Il serait allé au bout du monde pour lui cueillir une fleur si elle en avait exprimé le désir. Personne n'aurait pu croire qu'elle allait l'épouser ; elle l'a fait pourtant, elle l'a fait ! On a dit que c'était pour l'argent, mais c'est faux – je peux l'affirmer –, jamais de la vie ! Quand elle est morte...

Toujours malgré elle, Mary sursauta.

– Elle est morte ?

A cet instant précis, elle pensa à un conte qu'elle avait souvent lu aux Indes : *Riquet à la houppe,* l'histoire d'un bossu amoureux d'une jolie princesse. En s'en souvenant, elle éprouva une sorte de pitié pour M. Archibald Craven.

– Morte ! poursuivait Mme Medlock. Et ce coup-là l'a rendu, lui, plus étrange que jamais. Il ne s'occupe plus de personne. Il ne veut même plus voir les gens. Il passe son temps à voyager et, quand il est à Misselthwaite, il vit reclus dans l'aile ouest. Personne ne peut l'approcher, à part Pitcher, c'est un vieux bougre, mais il connaît ses habitudes. C'est Pitcher qui s'occupait déjà de lui quand il était enfant.

Pour Mary, tout cela ressemblait à ce qu'on lit dans les livres mais, maintenant, elle aurait préféré ne pas les entendre... Une maison d'une centaine de pièces, condamnées et fermées à clef ! Située en bordure de la lande ! Elle avait beau ne pas très bien savoir ce qu'était « la lande », elle ne lui semblait pas moins lugubre. En plus de cela, il y avait cet homme bizarre, aigri, avec son dos de travers, qui vivait enfermé là-bas !

Elle se tourna vers la fenêtre, et il lui parut tout naturel que de longues lignes obliques et grises commencent au même instant à rayer le carreau... Si seulement sa tante avait encore été en vie, elle aurait certainement mis un peu de gaieté dans tout cela. Elle aurait fait de temps en temps des apparitions dans les pièces, pressée de partir à une soirée dans des robes brodées de dentelles... Mais, voilà, elle était morte.

— Pas la peine de t'attendre à le voir, disait encore Mme Medlock. Il y a bien peu de chances qu'il se montre. Là-bas, tu ne trouveras aucun enfant pour jouer avec toi. Tu devras te débrouiller toute seule. En arrivant, je te montrerai dans quelles pièces tu as le droit d'entrer. Tu n'as rien à faire dans les autres ! Il y a assez de jardins comme ça ! Et, quand tu seras dans la maison, ne t'avise pas d'aller fouiner dans les corridors ! Il ne le supporterait pas !

— Je n'ai pas envie d'aller fouiner ! dit Mary avec amertume.

Le petit élan de pitié qu'elle avait éprouvé pour M. Archibald Craven disparut aussi vite qu'il était venu. Ce sinistre bonhomme avait dû avoir les malheurs qu'il méritait. De nouveau, elle tourna les yeux vers la fenêtre et contempla la pluie qui tombait inlassablement, monotone et grise. Ses paupières ne tardèrent pas à s'alourdir. Elle inclina la tête et s'endormit.

3
Dans la lande

Elle dormit longtemps. Mme Medlock avait acheté des sandwiches dans une gare et, quand Mary se réveilla, elles dînèrent de viande froide et de pain beurré en buvant du thé chaud. La pluie tombait plus fort que jamais et, sur les quais, les passagers étaient vêtus d'imperméables et de cirés. Le contrôleur vint allumer les lampes ; Mme Medlock se resservit de poulet et de bœuf froids, avant de s'endormir à son tour. Mary suivit des yeux la dégringolade progressive de son chapeau sur le côté et, bercée par le bruit de la pluie qui venait fouetter la vitre, elle se rendormit. Quand elle ouvrit les yeux, une main la secouait et tout était noir autour d'elle.

– Pour une dormeuse, tu es une dormeuse ! Debout ! disait Mme Medlock. Nous y sommes, c'est la gare de Thwaite. Après, il y a encore une bonne trotte.

C'était une gare minuscule et elles furent les seules à descendre. Le chef de gare les accueillit de sa grosse voix avenante et rude, avec un accent très bizarre – l'accent du Yorkshire, comprit Mary.

– Alors, vous voilà rendues, à cette heure ! Vous amenez la petite, à ce que je vois !

– Eh, ma foi ! fit Mme Medlock avec le même accent bizarre. Et votre dame, ça va ?

– Bah, faut pas trop se plaindre en ce moment ! Votre voiture est là, à la porte.

Un élégant petit coupé attendait devant la gare. Vêtu d'un ample mackintosh, son chapeau couvert d'une toile cirée, un valet de pied très stylé les aida à y prendre place. Tout ruisselait alentour, y compris le gros chef de gare qui suivait avec les bagages. Le valet ferma la portière, grimpa près du cocher et le véhicule s'ébranla. Cette fois-ci, plus question de dormir ! Malgré la banquette moelleuse et le panneau capitonné, Mary se tenait droite sur son siège et scrutait la nuit par la fenêtre, dans l'espoir d'entrevoir la route menant à la « maison bizarre ». N'ayant jamais été craintive, elle n'avait pas peur, mais elle roulait vers l'inconnu... Que pouvait-il bien se passer dans une maison de près de cent pièces, condamnées ou fermées à clef ? Une maison isolée, en bordure de la lande...

– Dites-moi, c'est quoi la lande, au juste ?

– Tu n'auras qu'à regarder par la fenêtre d'ici une dizaine de minutes. On parcourt la lande de Missel sur sept kilomètres environ avant d'arriver au manoir. Tu n'y verras peut-être pas grand-chose par une nuit sans lune comme celle-ci, mais tu pourras te faire une idée.

Mary n'en demanda pas plus. La tête tournée vers la fenêtre, elle attendit dans la pénombre. Les lanternes de la voiture projetaient leurs faisceaux de lumière à quelques mètres devant eux. En quittant la gare, ils avaient d'abord parcouru les rues d'un tout petit village. Elle y avait vu des cottages aux murs blanchis à la chaux, puis les lumignons d'un café. Ensuite, ils avaient dû contourner une église, longer le mur du presbytère, dépasser une petite boutique avec une minuscule vitrine pleine de jouets et de bonbons, pour déboucher finalement sur une portion de route en rase campagne. Des haies surgissaient dans la pénombre, et de temps en temps, un arbre apparaissait au loin. Depuis un moment, il n'y avait rien d'autre à voir.

Les chevaux se mirent au pas, comme s'ils peinaient dans une pente ; Mary ne voyait plus de haies ni d'arbres nulle part, juste la nuit noire, à droite et à gauche. Elle s'était penchée légèrement pour coller son nez au carreau, quand un cahot secoua l'attelage.

– Cette fois on arrive sur la lande, fit la voix de Mme Medlock.

Les lanternes balayaient un chemin raboteux coupant à travers des buissons et des arbustes nains qui semblaient se multiplier à l'infini dans la nuit. Le vent se leva ; il soufflait en rafales, avec un mugissement étrange, profond et sourd.

– Ce n'est pas... ce n'est pas la mer ? dit Mary en tournant la tête vers Mme Medlock.

– La mer ? Ça non, il n'y a pas de danger ! Ni

plaine, ni collines, ni montagnes ! Seulement une terre inculte sur des kilomètres à la ronde, où ne poussent que des genêts, des ajoncs et des fougères, où ne peuvent survivre que les moutons et les poneys sauvages.

– On dirait la mer, mais sans eau dessus. Écoutez !

– C'est le vent qui gémit dans les buissons. Je trouve cet endroit désert, sauvage et lugubre au possible, mais certaines personnes aiment la lande ; en particulier, au printemps, quand on voit fleurir les bruyères.

Ils avançaient toujours, lentement, s'enfonçant de

plus en plus dans la nuit et, bien que la pluie eût cessé, les rafales de vent redoublaient contre les flancs des bêtes, et s'engouffraient sous les essieux avec des sifflements inquiétants. Chaque fois que la voiture passait un petit pont, Mary entendait le grondement des eaux déferlant sous les piliers. C'était comme un voyage sans fin ; comme si elle était emportée sur un mince ruban de terre sèche à travers un océan noir. Elle grimaçait dans la pénombre. « Je n'aime pas cela, pensait-elle en serrant les dents. Non, je n'aime pas cela du tout ! »

Les chevaux gravissaient une côte depuis un long moment déjà, lorsqu'elle vit briller une lumière au loin. Mme Medlock la vit aussi et poussa un profond soupir.

– Nous voilà bientôt rendues, fit-elle. Ma foi, je ne suis pas mécontente de voir briller ce lumignon : c'est la loge du gardien du parc. Un peu de patience, et on va boire une bonne tasse de thé bouillant !

« Un peu de patience », c'était bien le mot ; une large avenue bordée d'arbres restait encore à parcourir, après la grille, sur trois kilomètres environ. Les plus hautes branches se rejoignaient pour former une voûte au-dessus d'eux, et Mary avait l'impression d'avancer dans un tunnel.

L'attelage déboucha enfin sur un vaste espace découvert, traversa une cour pavée et se rangea près du perron d'une grande demeure, plutôt basse, mais longue et tout en enfilade, si bien que sa sombre découpe donnait l'impression d'onduler comme un serpent noir dans la nuit. Aucune pièce n'était éclairée à cette heure-là, apparemment. Pourtant, en descendant de voiture, Mary aperçut une lueur diffuse venant d'une fenêtre de l'une des ailes du bâtiment.

Les battants de chêne de la porte d'entrée s'ouvrirent lentement : deux lourdes masses recouvertes d'étranges moulures, renforcées d'armatures de fer et quadrillées d'énormes clous. Un hall immense apparut, si obscur que Mary osait à peine lever les yeux sur les portraits accrochés aux murs, sur les armures dressées en pied qui semblaient encore contenir leurs soldats. Dans sa robe noire, debout sur ces dalles de pierre, elle semblait encore plus frêle ; et intérieurement elle se sentait aussi minuscule et perdue qu'elle l'était en réalité.

Un maigre vieillard, d'aspect soigné, se tenait derrière le valet qui leur avait ouvert la porte.

– Vous la mènerez droit à sa chambre, dit le vieil homme, ce sont les ordres... Il ne veut pas la voir. Demain, il part pour Londres.

– Une fois que je sais ce qu'on attend de moi, je m'en arrange, monsieur Pitcher, lui répondit promptement Mme Medlock.

– Ce qu'on attend de vous, madame Medlock, reprit le vieillard d'une voix rauque, c'est que vous veilliez à ce que rien ne puisse venir le déranger ! Et à ce qu'il ne voie pas ce qu'il n'a pas envie de voir !

Sur ces mots, Mary dut gravir un grand escalier, puis longer un corridor donnant sur un escalier plus étroit, suivi d'un couloir, puis d'un autre, jusqu'à ce qu'une porte s'ouvrît devant elle. Dans une vaste pièce, une table était dressée, un feu de bois brûlait.

Mme Medlock dit simplement :

– Voilà ! C'est ici que tu vas vivre ! Dans cette pièce et celle d'à côté. Et ne t'avise pas d'aller fourrer ton nez partout, tu as compris ?

C'est ainsi que Mary Lennox fit son entrée à Misselthwaite. Certes, on l'appelait Mary Amère et son passé l'avait endurcie... Et pourtant, même aux pires moments de sa vie, jamais elle ne s'était senti le cœur aussi lourd.

4
Martha

Le lendemain matin, quand elle ouvrit les yeux, elle aperçut une jeune servante à genoux devant la cheminée. Elle était entrée dans la chambre pour allumer le feu et avait dû faire du bruit en remuant les cendres du foyer. Mary la regarda un moment, puis ses yeux parcoururent la pièce.

Jamais encore elle n'avait vu de chambre aussi sombre et étrange. Les murs étaient recouverts de tapisseries représentant des scènes de chasse. On y voyait, au milieu des arbres, des personnages habillés de costumes extraordinaires, des chevaux et des chiens. Derrière ces arbres, on devinait au loin les tours d'un château fort. Environnée de ces tapisseries, elle avait presque l'impression d'être perdue dans la forêt. Par une étroite fenêtre, elle apercevait une bande de terre montant en pente douce vers le ciel, sans un arbre. On aurait dit une mer infinie, mauve et terne...

– Qu'est-ce que c'est ? demanda-t-elle, le doigt pointé vers la fenêtre.

Martha, la jeune servante, venait de se relever. Elle pointa l'index à son tour.

– Ça, là-bas ?
– Oui.

– Mais c'est la lande, fit-elle avec un bon sourire. C'est joli à voir, tu ne trouves pas ?

– Je trouve ça horrible.

Martha se remit au travail, à genoux devant la cheminée.

– C'est parce que tu n'as pas l'habitude... Tu trouves que c'est trop vaste, tu as l'impression qu'il n'y a rien dessus... Mais, tu verras, tu finiras par l'aimer !

– Tu l'aimes, toi ? demanda Mary.

– Si je l'aime, moi ! répéta Martha en se remettant à polir la grille... Bien sûr que je l'aime ! Elle n'est pas si sauvage qu'on le dirait. Elle est couverte d'arbustes et de plantes. Il faut la voir au printemps, quand tout est en fleurs ! Respirer la senteur des fougères, des genêts, des bruyères ! Pendant tout l'été, la lande embaume le miel. Et l'air est si bon ! Et le ciel si haut ! Avec les alouettes qui gazouillent, avec les abeilles qui bourdonnent, c'est tellement doux à entendre ! Pour rien au monde je ne voudrais vivre loin de ma lande.

Mary l'écoutait, attentive et intriguée. Martha ne ressemblait en rien aux domestiques dont elle avait l'habitude, aux Indes. Trop polis et soumis, jamais ils ne se seraient permis de parler à leurs maîtres d'égal à égal. Ils faisaient des salamalecs, vous appelaient « protecteur des pauvres ». On leur donnait des ordres sans jamais dire « s'il vous plaît » ni « merci », et Mary avait souvent giflé son ayah dans un mouvement de colère... Comment réagirait cette fille, si elle la giflait ? Elle avait un air bon enfant, avec ses joues roses, mais il y avait quelque chose en elle qui faisait penser qu'elle pourrait bien rendre les gifles, surtout si elles venaient d'une fillette sans défense. Mary se redressa et se cala sur l'oreiller en prenant un air dédaigneux.

– Je te trouve bizarre pour une servante !

Martha s'assit sur les talons, sans se vexer le moins du monde, sa brosse à la main. Elle riait de bon cœur.

– Ah ça, je le sais bien ! lança-t-elle. S'il y avait eu une dame au manoir, on ne m'aurait sans doute jamais prise, même comme apprentie femme de chambre. Je serais peut-être devenue fille de cuisine mais je ne serais jamais montée à l'étage. Je ne suis qu'une fille très ordinaire, qui ne sait parler que son patois du Yorkshire ! Seulement, le manoir, on a beau dire, c'est tout de même une drôle de maison. C'est comme s'il n'y avait pas de maîtres, sauf M. Pitcher et Mme Medlock. M. Craven, lui, c'est bien simple, il ne veut surtout pas qu'on le dérange. Et ce que je dis, c'est quand il est là, parce qu'il est toujours en voyage ! Ma place, si j'ai pu l'avoir, c'est grâce à Mme Medlock mais, je le sais bien, comme elle m'a dit, ça n'aurait jamais été possible si ça se passait à Misselthwaite comme dans n'importe quelle grande maison !

– Est-ce toi qui vas être ma servante ? dit Mary sur le petit ton impérieux qu'elle avait coutume d'adopter aux Indes.

Martha se pencha sur la grille et se remit à astiquer.

– Si je suis la servante de quelqu'un, c'est de Mme Medlock d'abord, répondit-elle résolument. Et elle, elle sert M. Craven. Mais bon, je fais le ménage à l'étage, je pourrai t'aider un petit peu. Tu n'as pas besoin d'avoir quelqu'un derrière ton dos tout le temps !

– Et qui va m'habiller, alors ?

Martha se rassit sur ses talons ; elle était tellement sidérée qu'elle se mit à parler patois.

– Comment ça ? Tu sais bien t'attifer toute seule !

– Qu'est-ce que tu dis ? Je ne comprends pas ! Tu ne peux pas parler comme tout le monde ?

– J'oubliais, Mme Medlock m'a bien dit de faire

attention de ne pas parler en patois devant toi ! Tu ne sais pas te boutonner toute seule ?

– Me boutonner ? fit Mary, outrée. C'est mon ayah qui m'habillait.

– Eh bien, répondit Martha, il est grand temps que tu t'y mettes ! Ça va te dégourdir un peu, si tu n'as pas commencé plus jeune. Moi, ma mère, elle ne comprend pas comment les enfants des gens riches ne deviennent pas de vrais ânes bâtés ! Quand on voit toutes ces bonnes d'enfants qui sont là à les pomponner, à les promener comme des poupées !

Dédaigneuse, Mary rétorqua :

– Ce n'est pas pareil, aux Indes.

Mais Martha avait de la ressource.

– Eh, je le vois bien que c'est pas pareil, reprit-elle d'un air compatissant. C'est parce que les Noirs, là-bas, ne sont pas civilisés comme nous. Quand j'ai appris que tu venais des Indes, j'ai cru que tu étais noire aussi !

Mary se dressa dans son lit, furieuse :

– Noire, moi ? Comment ! Une indigène ? Tu m'as prise pour une indigène ! Espèce... espèce d'enfant de cochon !

Martha la regarda, effarée :

– A qui dites-vous des choses pareilles ? Ce n'est pas des mots qu'on doit entendre dans la bouche d'une jeune demoiselle ! Je n'ai rien contre les indigènes. Le pasteur dit qu'ils sont croyants. On est frères, c'est des hommes comme nous ! Je n'ai jamais vu de Noir de ma vie ! Ce matin, avant de rallumer le feu, j'étais tout heureuse à l'idée que j'allais enfin en voir une ; je me glisse sans bruit jusqu'à votre lit, je soulève doucement la couverture... Et qu'est-ce que je vois ? Zut, je me dis, elle n'est même pas plus noire que moi ! Elle est seulement un rien plus jaune !

Des larmes de colère et d'humiliation affluèrent aux yeux de Mary.

– Tu as osé ! Une indigène ! Tu m'as prise pour une indigène ! Qu'est-ce que tu sais des indigènes ? Ce ne sont même pas des gens, d'abord ! Ils doivent se baisser quand on passe et nous faire des courbettes ! Tu ne connais rien aux Indes ! Tu ne connais rien à rien !

Elle ne se tenait plus de rage. Mais, désarmée par le regard candide de la jeune servante, elle se sentit très seule, soudain, si loin de tout ce qu'elle comprenait, de tout ce qui la comprenait, qu'elle dut détourner le visage et l'enfouir dans son oreiller avant d'éclater en sanglots, secouée par une crise de larmes si violente que Martha, en brave fille qu'elle était, se sentit honteuse et navrée. Elle s'approcha du lit, timidement.

– Hé ! mademoiselle ! implora-t-elle. Voyons, ne pleurez pas comme ça ! Je ne voulais pas vous vexer !

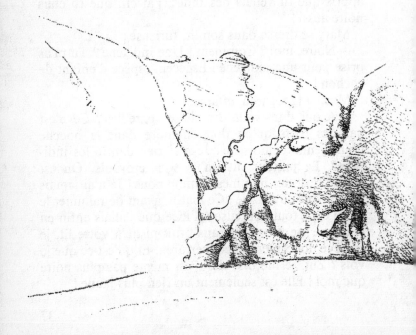

Je ne connais rien à rien, c'est vrai ! Je vous demande bien pardon, mademoiselle ! C'est tout comme vous dites, je veux bien le croire ! Seulement, faut arrêter de pleurer !

Il y avait quelque chose de si bienveillant dans son parler simple et rude que Mary en fut réconfortée Bientôt, elle cessa de pleurer et s'apaisa. Martha poussa un soupir de soulagement.

– Bon, il est temps de se lever, quand même. Je vais t'apporter ton petit déjeuner. Mme Medlock m'a dit de servir tes repas dans la pièce d'à côté. Elle l'a aménagée en salle de jeux pour toi. Si tu sors de ton lit maintenant, je veux bien t'aider à t'habiller. Si tes boutons sont dans le dos, je ne dis pas que tu peux le faire toi-même !

Comme Mary ne se décidait toujours pas, Martha prit des vêtements dans la garde-robe et les lui montra. Ce n'étaient plus les vêtements de la veille.

– Ce ne sont pas les miens, dit Mary. Mes vêtements d'hier étaient noirs.

Jetant un coup d'œil, cependant, sur le manteau et la robe, un bel ensemble de chaude laine blanche, elle ajouta :

— Ils sont plus beaux.

— C'est ce que tu dois mettre, dit Martha. M. Craven a demandé à Mme Medlock de les acheter pour toi à Londres. « Je ne tiens pas à voir cette petite errer dans le parc du manoir, tout en noir, comme une âme perdue. » Il paraît que c'est ça qu'il a dit. « Cette maison est bien assez triste ! Donnez-lui de la couleur ! » Ma mère, quand elle a appris ça, elle a bien compris ce qu'il voulait dire. Elle comprend toujours tout, ma mère. Elle n'aime pas tellement le noir non plus !

— J'ai horreur du noir ! affirma Mary.

La scène d'habillage qui suivit fut pour Martha, et pour Mary, riche en enseignement. Martha, qui avait boutonné tous ses frères et sœurs les uns après les autres, n'aurait jamais imaginé qu'une fillette puisse rester sans bouger en attendant qu'on fasse tout pour elle.

— Tu n'as même pas essayé d'enfiler tes souliers ! s'exclama-t-elle en la voyant lui tendre tranquillement le pied.

— C'est mon ayah qui faisait ça, dit Mary. C'était la coutume.

Par la suite, Mary répéta souvent ces mots « c'est la coutume ». Aux Indes, quand on demandait aux domestiques une chose que leurs ancêtres n'avaient pas faite depuis des milliers d'années, ils vous regardaient d'un air tranquille, en disant : « Ce n'est pas la coutume. » Ensuite, ce n'était plus la peine d'insister !

Pour Mary, ce n'était donc pas la coutume de s'occuper d'elle-même ; la coutume était de se laisser manipuler comme une poupée. Elle n'était pas encore habillée ni passée à table qu'elle avait déjà le sentiment que ce temps-là était révolu, qu'il lui faudrait apprendre, à Misselthwaite, toutes sortes de gestes nouveaux : mettre ses souliers, par exemple, ou enfiler ses bas, ramasser ce qu'elle laissait tomber... En fait, si Martha avait été une femme de chambre stylée, elle aurait pris à cœur de lui enfiler ses vêtements, de brosser ses cheveux, ou de ramasser ses affaires ; mais Martha, née dans un cottage de la lande, avait grandi entourée d'une ribambelle de frères et sœurs qui se débrouillaient seuls depuis qu'ils savaient marcher.

Quant à Mary, si elle avait eu l'esprit plus ouvert, elle se serait peut-être réjouie de la bonne humeur de Martha et de son parler du Yorkshire, mais elle l'écoutait à peine et pensait seulement à s'indigner de ses mauvaises manières. Martha ne se troublait pas pour autant ; elle babillait gaiement, si bien que Mary finit par tendre l'oreille à ses propos.

— Ah, si tu les voyais : on est douze en tout ! Et mon père ne gagne que seize shillings par semaine ! Ma mère, elle doit faire des miracles pour qu'il y ait du porridge pour tout le monde ! Ils passent toute la journée dehors. Ma mère dit souvent qu'ils se nourrissent de l'air de la lande ! C'est vrai ! Faut les voir galoper, c'est à se demander s'ils mangent de l'herbe, on dirait des poneys sauvages. Notre Dickon, il a douze ans, et il en a un, un vrai poney sauvage, qu'il a apprivoisé.

— Où l'a-t-il trouvé ? interrompit Mary.

— Oh ! il l'a trouvé sur la lande, quand il était encore tout petit ! Ils sont devenus amis tous les deux. Il lui donnait des croûtons de pain et lui arrachait de la bonne herbe. Le poney, à la longue, s'est mis à aimer Dickon et maintenant il le suit partout. Il le laisse monter sur son dos. Ah ! Dickon, c'est un bon garçon ! Il a bon cœur, et les animaux, ils le sentent !

Mary avait toujours désiré avoir un animal à elle, mais on ne le lui avait jamais permis. Sans vraiment en avoir conscience, elle commença à éprouver de l'intérêt pour Dickon. Comme elle ne s'était jusque-là occupée que d'elle-même, ce fut l'éveil d'un sentiment inattendu et salutaire.

La pièce rebaptisée salle de jeux ressemblait, à un ou deux détails près, à celle où elle avait dormi. Ce n'était pas une chambre d'enfants, mais une pièce comme toutes les autres, encombrée de tableaux anciens et de lourdes chaises de chêne. Le petit déjeuner attendait sur la table, copieux et appétissant. Mais Mary, qui n'avait jamais eu bon appétit, repoussa l'assiette que lui tendait Martha.

– Je n'en veux pas, dit-elle.

– Tu ne veux pas ton porridge ? s'exclama Martha, incrédule.

– Je n'en veux pas, répéta Mary.

– Tu n'as pas idée comme c'est bon ! Mets-y un peu de mélasse, ou un peu de sucre en poudre.

– Je n'en veux pas.

– Je ne peux pas supporter de voir se perdre de la si bonne nourriture ! Mes frères et sœurs te nettoieraient ça en cinq minutes !

– Pourquoi ? demanda Mary, froidement.

– Pourquoi ! Mais c'est à peine s'ils se souviennent d'avoir jamais eu le ventre plein ! Ils sont affamés comme les petits renards de la lande !

– Je ne sais pas ce que c'est qu'avoir faim, dit Mary d'un ton désinvolte.

Martha mit les poings sur les hanches.

– Que ça t'arrive une bonne fois, c'est ce que je pourrais te souhaiter de mieux ! Je perds patience quand je vois des gens rester là, collés sur leur chaise, à regarder de la bonne nourriture sans y toucher ! Je serais tellement contente si Dickon, Phil, Lisbeth Ellen et tous mes autres frères et sœurs avaient seulement la moitié de ça à avaler !

– Tu n'as qu'à le prendre et leur donner, dit Mary en toute innocence. Tu n'as qu'à le leur porter ce soir !

– Ça ne m'appartient pas ! répliqua Martha avec force. Et ce n'est pas mon jour de sortie ! J'ai un jour par mois comme tout le monde. Ce jour-là, je rentre chez moi ! Je fais un peu de ménage pour ma mère, ça lui fait tout un jour de repos.

Mary but une gorgée de thé et grignota un toast recouvert de marmelade.

– Allez ! finit par dire Martha. Tu devrais t'habiller chaudement et aller t'amuser dans le parc... Ça t'ouvrira l'appétit pour le déjeuner.

Mary s'approcha de la fenêtre. Elle vit des jardins, des allées, de grands arbres. Tout semblait morne et glacé.

– Dans le parc ? Par ce temps ?

– Eh bien, si tu ne sors pas, tu devras rester ici, et qu'est-ce que tu vas faire ?

Mary jeta un rapide coup d'œil dans la pièce : Mme Medlock avait peut-être voulu en faire une salle de jeux, mais elle n'avait pas pensé aux jouets. Mieux valait peut-être aller voir à quoi ressemblaient le parc et les jardins...

– Mais qui va m'accompagner ?

– T'es tout de même assez grande, tu peux sortir toute seule ! Les autres enfants, comment ils font quand ils n'ont pas de frères et sœurs ? Dickon, quand il part sur la lande, on n'a pas besoin de le prendre par la main, et il peut y passer des heures. C'est comme ça qu'il est devenu ami avec le poney. Il y a des moutons qui le reconnaissent, des oiseaux qui mangent dans sa main. Même quand il n'y a pas grand-chose à table, il trouve toujours quelques miettes pour eux.

Ce fut l'allusion à Dickon qui décida Mary à sortir. Il n'y aurait peut-être pas de poneys, ni de moutons dans le parc, mais elle y verrait des oiseaux, sans doute

bien différents de ceux qu'elle connaissait aux Indes. Elle pourrait s'amuser à les regarder.

Martha lui donna un manteau, un chapeau, une paire de bottines, puis elle la guida jusqu'en bas pour lui indiquer le chemin.

– Quand on fait le tour par là, on arrive aux jardins, dit-elle en lui montrant du doigt une grille dissimulée dans un fouillis d'arbustes. Pour l'instant, rien n'y pousse, mais l'été, c'est plein de fleurs partout.

Elle hésita une seconde, puis ajouta :

– Un des jardins reste toujours fermé à clef. Personne n'y va plus depuis dix ans.

– Et pourquoi ? demanda Mary.

« Encore une porte fermée à clef ! » pensa-t-elle.

– C'est M. Craven. Il l'a fermé quand sa femme est morte subitement. Il ne veut pas que les gens y entrent. C'était son jardin à elle. Alors, il l'a fermé à clef. Après, il a creusé un trou et il a enfoui la clef dedans. J'entends la sonnette ! Faut que je me sauve ! C'est Mme Medlock qui m'appelle.

Lorsque Martha eut disparu, Mary suivit l'allée qui menait à la grille. Son esprit revenait sans cesse à ce jardin fermé où personne n'était plus entré depuis dix ans. A quoi pouvait-il ressembler ? Les fleurs y poussaient-elles encore ? La grille franchie, elle déboucha sur d'immenses pelouses, au milieu desquelles serpentaient des allées bordées de haies basses. Sur ces pelouses, elle aperçut des arbres, des parterres, des buissons taillés de façon surprenante. Elle contourna un grand bassin, mais la fontaine était tarie. Quant aux parterres qui la bordaient, ils étaient vides. De toute façon, ce n'était pas le jardin fermé. « Et comment fermer un jardin ? On peut toujours entrer dans un jardin », se disait Mary.

Elle était toute à ses pensées, quand elle aperçut, au bout de l'allée qu'elle suivait, un long mur recouvert de lierre. Elle ignorait que, en Angleterre, on a l'habitude d'entourer les jardins de hauts murs. Elle le longea et vit dans une trouée de lierre une petite porte de bois verte. Comme cette porte était grande ouverte, ce ne pouvait être le jardin dont lui avait parlé Martha : on y entrait trop facilement. Elle avança donc de quelques pas et s'aperçut qu'il s'agissait d'un potager... le premier, en réalité, de sept jardins contigus, reliés par des portes et tous entourés de hauts murs. Au fond du premier potager, une autre porte était ouverte ; elle donnait sur des buissons bas et des plants de légumes d'hiver. Des arbres fruitiers palissés s'alignaient le long des murs. Sur le sol, des châssis de verre recouvraient des plants de légumes. « C'est vraiment affreux, se dit-elle. Il n'y a que de la terre... Ce sera peut-être mieux en été quand il y aura de la verdure, mais, en ce moment, on ne peut pas dire que ce soit joli ! »

Au même instant, un vieil homme déboucha, une bêche sur l'épaule, par la porte du deuxième jardin. Il sursauta en la voyant et toucha son chapeau. Avec sa vieille tête burinée, son air de paysan bougon, il semblait mécontent de la voir. Il faut dire qu'à cet instant-là Mary, plus « amère » que jamais, ne devait pas avoir l'air, elle non plus, enchantée de le rencontrer.

– C'est quoi, ici ? demanda-t-elle.

– Un potager, fit l'homme.

– Et là, derrière ? dit-elle encore en montrant l'autre porte verte.

– Un autre potager, fit l'homme. Il y en a encore un troisième, quand on arrive au mur du fond. Et derrière, s'étend un verger.

– Je peux y aller ? demanda Mary.

– Si tu veux, mais il n'y a rien à voir.

Mary ne répondit pas. Elle avança jusqu'à la deuxième porte verte. Encore des murs, et des légumes, et des châssis vitrés. Au fond, une autre porte

verte ! Peut-être la porte du jardin où personne n'entrait plus jamais. Ce n'était pas une enfant craintive et elle faisait toujours ce qu'elle avait décidé ; elle gagna donc cette porte verte en tourna la poignée... Elle s'attendait à ce qu'elle résiste – elle aurait eu la certitude, ainsi, d'avoir découvert le jardin mystérieux –, mais la porte s'ouvrit facilement. Elle la franchit et déboucha dans un verger ceint de murs contre lesquels d'autres arbres étaient palissés. Aucun ne portait de fruits, ni même de feuilles en cette saison. Mary chercha des yeux une autre porte, mais elle n'en vit nulle part. Et pourtant, juste avant d'entrer dans le jardin, elle avait eu l'impression que le mur se prolongeait de l'autre côté. En avançant, elle vit une rangée d'arbres dont les cimes dépassaient du mur. Elle s'immobilisa en apercevant un petit oiseau à la gorge rouge vif, perché sur une des plus hautes branches. Ce fut l'instant qu'il choisit pour entonner son chant d'hiver, comme si, l'ayant vue lui aussi, il voulait lui dire quelque chose. Elle tendit l'oreille et, sans bien comprendre, elle sentit dans ce chant tant de gaieté, de pureté, de délicatesse qu'elle en frissonna de plaisir.

Ce n'est pas parce qu'une petite fille a un très mauvais caractère qu'il ne lui arrive pas de se sentir seule quelquefois. Or, dans cette grande maison fermée et cernée par la lande déserte, dans ces jardins sans fruits ni fleurs, Mary éprouvait le sentiment aigu d'être seule au monde. Si elle avait été une enfant plus aimante, plus sensible, les malheurs qu'elle avait connus lui auraient sans doute brisé le cœur. Tout endurcie et « amère » qu'elle était, en écoutant le petit oiseau au plumage d'un rouge lumineux, un semblant de sourire se dessina sur son visage. Elle resta immobile, tout le temps que dura ce chant, jusqu'à ce que l'oiseau se fût tu et s'envolât à tire-d'aile. Il ne ressemblait pas du tout aux oiseaux des Indes ! Elle sentait – c'était étrange –, elle sentait qu'elle l'aimait bien. Elle se demanda si elle avait une chance de le revoir un jour. Qui sait s'il n'habitait pas dans le jardin fermé à clef ? Qui sait s'il n'en connaissait pas tous les recoins, tous les secrets ?

Elle n'avait rien pour se distraire, c'est pour cela, probablement, que ses pensées tournaient toujours autour de ce fameux jardin. Elle aurait tant souhaité voir ce qu'il dissimulait. Pour quelle raison M. Craven avait-il enterré la clef ? S'il aimait sa femme tendrement, pourquoi détester son jardin ? Allait-elle finir par le voir, cet homme étrange ? Un jour, peut-être. Elle ne l'aimerait sans doute pas, et ce serait sûrement réciproque. Elle savait qu'elle se contenterait de rester plantée devant lui sans rien oser lui dire. Même si elle brûlait de l'interroger, elle ne lui demanderait jamais rien. « Personne ne m'aime et je n'aime personne, pensait-elle. Quand je vois les gens, je n'arrive pas à leur parler. Les autres ne sont pas comme ça. Les enfants du pasteur, par exemple, ils parlaient tout le temps, ils s'amusaient, ils riaient... »

Elle pensa à l'oiseau. Elle avait pu croire un instant que son chant était destiné à elle seule. En se rappelant la cime de l'arbre sur lequel il était perché, elle s'arrêta soudain dans l'allée. « Cet arbre pousse à l'intérieur du jardin, j'en suis presque sûre. Il y avait un mur au fond, mais dans ce mur on ne voyait pas de porte. » Elle regagna le potager par lequel elle était entrée ; le vieil homme s'y trouvait toujours. Elle le rejoignit et resta à côté de lui. Elle prenait son petit air pincé en le regardant travailler ; elle attendait qu'il la remarque. Comme il ne se décidait pas, elle prit la parole :

— J'ai vu tous les jardins, dit-elle.

— Rien ne t'en empêchait ! grogna l'homme.

— Je suis même entrée dans le verger...

— Il y avait un chien à la porte ?

— Non. Mais au fond je n'ai pas vu de porte... Alors

50

je n'ai pas pu entrer dans le jardin qui se trouve derrière.

– De quel jardin veux-tu parler ? lui demanda l'homme d'une voix rude en interrompant son travail.

– De celui qui se trouve derrière, dit Mary ; il y a des arbres... On en voit les cimes au-dessus du mur ! J'ai vu un oiseau sur une branche, très mignon, avec des plumes rouges ; il a chanté dès qu'il m'a vue !

A sa grande surprise, le visage hargneux du vieux jardinier changea d'expression. Un lent sourire apparut sur ses lèvres. C'était si surprenant de voir comment un sourire pouvait transfigurer un visage ! Elle n'avait jamais remarqué cela auparavant. L'homme se tourna vers le verger et fit entendre une succession de sifflements assez faibles, mais très mélodieux. C'était presque incompréhensible : entendre un homme si renfrogné produire des sons si délicats ! L'instant d'après, il se passa une chose vraiment extraordinaire. On entendit un frou-frou dans l'air, quelques rapides battements d'ailes, et tout à coup le petit oiseau à la gorge écarlate se posa doucement à ses pieds. Il était là, il les regardait sans manifester aucune crainte, juché sur une motte de terre, à quelques centimètres à peine de la bêche du vieux jardinier.

– Te v'là, toi ! gloussa le vieil homme... (Il penchait la tête vers l'oiseau comme s'il parlait à un enfant.) Où est-ce que t'étais encore fourré, tu ne veux pas me le dire, polisson ! Je ne t'ai même pas vu de la journée. Tu ne serais pas en train de faire ta cour ? Eh pardi ! Mais c'est que t'es précoce. Tu n'as même pas attendu le printemps ?

La tête tournée sur le côté, l'oiseau fixait sur le vieil homme un petit œil rond et soyeux, brillant comme une perle noire. On sentait qu'il était en pays de connaissance, il ne montrait aucune frayeur, picorant tantôt une petite graine par-ci, tantôt un petit moucheron par-là. Et Mary se sentait si émue de le revoir que son cœur se serra. Il était si attendrissant avec son petit corps tout rond, son bec effilé, ses pattes fines et légères ! Il semblait presque humain.

– Il arrive toujours quand vous l'appelez ?

– Eh ! Bien sûr qu'il vient toujours ! Il n'avait pas encore de plumes qu'on se connaissait déjà tous les deux ! Il est sorti du nid, là, plus haut, dans le jardin. Il commençait juste à voleter, il est passé au-dessus du mur, mais quand il a voulu repartir, le mur était trop élevé pour lui. Il n'avait plus de force. Il est resté là quelques jours. C'est comme ça qu'on est devenus amis. Quand il a pu regagner son nid, toute la couvée avait filé... Alors, il s'est retrouvé tout seul. Qu'aurais-tu fait à sa place ? Lui, c'est bien simple, il est revenu.

– Quelle sorte d'oiseau est-ce ?

– Non, ce n'est pas possible, tu ne sais pas ça ? Eh, c'est un rouge-gorge, pardi ! Il n'y a pas plus curieux que ces bêtes-là ! Quand tu sais t'y prendre avec eux, il n'y a pas plus attachant non plus ! Regarde-le, comme il lève la tête, mine de rien, tout en picorant : il le sait, va, qu'on parle de lui !

C'était un spectacle étonnant que de voir le vieux jardinier couver des yeux cette petite boule d'oiseau au pourpoint écarlate, avec un mélange de fierté et de tendresse dans le regard.

– Il aime ça, c'est un vrai m'as-tu-vu ! Et un sacré mêle-tout, en plus ! Au printemps, il passe ses journées à venir surveiller ce que je sème ! M. Craven, lui, c'est bien simple, il ne s'occupe pas de ça, mais lui, crois-moi, ça l'intéresse. A un point que je me demande quelquefois si ce n'est pas lui le chef jardinier !

Le rouge-gorge sautillait toujours en picorant. De temps en temps, il s'arrêtait pour les observer un moment et Mary avait l'impression que son petit œil noir la fixait intensément, comme s'il voulait tout savoir d'elle.

– Et les autres oiseaux de la couvée, où sont-ils partis à présent ?

– Ça, bien savant qui pourrait le dire ! Les parents les poussent hors du nid pour les obliger à voler et, ce jour-là, tu n'as pas le temps de dire ouf qu'ils s'éparpillent dans la nature. Lui, remarque, c'était un malin : une fois qu'il s'est retrouvé tout seul, il a compris tout ça très vite.

Mary regarda le rouge-gorge et fit un petit pas vers lui.

– Moi aussi je suis seule, dit-elle.

Elle ignorait que c'était en grande partie à cause de sa solitude qu'elle s'était constamment sentie d'humeur chagrine et contrariée. Comme elle regardait le rouge-gorge, comme lui la regardait aussi, elle s'en rendit compte tout à coup.

Le vieil homme avait relevé son chapeau sur le haut de son front et il la dévisageait, lui aussi.

– C'est toi la petite qui vient des Indes ?

Mary fit oui de la tête.

– Alors, on comprend que tu te sentes seule, et ça ne risque pas de s'arranger !

Il recommença à bêcher et sur chaque motte qu'il

retournait, le rouge-gorge venait se jucher et se remettait à picorer.

– Comment vous appelez-vous ?

Le vieil homme se redressa.

– Ben Weatherstaff, répondit-il ; puis il ajouta en grognant : j'suis seul aussi ! Tu l'vois celui-là...

Du pouce il montrait le rouge-gorge...

– Je n'ai pas d'autre ami au monde.

– Je n'en ai aucun, dit Mary, et je n'en ai jamais eu. Mon ayah ne m'aimait pas, aux Indes, et je n'avais personne avec qui jouer.

Quand les paysans du Yorkshire ont quelque chose à vous dire, ils n'y vont pas par quatre chemins, or le vieux Ben Weatherstaff avait vu le jour sur la lande.

– Ma foi, j'ai idée que toi et moi, on est un peu comme deux fagots qu'on aurait tirés de la même branche. On n'est beaux ni l'un ni l'autre, et avec ça on est aussi « grinchus » au-dedans qu'on en a l'air ! Oui, on a le même genre de caractère à faire fuir, j'en mettrais ma main à couper !

C'était bien la première fois que Mary entendait quelqu'un lui dire, sans détour, ses quatre vérités. Aux Indes, quoi qu'elle dise, quoi qu'elle fasse, c'était toujours les mêmes salamalecs ; personne n'osait rien lui reprocher. Elle ne s'était jamais fait trop d'illusions sur sa beauté, mais de là à paraître aussi laide que le vieux Ben Weatherstaff, il y avait peut-être une différence. Elle se demanda si son visage était aussi fermé que celui du jardinier avant l'arrivée du rouge-gorge et elle n'était pas du tout rassurée. Au même instant, un gazouillis limpide tinta à son oreille. Un tout jeune pommier s'élevait à deux pas d'elle ; le rouge-gorge s'y était perché et la regardait en émettant une cascade de sons cristallins. Ben Weatherstaff éclata de rire.

– Pourquoi chante-t-il ainsi ? dit Mary.

– Il veut être ton ami ! Et ça m'a l'air d'être du

sérieux. Ça, alors ! Je veux bien être pendu s'il n'a pas un faible pour toi !

– Pour moi ? s'étonna Mary.

Elle fit un petit pas en avant en levant le regard vers lui.

– Tu veux être mon ami ? C'est vrai ? Bien vrai ? Tu en es sûr ?

Elle lui avait parlé comme à un être humain, pas du tout avec la petite voix sèche et dure qu'elle avait aux Indes ; sur un ton si caressant que Ben Weatherstaff s'en trouva aussi stupéfait que Mary l'avait été quand le vieil homme avait sifflé.

– Mince ! T'as dit ça bien gentiment, bien doucement comme une vraie petite fille. C'est mieux de t'entendre parler comme ça plutôt qu'avec le ton d'une petite vieille avant l'âge ! Pour un peu, on aurait dit Dickon quand il se met à parler à ses animaux sur la lande !

En entendant ce nom, Mary se tourna vers le jardinier.

– Vous connaissez Dickon, alors ?

– Eh ! Qui donc ne connaît pas Dickon ? Le Dickon, qu'il pleuve ou qu'il vente, on le voit gambader sur la lande ! Il n'y a pas un mûrier sauvage, pas même un brin de bruyère qui ne l'ait pas vu passer un jour ! Tu ne vas pas me croire, mais il y a des renardes qui lui montrent où est leur terrier, avec leurs petits dedans ! Même les alouettes ne lui cachent pas leur nid !

Mary aurait voulu apprendre encore bien des choses sur Dickon. Elle était presque aussi curieuse d'entendre parler de ce garçon que du jardin fermé à clef. Seulement voilà, au même instant le rouge-gorge cessa ses trilles et s'envola. Il avait rendu sa visite, et une affaire urgente devait l'attendre dans quelque buisson.

– Regardez-le, cria Mary, il est passé au-dessus du

mur, il survole le verger, et voilà qu'il passe l'autre mur ! Il est dans le jardin maintenant, dans le jardin qui n'a pas de porte !

— Il vit là-bas, fit le vieux Ben. C'est dans ce jardin qu'il est sorti de son œuf. Quelque chose me dit que notre gaillard est bien reparti faire sa cour : il doit essayer d'enjôler une dame rouge-gorge dans les rosiers.

— Il y a des rosiers ? dit Mary.

Ben Weatherstaff reprit sa bêche et y posa le plat du pied.

— Disons qu'il y en avait il y a dix ans...

— Je pourrais les voir ? dit Mary. Dites-moi où se trouve la porte verte. Il y a bien une porte quelque part ?

De la semelle, Ben Weatherstaff enfonça sa bêche dans la terre. Il avait repris son air bourru.

— Il y a dix ans, oui. Mais maintenant il n'y en a plus !

— Mais il doit bien y en avoir une tout de même ! fit Mary, étonnée.

— Aucune porte que tu puisses trouver, et rien dont t'aies lieu de te mêler ! Ne va pas essayer de fourrer ton nez où tu n'as pas à le faire ! Allez, assez parlé maintenant ! J'ai du travail, va jouer plus loin !

A ces mots, sans plus attendre, le vieil homme souleva sa bêche et, la jetant sur son épaule, tourna les talons, sans même un regard pour Mary ou un signe d'adieu.

5

On gémit dans un corridor

Les premiers temps, chaque jour qui passait était exactement semblable au précédent. Tous les matins, Mary ouvrait les yeux sur les tapisseries de la chambre et trouvait Martha occupée à rallumer le feu. Elle prenait son petit déjeuner dans la nursery, toujours aussi vide de jouets. Après quoi, elle regardait par la fenêtre la lande qui montait en pente douce vers le ciel, à perte de vue. A ce moment-là, il lui fallait chaque fois se rendre à l'évidence : si elle ne voulait pas passer son temps à ne rien faire dans ces deux pièces, elle n'avait plus qu'à sortir. Elle partait donc, sans connaître le bienfait de ces longues promenades au grand air, face au vent qui soufflait sur la lande en longues et violentes bourrasques ; elles activaient la circulation de son sang paresseux et la fortifiaient. Si elle courait, c'était seulement pour se réchauffer. Elle détestait le vent qui lui souffletait le visage et la clouait presque sur place, comme eût fait la main implacable d'un géant au corps invisible. Mais, sans qu'elle s'en rende compte, ses joues pâles se coloraient de rose et ses yeux mornes brillaient d'un éclat inhabituel.

Au bout de quelques jours passés presque entièrement au grand air, elle se réveilla un matin, affamée. Quand elle se fut assise à table pour prendre son petit

déjeuner, loin de repousser son porridge comme elle en avait l'habitude, elle se saisit de la cuillère et vida son assiette jusqu'à la dernière bouchée.

– Il y a du progrès, ce matin, fit Martha.

– Aujourd'hui, ça a meilleur goût, je ne sais pas pourquoi, répondit Mary.

– C'est le bon air de la lande qui t'ouvre l'appétit, continua Martha. C'est bien de manger quand on a de quoi ! J'en connais onze à la maison qui n'ont pas toujours cette chance ! Continue à jouer dehors, tu te remplumeras et tu ne seras plus si jaune.

– Je ne joue pas, dit Mary. Je n'ai rien pour cela !

– Dans le pays, les enfants s'amusent avec des bâtons et des pierres. Ils courent, ils crient, ils regardent tout autour d'eux.

Mary ne criait pas, mais elle observait autour d'elle. Que pouvait-elle faire d'autre ? Elle arpentait les jardins, partait explorer les allées du parc. Quelquefois, elle apercevait Ben Weatherstaff, mais il paraissait trop occupé pour lui prêter attention. Une fois même, en la voyant approcher, il avait ramassé sa bêche et s'était éloigné, comme s'il cherchait à l'éviter.

Elle avait sa promenade favorite dans le parc. Elle suivait l'allée qui longeait la succession de potagers entourés par le mur de pierre. Les plates-bandes, au pied du mur, étaient encore nues, mais les pierres disparaissaient sous un lierre aux feuilles épaisses et denses. Il s'étendait d'un bout à l'autre de ce long mur, mais il y avait un endroit où le feuillage semblait encore plus touffu et les feuilles plus sombres. Partout ailleurs, il était soigneusement taillé, mais à cet endroit, il n'était plus entretenu.

Quelques jours après sa conversation avec Ben Weatherstaff, Mary s'était arrêtée, intriguée, devant le mur. Elle observait une longue tige de lierre qui se balançait dans le vent, quand elle aperçut une tache rouge et entendit quelques trilles sonores : le rouge-gorge de Ben Weatherstaff venait de se jucher sur la tige, sa petite tête tournée vers elle.

– Oh ! c'est toi, cria-t-elle. Mais oui, je te reconnais !

Il ne lui semblait pas bizarre de parler au rouge-gorge, elle avait le pressentiment qu'il allait comprendre et répondre... Et il répondit, en effet, pépiant et gazouillant, sautillant sur le bord du mur, comme s'il cherchait à lui parler. Il ne parlait pas, bien sûr, mais Mary avait l'impression de le comprendre. Il lui disait :

– Bonjour ! Te revoilà ? Il fait doux ce matin. Le vent ne souffle pas trop fort. Regarde ce soleil ! On est bien, non ? Allez, pépie ! Allez, sautille ! Allez, gazouille ! Viens avec moi ! Viens avec moi !

Mary éclata de rire en le voyant voleter et sautiller le long du mur. Il s'éloigna. Elle le suivit. Pauvre Mary, toute jaune et malingre ! A cet instant, elle semblait presque jolie.

– Je t'aime bien, tu sais ! criait-elle en trottinant à sa poursuite.

Et elle tentait de pépier et de siffloter de son mieux. Elle manquait d'entraînement, mais le rouge-gorge, apparemment, ne lui en tenait pas rigueur. Il lui répondait aussitôt, en sifflotant et en pépiant. Finalement, il ouvrit ses ailes et fila comme une flèche vers la cime d'un arbre. Dès qu'il fut perché sur la plus haute branche, il entonna un nouveau chant. En l'entendant, Mary pensa au jour de leur première rencontre. Ce jour-là, il se balançait aussi sur le faîte d'un arbre alors qu'elle se trouvait dans le verger. Aujourd'hui, elle se trouvait hors de l'enceinte, un peu plus haut que le verger, presque tout au bout de l'allée. Pourtant, elle avait l'impression qu'il s'agissait du même arbre. « Il doit pousser dans le jardin où personne n'entre plus jamais, se dit-elle. Celui qui n'a pas de porte et où vit le rouge-gorge. J'aimerais tant voir ce qu'il y a dedans ! »

En courant, elle reprit l'allée jusqu'à la première porte verte, traversa le premier jardin, le deuxième, le troisième enfin. Quand elle entra dans le verger, à bout de souffle, elle leva la tête : l'arbre était là ! Le rouge-gorge se balançait toujours sur la plus haute branche ; il ne chantait plus et, du plat du bec, lissait doucement ses plumes les unes après les autres.

« Le jardin est derrière, j'en suis sûre à présent ! » Elle examina soigneusement le mur, mais ne vit pas plus de porte que la première fois. Elle fit demi-tour, traversa de nouveau les potagers en courant, reprit l'allée et longea à pas lents le mur recouvert de lierre. « C'est tout de même bizarre, se dit-elle. Ben Weatherstaff avait bien dit qu'il n'y avait pas de porte, et c'est vrai... Et pourtant, si M. Craven a enfoui la clef dans la terre, il y a maintenant dix ans, il devait bien y en avoir une ! »

Tout cela la préoccupait. Ce mystère avait éveillé sa curiosité, et elle regrettait moins d'être venue vivre à Misselthwaite. Aux Indes, il faisait si chaud qu'elle ne s'intéressait à rien ; elle se sentait toujours trop faible. Ici, le vent de la lande dissipait peu à peu les brumes qui obscurcissaient son esprit et elle avait l'impression de sortir d'un très long sommeil...

Après cette journée au grand air, elle avait très faim lorsqu'elle se mit à table pour le dîner ; elle éprouvait un mélange étonnant de fatigue et de bien-être. Entendre Martha papoter ne la contraria pas du tout. C'était plutôt agréable, à tel point que l'envie lui vint de lui poser une question. Elle attendit d'avoir achevé son dîner et de s'être assise près du feu, sur le tapis de cheminée.

– Pourquoi M. Craven hait-il ce jardin ?

Martha ne demandait pas mieux que de rester un peu avec Mary ; c'était encore une toute jeune fille et elle avait toujours vécu entourée de ses frères et sœurs. Elle n'aimait pas beaucoup redescendre à l'office où les domestiques importants, valets de pied et femmes de chambre, riaient de son patois du Yorkshire et préféraient parler entre eux. Martha aimait bavarder, et cette étrange petite fille qui avait habité aux Indes, où elle avait connu des Noirs, l'intriguait. Elle s'assit donc sur le tapis sans même que Mary l'y invitât.

– Alors, tu y penses à ce jardin ! commença-t-elle. Je m'en doutais. Au début, ça m'a fait la même chose !

– Pourquoi M. Craven hait-il ce jardin ?

Martha ramena les pieds sous elle pour se sentir plus à son aise.

– Écoute le vent, comme il mugit ! Cette nuit, si tu marchais sur la lande, tu tiendrais à peine debout.

Mary tendit l'oreille. Le vent gémissait, lugubre, soufflant en rafales autour du manoir ; elle en avait la chair de poule. On aurait dit que le géant tentait, de ses mains implacables, d'ébranler murs, portes et fenêtres afin d'entrer par effraction. En même temps, comme on savait bien qu'il n'y parviendrait pas, on se sentait encore mieux, bien au chaud et à l'abri, près du feu.

– Pourquoi hait-il ce jardin ?

Elle ne voulait pas renoncer, il lui fallait forcer Martha à dire ce qu'elle savait.

– Remarque, commença Martha, Mme Medlock nous dit toujours qu'on n'a pas le droit de parler de ça. Mais il faut dire que c'est pas ce qui manque, quand on travaille dans cette maison, les choses dont on ne doit pas parler ! Ce sont les ordres de M. Craven. Moi je veux bien, mais il ne serait sans doute pas comme il est s'il n'y avait eu ce jardin ! C'était le jardin de Mme Craven. Elle l'avait dessiné dans les premiers temps de leur mariage, et elle l'adorait. Quand il leur arrivait de s'y trouver tous les deux, une fois la porte fermée à clef, ils pouvaient y passer des heures et des heures à lire ou à parler. Ils plantaient et soignaient les fleurs eux-mêmes. Il y avait là un vieil arbre avec une longue branche recourbée qui avait un peu la forme d'un siège. Sur cette branche, elle avait fait grimper des guirlandes de roses et elle aimait beaucoup s'asseoir là... Malheureusement un beau jour la branche s'est cassée net et la jeune femme est tombée. Elle était très jeune et très frêle. Elle s'est blessée, et le lendemain, elle était morte. Lui aussi a failli mourir, de folie, au dire des docteurs. Il n'avait plus son sens à lui, il ne savait plus où il était ! C'est pour cette raison qu'il hait ce jardin ! Depuis ce jour-là, plus personne n'y entre et personne n'a le droit d'en parler !

Il n'y avait rien à ajouter. Mary regardait brûler les braises, et le vent qui soufflait toujours semblait mugir plus violemment que jamais.

Un sentiment inconnu s'éveillait en elle – et c'était une bonne chose. En fait, son arrivée à Misselthwaite lui avait apporté quatre bonnes choses. Elle savait que le rouge-gorge la comprenait et qu'elle le comprenait ; courir dans le vent lui donnait des forces ; elle avait faim ; enfin, pour la première fois de sa vie, Mary plaignait sincèrement quelqu'un...

Elle écoutait le vent et, peu à peu, elle commença à distinguer d'autres bruits, des bruits étranges : on aurait cru entendre un enfant gémir. Il n'y a pas grande différence entre les gémissements du vent et ceux d'un enfant, mais il lui semblait bien, pourtant, que cela venait de la maison. Tout lointain qu'il fût, ce bruit ne venait pas de l'extérieur : il montait des profondeurs du manoir. Elle regarda Martha.

– On gémit ! Tu entends ?

Martha sembla soudain mal à l'aise.

— C'est le vent, dit-elle. Quand il souffle par des nuits comme celle-ci, on croit toujours qu'une âme perdue appelle. Le vent de la lande fait toutes sortes de bruits.

— Écoute bien ! insista Mary. C'est dans la maison ! Ça vient de l'un de ces longs corridors !

Au même moment une porte dut s'ouvrir au rez-de-chaussée, car un violent courant d'air, venu s'engouffrer dans le couloir, poussa la porte de la chambre et souffla la flamme des chandelles. Les plaintes leur parvinrent amplifiées, comme portées par cet appel d'air.

— Qu'est-ce que je te disais ! dit Mary. Tu vois bien que c'est quelqu'un qui pleure, et ce n'est pas une grande personne !

Martha était déjà debout ; elle courut refermer la porte, donna un tour de clef, mais entre-temps elles entendirent distinctement le bruit d'une porte qui claquait. Ensuite, un grand calme se fit. Le vent s'était calmé.

— C'était le vent, dit Martha, avec obstination. Et même si ce n'était pas le vent, ce doit être Betty Buttleworth, la petite qui travaille aux cuisines. Elle a dû avoir une rage de dents, elle a eu mal toute la journée.

Mais elle semblait troublée. Mary lui jeta un regard sévère car elle était certaine que Martha mentait.

6

Quelqu'un pleurait !

Le lendemain matin, il pleuvait à verse. Lorsqu'elle s'approcha de la fenêtre, Mary vit que la lande était masquée par un épais voile de brume, sous un ciel bas. Il n'était pas question de sortir.

– Et quand il fait un temps pareil, qu'est-ce que vous faites, au cottage ? demanda-t-elle à Martha.

– On essaie de ne pas se marcher dessus. Ma mère a beau avoir un caractère en or, elle finirait par perdre la tête à voir tout ce monde tourner en rond. Les grands vont jouer dans l'étable et Dickon, lui, qu'il pleuve ou qu'il vente, il sort. Il dit qu'on ne voit pas la même chose sur la lande les jours où il pleut. Une fois, il a trouvé un petit renard qui s'était à moitié noyé ; il l'a glissé sous son paletot et l'a rapporté chez nous en le serrant sur sa poitrine pour le réchauffer un peu. Sa mère avait été tuée, et toute la portée était morte à cause du terrier gorgé d'eau. Maintenant, il a ce renard avec lui, au cottage. Une autre fois, c'est un jeune corbeau qu'il a trouvé à demi noyé ; il l'a apprivoisé aussi. Qu'il est noir, cet oiseau-là ! On ne croirait jamais à quel point c'est noir, un corbeau ! D'ailleurs, Dickon l'appelle Noiraud. Il est toujours à voleter et à sautiller derrière lui.

Les manières de Martha ne choquaient plus Mary. Elle s'était même mise, malgré elle, à trouver sa compagnie distrayante et à redouter le moment où elle sortirait pour faire son travail. Les histoires qu'elle lui racontait sur ce cottage de quatre pièces, où vivaient quatorze personnes qui ne mangeaient pas toujours à leur faim, mais où les enfants étaient vifs comme des jeunes chiens, étaient tout à fait différentes de celles de son ayah aux Indes. C'était surtout la mère de Martha et Dickon qui éveillaient son intérêt. Chaque fois que Martha racontait ce que faisait ou disait sa mère, elle l'écoutait avec grand plaisir.

— Si seulement j'avais un renardeau, ou un jeune corbeau, dit Mary, je pourrais m'amuser avec lui. Mais ici je n'ai rien pour jouer.

Martha réfléchit un instant.

— Bon, tu sais tricoter, au moins ?

— Pas du tout, répondit Mary.

— Alors, tu sais coudre...

— Non plus.

— Alors, tu sais lire.

— Ah ça, oui.

— Pourquoi tu ne profites pas de ce temps-là pour essayer de lire un peu ? A ton âge, tu as tout à apprendre !

— Je n'ai aucun livre, dit Mary. Ceux que j'avais sont restés aux Indes.

— Quand je pense à la bibliothèque du manoir ! C'est malheureux, quand même ! Il y a des milliers de volumes. Mme Medlock pourrait bien t'autoriser à y aller.

Mary eut envie de demander où se trouvait cette bibliothèque, mais elle se retint à temps... Elle venait d'avoir une idée : elle décida de partir seule à sa recherche. Mais il y avait Mme Medlock. Toutefois, Mary ne s'en inquiétait guère. Les trois quarts du temps, semblait-il, elle ne bougeait pas de son confortable logement d'intendante. On ne rencontrait jamais personne, d'ailleurs, dans cette étrange maison. On n'y croisait que les domestiques mais, quand M. Craven s'absentait, ils passaient leur temps à l'office, ou dans la cuisine, immense, aux murs couverts de plats en étain et de grandes casseroles de cuivre ; ils y prenaient parfois quatre, cinq repas par jour. Quand Mme Medlock s'éloignait, le réfectoire retentissait de bruits de ripailles et de jeux.

Quant à Mary, on lui servait ses trois repas à heure fixe, mais seule Martha semblait se soucier d'elle. Tous les deux jours, Mme Medlock jetait un rapide coup d'œil, pour voir si tout allait bien, sans même lui demander ce qu'elle faisait, ni lui dire ce qu'elle devait faire. Mary avait fini par se dire que ce devait être de cette manière que, en Angleterre, les adultes se comportaient à l'égard des enfants. Aux Indes, c'était exactement le contraire : l'ayah ne la quittait pas d'une semelle ; cela devenait même agaçant. Ici, personne ne la suivait, et elle sortait quand elle voulait. Elle commençait même à apprendre à mettre ses vêtements toute seule, car Martha la regardait avec commisération et cela piquait son amour-propre.

– C'est pas Dieu possible ! disait cette dernière. Ma sœur Susan n'a pas cinq ans, et elle est déjà plus dégourdie que toi ! Vraiment, parfois je me demande si tu as quelque chose dans la tête !

Mary était vexée, naturellement, et elle boudait une heure ou deux, mais cela l'obligeait à réfléchir.

Martha donna un dernier coup de plumeau et sortit de la pièce. Après son départ, Mary resta un quart d'heure dans la chambre, devant la fenêtre. Elle pesait le pour et le contre... Cette bibliothèque, à vrai dire, ne l'intéressait pas tellement. Elle n'avait jamais beaucoup lu. Pourtant, lorsque Martha en avait parlé, elle avait pensé aux cent pièces, condamnées ou fermées à clef. Y en avait-il vraiment cent ? Étaient-elles toutes condamnées ? Qu'est-ce qui l'empêchait d'aller voir, et de compter les portes, au moins, pour vérifier ?... Il pleuvait... Elle ne pouvait sortir... Ce serait une distraction. En fait, même si Mme Medlock était entrée à ce moment-là, elle ne lui aurait rien demandé. On ne lui avait jamais appris à demander la permission.

Elle ouvrit la porte de la chambre et se glissa dans le corridor. L'exploration commençait.

Ce couloir était très long et se ramifiait sans cesse. Elle le suivit et se retrouva finalement au pied d'un étroit escalier qui débouchait sur un autre corridor. Elle voyait des portes et des portes ; les murs étaient couverts de tableaux. Certains représentaient des paysages sombres et désolés, mais la plupart étaient des portraits d'hommes ou de femmes étrangement vêtus, en habit de satin, ou en robe de velours... Elle arriva dans une longue galerie aux murs entièrement garnis de portraits de ce genre. Elle ne se doutait pas que le manoir en contenait tant. Elle s'y engagea, dévisageant les personnages l'un après l'autre. Ils la regardaient, elle aussi ; ils avaient l'air de se demander ce qu'une fillette venue des Indes pouvait bien faire dans cette maison... Il y avait quelques portraits d'enfants : des fillettes en longue robe de satin, évasée à partir de la taille, au bas de laquelle on ne voyait dépasser qu'une pointe de soulier, des garçonnets aux cheveux longs, en chemise blanche à larges manches bouffantes et jabot de dentelle, ou le cou dissimulé derrière une haute fraise empesée. Elle s'arrêtait devant chaque enfant et se demandait comment il pouvait bien s'appeler, qu'elle avait été sa vie, et pourquoi il était ainsi déguisé. Elle avisa une petite fille à l'air guindé, pas très jolie, dont Mary eut l'impression qu'elle lui ressemblait étrangement. Elle portait une robe de brocart du même vert que le perroquet perché sur son doigt.

Elle avait un regard vif et curieux ; on aurait dit qu'elle allait sortir de son cadre et parler.

Quelle étrange matinée pour une petite fille de son âge ! On aurait dit qu'il n'y avait personne dans cette immense maison, personne dans ces couloirs, ces

recoins, ces réduits, personne dans ces escaliers et le long de ces corridors, que nul, excepté elle, ne semblait avoir jamais foulés. Depuis la construction du manoir, des gens avaient dû vivre ici, mais tout était si désert et si silencieux qu'elle n'arrivait pas à le croire. C'est seulement quand elle parvint au deuxième étage, qu'elle se demanda si elle n'allait quand même pas ouvrir une porte. Mme Medlock avait bien dit qu'elles étaient toutes fermées à clef, mais elle tourna une poignée... Un court instant, elle fut prise de panique quand elle sentit la porte pivoter sans aucune résistance. C'était une porte de chêne massif ; elle s'ouvrit sur une vaste chambre, aux meubles marquetés, semblables à ceux qu'elle avait vus aux Indes. Sur les murs étaient posées des tentures brodées. Par une haute fenêtre aux vitraux enchâssés dans des mailles de plomb, on découvrait la lande et le ciel. Sur le manteau de la cheminée, elle rencontra de nouveau le regard de la petite fille vêtue de la robe de brocart vert, un regard plus vif que jamais. « Peut-être dormait-elle dans cette chambre, se dit Mary. Quel curieux regard ! Ça me fait une drôle d'impression. »

Ayant poussé cette première porte, elle en ouvrit bien d'autres et visita tant de pièces qu'elle finit par se sentir fatiguée. Elle ne les avait pas comptées, mais il y en avait au moins cent, et chacune contenait des tapisseries, des peintures d'un autre temps, des meubles anciens aux formes étranges.

Dans un boudoir aux murs ornés de tentures de velours brodé, elle aperçut dans une vitrine une centaine d'éléphants en ivoire. Les grands venaient en tête, avec cornacs et palanquins, les autres par taille décroissante, si bien que les petits derniers avaient l'air de nouveau-nés. Elle avait observé aux Indes des artisans qui travaillaient l'ivoire et elle avait vu des éléphants. Elle grimpa sur un tabouret, ouvrit la vitrine, les prit et joua avec eux un moment. Quand elle eut fini de jouer, elle les remit soigneusement à leur place et referma la vitrine.

Soudain, un léger bruit se fit entendre. Elle sursauta et regarda vers la cheminée. Il y avait là un divan dont l'un des coussins était troué. Une toute petite tête pointait hors de ce trou, avec des yeux microscopiques qui la fixaient, l'air effrayé. Elle s'approcha à pas de loup. C'était une minuscule souris qui avait rongé un coussin pour y aménager son nid, un nid on ne peut plus moelleux. Six souriceaux étaient pelotonnés près d'elle et dormaient. Si la centaine de pièces de l'immense maison ne contenaient âme qui vive, du moins ces sept souris-là ne souffraient-elles pas de solitude. « Si je ne craignais de leur faire peur, je les emporterais bien dans ma chambre », se dit-elle.

Elle se sentait lasse. Elle chercha son chemin pour rentrer ; deux ou trois fois, elle se perdit mais, malgré maints tours et détours, la chance fit qu'elle reconnut le bon escalier. Toutefois, elle était encore loin de sa chambre, bien que celle-ci se trouvât au même étage. « Je suis encore en train de me perdre... » se dit-elle. Elle s'arrêta, pour réfléchir, au fond d'un étroit corridor fermé par une tapisserie :

– Je ne sais plus où je dois aller... Quel silence !

Elle se tenait là, immobile, et comme elle prononçait ces mots, elle sursauta. Quelqu'un émettait des gémissements, mais moins intenses que l'autre nuit ; on aurait dit plutôt des pleurs qui lui parvenaient, étouffés, à travers l'épaisseur du mur. « Ce n'est pas très loin, en tout cas. » Son cœur cognait dans sa poitrine. « C'est quelqu'un qui pleure, il n'y a pas de doute ! » se disait-elle.

Elle s'appuya machinalement contre la tapisserie et poussa un cri. La tapisserie masquait une porte, et cette porte dérobée, en s'ouvrant, découvrit une autre partie du couloir, par laquelle elle vit accourir

Mme Medlock, un rictus à la bouche, son trousseau de clefs à la main...

– Qu'est-ce que tu fais là ? lança-t-elle en saisissant rudement le bras de Mary pour l'entraîner. Je t'avais prévenue, souviens-toi !

– Je voulais regagner ma chambre, dit Mary, mais j'ai tourné du mauvais côté... Je me suis perdue dans le couloir, et puis j'ai entendu pleurer.

A ce moment, elle haïssait Mme Medlock plus qu'on ne saurait dire, mais ce fut pire l'instant d'après.

– Tu n'as rien entendu du tout ! Tu vas retourner dans ta chambre tout de suite ! Ou tu vas recevoir une paire de gifles !

La pauvre Mary fut tirée sur toute la longueur du couloir comme un vulgaire paquet, et quand elles arrivèrent devant sa porte, Mme Medlock la poussa à l'intérieur de la chambre sans ménagement.

– Je t'enferme à clef, tu m'entends, si tu ne restes pas dans cette chambre ! Que je ne te reprenne plus à rôder ! Le maître aurait dû suivre son idée et engager une gouvernante ! Laisser une gosse sans surveillance ! Comme si moi, je n'avais que ça à faire !

Elle tourna vivement les talons et partit en claquant la porte tandis que Mary s'asseyait sur le tapis de cheminée en grinçant des dents de colère. Elle ne pleurait pas, mais elle était pâle de rage. « J'avais raison, se disait-elle. Il y avait quelqu'un qui pleurait ! »

Cela faisait maintenant deux fois qu'elle l'entendait. Ils ne perdaient rien pour attendre ! Un jour, elle tirerait cette histoire au clair ! De toute façon, sa matinée avait été bien employée. Elle se sentait comme au retour d'un long voyage ; elle s'était amusée. Elle avait même joué un moment avec les éléphants en ivoire et elle avait vu la souris et les souriceaux dans leur nid, au creux du coussin de velours...

7
La clef du jardin

Deux jours plus tard, lorsque Mary ouvrit les yeux, elle s'assit toute droite dans son lit et appela Martha :

– Regarde la lande ! Regarde la lande !

La pluie avait cessé. Pendant la nuit, le vent avait chassé la brume et les nuages gris ; un beau ciel bleu resplendissait sur la lande. Jamais encore elle n'avait vu un ciel si radieux, d'un bleu si profond. Aux Indes, il était brûlant et éblouissant. Ici, en revanche, on aurait cru voir scintiller l'eau transparente d'un lac. Très haut, flottaient de petits nuages d'un blanc pur comme de la neige au soleil. Grise et morne hier encore, la lande montrait toutes les nuances du bleu et du violet.

– C'est comme ça à cette époque de l'année, fit Martha. La tempête s'en va dans la nuit. Le matin, on dirait qu'il ne s'est rien passé. C'est signe que le printemps approche. Il lui reste du chemin à faire, mais il arrive doucement...

– Je croyais qu'il pleuvait sans cesse et qu'il faisait toujours sombre en Angleterre, dit Mary.

– C'est les « faiseurs de menteries » qui disent ça, protesta Martha, indignée.

– Qu'est-ce que tu dis ? Je ne comprends pas.

Aux Indes, les domestiques parlaient parfois deux ou trois dialectes ; Mary n'était donc pas surprise de ne pas bien comprendre Martha.

— C'est mon patois du Yorkshire, dit Martha. Mme Medlock m'avait bien dit que tu ne comprendrais pas ! Les « faiseurs de menteries » sont des « menteurs », je trouve que c'est plus clair, pas toi ? Il ne fait pas toujours soleil dans le Yorkshire, tout le monde le sait mais, quand il brille, il n'y a pas pays plus lumineux. Je te l'avais dit, tu vas l'aimer, la lande ! Attends de voir les genêts en fleur, les fougères, les petites fleurs mauves dans la bruyère ! Il y aura aussi les papillons, des nuages de papillons ! Et tu vas entendre le bruit des abeilles ! Et les alouettes qui montent en flèche dans le ciel, en chantant ! Un de ces matins, l'envie te prendra d'y courir dès le lever du jour. Et tu ne reviendras qu'à la nuit, comme notre Dickon.

— Tu crois que je pourrais ? dit Mary.

Tout était si nouveau et si vaste, si beau, sous ce ciel bleu !

— Va savoir... répondit Martha. Pour le moment, j'ai l'impression que tu ne t'es pas trop servie de tes jambes depuis le jour où tu es venue au monde. Il y a sept bons kilomètres à faire pour arriver jusque chez nous.

— Mais j'aimerais bien voir ton cottage.

Martha se remit à gratter la grille du foyer en observant Mary à la dérobée. Elle se disait que le petit visage aperçu à son arrivée n'avait plus l'air si ingrat. Et même, en ce moment, Mary lui rappelait un peu sa sœur Susan quand elle désirait passionnément quelque chose.

— Bon, je vais en toucher un mot à ma mère, dit Martha. Aujourd'hui, je vais chez moi, au cottage ! C'est mon jour de sortie ! Ah ça ! je peux te dire, je suis bien contente ! Mme Medlock dit toujours qu'elle a bien de l'estime pour ma mère ; ma mère va peut-être lui en parler...

– Ta mère, je l'aime bien, dit Mary.

– Ça ne m'étonne pas ! lança Martha, qui arrivait au bout de sa grille.

– Et pourtant, je ne l'ai jamais vue.

– Je le sais bien, répondit Martha.

Elle se redressa en se frottant le bout du nez et poursuivit gentiment :

– Il n'y a pas besoin de la voir pour l'aimer, c'est quelqu'un de si gai, de si sensé, toujours le cœur à l'ouvrage ! Quelquefois, je saute de joie sur la lande, quand je me dis que je vais la retrouver et passer une journée avec elle.

– Dickon, c'est un peu pareil, glissa Mary ; je l'aime bien aussi, et pourtant je ne l'ai jamais vu.

– Vrai, ça ne m'étonne pas ! fit Martha. Même les oiseaux l'aiment, même les renards et les poneys sauvages ! Et parfois je me demande ce que Dickon penserait de toi.

– Il ne m'aimerait pas, dit Mary amèrement. Personne ne m'aime.

Martha se mit à réfléchir.

– Et toi, est-ce que tu t'aimes ?

Elle demandait cela sérieusement et attendait la réponse avec beaucoup de curiosité... Mary hésita :

– Non, je ne m'aime pas du tout, fit-elle enfin. Mais je ne m'étais jamais posé la question.

Martha souriait.

– Ma mère m'a demandé ça, il y a longtemps. Je me souviens, elle était devant sa lessiveuse. J'étais de mauvaise humeur et je disais du mal de tout le monde... Au bout d'un moment, elle me dit : « Écoutez-moi cette chipie ! Celui-ci je ne l'aime pas pour ci, celui-là je ne l'aime pas pour ça ! Est-ce que tu t'aimes toi-même, seulement ? » Sur le coup, ça m'avait fait rire, mais après, quand j'y ai repensé, ça m'a remis les idées en place.

Martha partit donc, tout heureuse, après le petit déjeuner. Elle allait parcourir sept kilomètres pour aider à faire la lessive, à cuire le pain pour la semaine, et elle semblait vraiment au comble de la joie.

Martha partie, Mary se sentit plus seule que jamais. Dès qu'elle fut habillée, elle sortit dans le parc. Pour se distraire, elle commença par courir autour du bassin. Après une bonne dizaine de tours, elle se sentait déjà moins triste. Le manoir et les pelouses du parc prenaient un autre aspect quand ils brillaient sous le soleil. Misselthwaite semblait cerné par une immense plage de ciel bleu, et Mary plongeait le regard dans ce bleu sans fin ; elle essayait d'imaginer qu'elle était allongée sur un de ces petits nuages qui flottaient, poussés par le vent. En arrivant aux potagers, elle aperçut Ben Weatherstaff. Il travaillait en compagnie de deux autres jardiniers. Le changement de temps semblait avoir eu un effet bénéfique sur son humeur, car il l'apostropha joyeusement.

– Tu sens comme le printemps approche ? Tu ne le sens pas flotter dans l'air ?

Mary respira à pleins poumons.

– Ça sent bon, c'est frais et humide !

– C'est l'odeur de la bonne terre, dit-il tout en bêchant. Elle se prépare, elle est contente ; bientôt, les plantes sortiront. C'est comme ça, quand vient le temps de planter. Pendant l'hiver, elle n'avait rien à faire, donc elle s'est ennuyée. Mais tu vas voir, dans les parterres, quand elle va faire lever les graines. Ça travaille dans l'obscurité. Le soleil va chauffer ! Tu vas voir toutes les petites pousses vertes ! Tu vas les voir pointer la tête un peu partout sur la terre noire ! On n'a plus trop longtemps à attendre...

– Qu'est-ce que ce sera ? dit Mary.

– Crocus, jonquilles et perce-neige ! Tu en as déjà vu ?

– Non. Aux Indes, après la saison des pluies, il fait si chaud et si humide que les plantes poussent en une nuit. Le lendemain, tout est vert.

– Ici, il leur faut plus de temps ! Les coquettes savent se faire attendre, philosopha Ben Weatherstaff. Une petite feuille par-ci, une petite pousse par-là... Tu n'as qu'à bien regarder et tu verras !

– Je vais bien faire attention, dit Mary.

A peine avait-elle achevé sa phrase qu'un doux battement d'ailes se fit entendre et que le rouge-gorge apparut. Vaillant et plein d'entrain, comme à son habitude, il sautillait de-ci de-là, en jetant sur Mary des coups d'œil malins.

– Vous croyez qu'il me reconnaît ?

– S'il te reconnaît ? répéta Ben. Il n'y a pas un trognon de chou qu'il ne connaisse dans ce jardin, alors tu penses s'il te reconnaît ! Tu es la première petite fille qu'il voit, il va vouloir en savoir plus.

– Et dans le jardin où il vit, la terre aussi fait lever les graines ? Elle travaille dans l'obscurité ?

– De quel jardin parles-tu ? grogna Ben Weatherstaff, qui se renfrognait de nouveau.

– Vous savez, le jardin où poussent les vieux rosiers. (Il fallait qu'elle le sache, il fallait qu'elle en parle.) Là-bas, est-ce que les fleurs sont mortes ? Est-ce que certaines fleurissent un peu en été ? Est-ce qu'il y a encore des roses ?

Ben, d'un mouvement d'épaules, montra le rouge-gorge à Mary.

– Demande-le-lui ! Il est seul à le savoir... Personne n'est plus entré dans ce jardin depuis dix ans !

Dix ans, c'était l'âge de Mary...

Elle s'éloigna à petits pas, l'esprit plongé dans ses pensées. Elle aimait ce jardin tout comme elle aimait maintenant le rouge-gorge, Dickon et la mère de Martha. Et, tout compte fait, elle aimait également

Martha. Pour une petite fille qui n'avait encore jamais aimé personne, cela représentait beaucoup. Le rouge-gorge ne comptait pas moins pour elle que tous les êtres humains. Elle se dirigea vers l'allée qui longeait le mur couvert de lierre, duquel dépassaient les cimes des arbres.

C'est alors que, grâce au rouge-gorge de Ben Weatherstaff, il se passa la chose la plus extraordinaire du monde.

Elle entendit un gazouillis. Se tournant vers la gauche, elle aperçut l'oiseau qui sautillait en picorant sur une plate-bande dénudée. Il faisait semblant de picorer, comme s'il cherchait à lui faire croire qu'il se trouvait là par hasard, mais Mary n'était pas dupe : elle sentait très bien, au contraire, qu'il l'avait suivie. Elle frissonna de plaisir, tant elle était ravie de le voir.

– Tu m'avais reconnue, alors ! s'écria-t-elle. Tu es vraiment ce qu'il y a de plus joli au monde !

Elle lui parlait d'une voix caressante. Et lui, pour

répondre, sautillait, ouvrait ses ailes en éventail, faisait bouffer son plumage, comme s'il voulait mettre en valeur son gilet de satin rouge. Quel m'as-tu-vu ! On aurait dit qu'il voulait prouver quel important personnage peut être un rouge-gorge – tout autant qu'un être humain. Mary était si touchée que sa froide réserve disparut d'un seul coup. Elle s'approcha de l'oiseau tout doucement, penchée en avant, essayant d'imiter ses trilles et ses roucoulades.

Jamais, vraiment, elle n'aurait cru qu'un oiseau pouvait se montrer aussi familier. Il sentait bien qu'elle ne l'aurait effarouché pour rien au monde. Il s'en rendait aussi bien compte qu'un être humain. A la différence qu'il était bien plus charmant. Elle était tellement heureuse qu'elle osait à peine respirer.

La terre de la plate-bande n'était pas vraiment nue ; les fleurs n'y poussaient pas, les plantes avaient été taillées pour leur repos hivernal, mais une rangée de buissons bas la bordait. Le rouge-gorge, posé au pied de ces buissons, fit un petit bond et se percha sur une motte de terre pour chercher un ver. A cet endroit, la terre semblait meuble, car fraîchement retournée ; un chien sans doute, à l'affût d'une taupe, y avait creusé un trou.

Mary observait l'oiseau quand son œil fut attiré par un objet en partie enfoui dans la terre. On aurait dit un anneau de fer rouillé... Quand le rouge-gorge prit son envol pour gagner un arbre voisin, elle s'avança, se baissa, saisit l'anneau et tira. C'était autre chose qu'un anneau : une vieille clef rouillée, qui avait dû séjourner longtemps dans la terre. Mary se redressa, effrayée. « Il y a peut-être dix ans que cette clef est enterrée là ! murmura-t-elle. C'est peut-être celle du jardin ! »

8
Le rouge-gorge montre le chemin

Elle regarda longuement la clef. Elle la tournait, la retournait. Comme on le voit, personne ne lui avait appris à demander la moindre permission. Si cette clef était bien celle du jardin secret, et si Mary réussissait à trouver la porte, si elle l'ouvrait, elle pourrait enfin voir ce que cachait le mur couvert de lierre. Elle saurait ce qu'étaient devenus les vieux rosiers. C'est parce qu'il était resté condamné pendant des années qu'elle désirait tant entrer dans ce jardin. Qui pouvait imaginer ce qui s'y était produit en dix ans ? Elle pourrait y venir chaque jour ; personne ne le saurait jamais. Ils croiraient la porte fermée et la clef toujours dans la terre. Cette idée l'enchantait. Toujours livrée à elle-même, privée de jeux et de jouets, hantée par les mystères de cette immense maison, Mary avait développé son imagination. Le vent vivifiant de la lande, en aiguisant son appétit et en fortifiant son corps malingre, y avait contribué.

Elle fourra la clef dans sa poche et se remit à arpenter l'allée. Pourtant, elle avait beau scruter chaque détail du mur, elle ne voyait rien d'autre qu'un épais rideau de feuilles de lierre, luisantes et sombres. Contrariée comme dans ses plus mauvais jours, elle regardait la cime des arbres, inaccessibles... Échouer ainsi, si près du but ! Mais il fallait renoncer. Elle se résolut à rentrer. Elle se disait qu'elle veillerait à garder toujours la clef sur elle, au cas où...

Martha, avec l'accord de Mme Medlock, avait passé la nuit au cottage ; elle ne revint au manoir que très tôt le lendemain matin, toute joyeuse, les joues rosies par l'air vif.

– J'étais debout à quatre heures, dit-elle. Ah ! comme c'était beau sur la lande ! Tu aurais vu les petits lapins détaler le long de la route, et les oiseaux qui s'éveillaient avec le lever du soleil... Je n'ai pas fait tout le trajet à pied. Un homme est passé en charrette et m'a emmenée : j'étais encore plus contente !

Elle en avait des choses à dire sur sa journée passée au cottage ! Sa mère était ravie de la voir. Elles avaient fait la lessive et le pain pour la semaine, et elle avait même trouvé le temps de préparer des beignets à la cassonade pour les enfants.

– Je les avais à peine sortis du four – ils étaient encore tout chauds – qu'ils sont arrivés comme une volée de moineaux ! Tout était briqué, impeccable, ça sentait bon le pain croustillant, il y avait une grosse bûche dans le feu, ils ont vraiment crié de joie ! Dickon a dit qu'il se sentait heureux comme dans le palais d'un roi !

A la veillée, Martha et sa mère s'étaient installées au coin du feu pour ravauder les vêtements, et Martha avait évoqué la petite fille venue des Indes, qui avait vécu entourée de Noirs, et qui ne savait pas encore enfiler ses bas toute seule.

– Ils étaient contents que je leur parle de toi, tu sais. Ils voulaient tout savoir sur les indigènes et sur ton voyage en bateau pour arriver en Angleterre. Je n'avais pas grand-chose à leur dire.

Mary réfléchit un instant.

– Je te raconterai beaucoup d'histoires pour ton prochain jour de sortie. Aimeraient-ils savoir comment on voyage à dos de chameau, d'éléphant, ou encore comment les officiers chassent le tigre dans la jungle ?

– Dans la jungle ! Vraiment ! Dans la jungle ! Ils ne vont pas en croire leurs oreilles, s'écria Martha, toute contente. Un jour, une ménagerie est venue à York, et les gens disaient qu'ils y avaient vu toutes sortes de bêtes féroces !

– Les Indes, c'est complètement différent du Yorkshire, dit Mary en réfléchissant. Je n'aurais jamais imaginé cela. Et Dickon, et ta mère, ils ont aimé aussi que tu leur parles de moi ?

– Tu penses ! Dickon, il fallait le voir ! Il en avait les yeux qui lui sortaient de la tête. Ma mère, elle, ce qui la chiffonnait, c'est que tu sois tellement seule. « Comment ? M. Craven ne lui a pas donné de gouvernante ? a-t-elle demandé. Même pas une bonne d'enfants ? – Non, j'ai répondu, Mme Medlock a dit qu'il avait voulu le faire, mais qu'avant qu'il s'en préoccupe de nouveau, de l'eau peut couler sous les ponts. »

– Je ne veux pas de gouvernante ! dit Mary d'une voix résolue.

– Ma mère dit que ce n'est pas bon pour toi de trop tarder à lire dans les livres, et qu'il te faudrait au moins quelqu'un pour veiller un peu sur ton éducation. « Mets-toi à sa place, Martha, seule à longueur de journée dans une maison aussi grande ! Elle n'a pas de maman, cette petite ! Martha, tu dois faire de ton mieux pour la distraire ! »

Mary regarda Martha un instant et lui dit :

– Tu l'as déjà fait... J'aime bien écouter tes histoires.

A ce moment-là, Martha sortit précipitamment ; quand elle revint, elle semblait cacher quelque chose sous son tablier.

– Tu ne devineras jamais ce que c'est !

– Un cadeau ? s'écria Mary. (Comment une famille qui vivait à quatorze dans un cottage, et qui ne mangeait pas toujours à sa faim, pouvait-elle lui faire un cadeau ?)

– Hier, un colporteur s'est arrêté devant chez nous. Il vendait toutes sortes de bricoles et de breloques ; ma mère a d'abord dit qu'elle n'avait pas d'argent à gaspiller. Le bonhomme allait partir, mais Lisbeth Ellen s'est écriée : « Maman, il y a une corde à sauter avec des poignées bleu et rouge ! » Alors ma mère a rappelé le colporteur : « Monsieur, attendez un peu, c'est combien les cordes à sauter ? – C'est pas cher, deux pence ! – Martha, m'a-t-elle dit, t'es une bonne fille, t'as encore apporté tes gages, c'est pas les occasions qui manquent de les dépenser, tu sais bien, mais je vais tout de même prendre de quoi acheter une corde pour cette enfant ! »

Martha sortit alors les mains de dessous son tablier, et brandit fièrement son cadeau.

– Elle l'a achetée, et la voilà !

C'était une corde solide et souple, avec une poignée bariolée de bandes bleues et rouges à chaque bout. Seulement, Mary n'avait encore jamais vu de corde à sauter.

– C'est pour quoi faire ? demanda-t-elle à Martha, intriguée.

– Comment ! Tu ne vas tout de même pas me dire que tu n'as jamais vu de corde à sauter ! Aux Indes, ils ont des éléphants, ils ont des chameaux et des tigres, et ils n'auraient pas de corde à sauter ? Ça ne m'étonne plus qu'ils soient tout noirs ! Bon, regarde un peu !

Martha, une poignée dans chaque main, s'avança au milieu de la pièce et se mit à sauter à la corde, tandis que Mary se tournait sur sa chaise pour suivre la scène. Les visages étranges des portraits, dans leurs cadres anciens, avaient l'air de se demander ce que

84

cette petite impudente pouvait bien faire là sous leur nez. Mais Martha n'y prenait pas garde ; elle se réjouissait de l'amusement qu'elle voyait naître sur le visage de Mary et, sautant de plus belle, elle arriva jusqu'à cent.

– A douze ans, je me rappelle, j'arrivais à cinq cents, commenta-t-elle en s'arrêtant, un peu essoufflée. Mais j'étais plus légère et j'avais beaucoup d'entraînement.

Mary s'était levée de sa chaise ; c'était un jeu intéressant.

– C'est gentil de la part de ta mère. Tu crois que je vais y arriver ?

– Essaie, pour voir, lui dit Martha. Tu n'en feras pas cent du premier coup, mais tu y arriveras, tu vas voir. Sauter à la corde, il n'y a rien de tel ! C'est ma mère qui le dit : « Qu'elle saute au grand air, ça va lui dégourdir les jambes. »

Les petites jambes de Mary manquaient encore d'endurance mais, sans être extrêmement douée, elle se prenait déjà au jeu et ne voulait plus s'arrêter.

– Couvre-toi chaudement, dit Martha, et continue de sauter à la corde dehors. Elle dit aussi que c'est bien que tu sortes ; même s'il pleuvine, ce n'est pas trop grave, si tu es couverte bien comme il faut.

Mary mit chapeau et manteau, roula la corde sur son épaule et sortit pour gagner le parc ; mais, tandis qu'elle passait la porte, une pensée lui vint à l'esprit, et elle se retourna, hésitante...

– Martha, dit-elle. C'étaient tes gages. C'étaient deux pence à toi... Merci.

Elle parla d'une voix un peu sèche mais, d'ordinaire, lorsque quelqu'un avait une attention pour elle, elle ne le remarquait même pas, et se répandre en remerciements n'entrait pas dans ses habitudes. Elle tendit la main à Martha en prenant un air emprunté et contraint. Martha rendit la poignée de main, presque aussi maladroitement qu'elle. C'était la première fois de sa vie que quelqu'un la remerciait de cette façon et elle ne put s'empêcher de rire.

– Tu as de drôles de manières, tout de même ! Tu fais des cérémonies comme une petite vieille ! Ma petite sœur, Lisbeth Ellen, m'aurait donné un baiser, au moins.

– Tu voulais que je te donne un baiser ?

Cette fois Martha riait franchement.

– Non, jamais de la vie ! Si tu n'étais pas comme tu es, ça te serait peut-être venu naturellement... Allez ! File essayer ta corde !

Mary s'éloigna lentement dans le couloir ; ces gens du Yorkshire étaient vraiment bizarres. A maints égards Martha restait pour elle une énigme. Une chose était sûre : au début, elle lui avait semblé antipathique mais, maintenant, ce n'était plus le cas.

La corde tournait à merveille. Mary sautait, sautait encore, et comptait chaque tour. Jamais elle ne s'était sentie aussi fascinée par un jeu. Des couleurs lui montaient aux joues. Le soleil brillait, une brise agréable soufflait, chargée de senteurs de terre fraîchement remuée.

Elle sauta autour du bassin puis, arrivant aux potagers, elle aperçut Ben Weatherstaff qui, tout en bêchant, bavardait avec son rouge-gorge occupé à picorer près de lui. Elle avança vers Ben en sautant à la corde, si bien qu'il l'entendit venir et se redressa, étonné. Elle voulait qu'il la remarque, aujourd'hui.

– Mince ! s'exclama le jardinier. Tu es peut-être bien une fillette comme les autres, après tout ! Je croyais que tu avais du petit-lait suri dans les veines. Mais non, rien qu'à voir tes joues, j'ai idée que c'est du bon sang rouge. Ça alors, foi de Ben Weatherstaff, je n'aurais pas cru une chose pareille.

– Je n'avais jamais sauté à la corde de ma vie, dit Mary. Je commence seulement. J'arrive jusqu'à vingt, mais pas plus.

– Eh, c'est pas mal pour une petite qui a grandi chez les cannibales ! Continue, dit Ben.

D'un signe, il attira son attention sur le rouge-gorge.

– Tu as vu comment il te regarde ? Hier, il t'a suivie, je parie. Aujourd'hui, ce sera pareil. Il va vouloir comprendre pourquoi tu sautes à la corde ; il ne connaît pas ce jeu... Pas vrai, sacripant ? lança-t-il en se tournant vers le rouge-gorge. Un jour ça va te jouer des tours, tu vas voir, d'être aussi curieux !

Mary repartit en sautant, dans les jardins, dans le verger. Toutes les cinq minutes, elle faisait une pause pour reprendre son souffle. Pour finir, elle se décida à gagner l'allée qu'elle aimait pour voir si elle était capable de la parcourir en sautant... La promenade était assez longue et, bien qu'elle ait commencé doucement, elle était déjà hors d'haleine à mi-chemin. Ce n'était pas si mal : elle avait été jusqu'à trente. En se redressant pour souffler, elle poussa un petit soupir de contentement et sourit : le rouge-gorge était bien là, toujours fidèle au rendez-vous ! Il se balançait légèrement sur une longue rame de lierre, tout en pépiant pour l'accueillir. En trois petits bonds, Mary s'approcha ; à chaque saut, elle sentait quelque chose de lourd dans sa poche, si bien qu'elle lui dit en riant :

– Hier tu m'as aidée à découvrir la clef ! Aujourd'hui tu pourrais m'aider à trouver où se cache la porte ! Je parie que tu ne le sais même pas !

Le rouge-gorge s'envola et se posa sur le faîte du mur. Il entonna une série de trilles mélodieux. Il n'y a rien de plus charmant qu'un rouge-gorge qui se pavane, et ces oiseaux-là adorent qu'on les admire.

Aux Indes, Mary avait souvent entendu parler de magie dans les histoires de son ayah... Ce qui advint à

ce moment-là, tandis que le rouge-gorge chantait, tenait vraiment de la magie. Le vent s'était levé ; un souffle balaya l'allée, assez fort pour que les branches des arbres se balancent sur son passage, assez fort pour soulever les plus longs pans de lierre... Mary avançait à petits pas pour se rapprocher du rouge-gorge, quand ce souffle déplaça les tiges qui se trouvaient devant elle. D'un bond, elle s'élança et les saisit à deux mains. Elle venait d'apercevoir sous le feuillage un objet, une poignée ronde, masquée jusqu'ici par les feuilles qui couvraient le mur : la poignée de la porte.

Elle glissa les mains sous les feuilles pour tenter de les écarter. Le lierre était long et épais et formait un rideau flottant ; mais derrière, une partie des branchages s'accrochaient au bois du chambranle, ou s'enroulaient sur les ferrures. Son cœur battait à tout rompre, et ses mains tremblaient d'émotion. Juste au-dessus d'elle, le rouge-gorge gazouillait et pépiait, curieux, la tête toujours penchée de côté.

Mary sentit sous ses doigts une plaque métallique : la serrure de la porte... fermée depuis dix ans. Elle glissa une main dans sa poche, sortit la clef et s'assura qu'elle s'adaptait à la serrure. La clef entrait ! Elle l'enclencha. Il fallait s'y prendre à deux mains, ce qu'elle fit, et la clef tourna.

Elle reprit son souffle, tenta de retrouver son calme... Elle jeta un rapide coup d'œil derrière elle, à gauche et à droite, pour voir si personne ne venait... Personne ! Personne, apparemment, ne venait jamais jusqu'ici. Elle eut un profond soupir, inspira et, repoussant le lierre, elle s'arc-bouta contre la porte, qui s'entrouvrit ; elle s'ouvrait difficilement mais, peu à peu, elle céda ! L'entrebâillement était suffisant pour que Mary s'y glissât. Dès qu'elle fut à l'intérieur, elle ferma la porte derrière elle et s'adossa au chambranle, haletante, ouvrant grands les yeux.

Elle se trouvait enfin dans le jardin secret.

9
Une maison bien étrange

C'était l'endroit le plus charmant et le plus mystérieux que l'on pût imaginer. Les murs élevés qui le fermaient étaient entièrement tapissés de rosiers grimpants, sans feuilles, mais si touffus que leurs tiges
s'enchevêtraient. Le sol était recouvert d'une herbe
épaisse, brunie par l'hiver. D'autres rosiers y poussaient ; peut-être certains d'entre eux étaient-ils morts
pour n'avoir pas été entretenus. Mary découvrait aussi
un grand nombre de rosiers-tiges ; leurs branches
avaient tant grandi qu'on aurait dit de petits arbres.
Quant aux vrais arbres, on en comptait de toutes
sortes et de toutes tailles à l'intérieur du jardin, mais
ce qui lui conférait par-dessus tout ce charme étrange,
c'étaient les rosiers grimpants qui s'enroulaient autour
des troncs et des branches, puis retombaient en légers
rideaux oscillant doucement sous la brise, allant ici et
là d'arbre en arbre, comme de frêles et ravissantes passerelles. Elles ne portaient ni feuilles ni fleurs, mais
leurs fines branches grises ou brunes aux frondaisons
délicates semblaient recouvrir toute chose d'un léger
voile mouvant ; elles se glissaient le long des branches,
le long des murs et, parfois même, avançaient sur
l'herbe quand elles n'avaient pas d'autre support.
Mary se doutait depuis longtemps que ce jardin ne ressemblerait à aucun autre, et elle s'était pas trompée,

mais elle ignorait que cet endroit serait plus beau, plus étrange et plus mystérieux que tout ce qu'elle avait jamais vu au monde.

« Il n'y a pas un bruit, se dit-elle. Pas un murmure, et rien ne bouge... » Elle se tenait là, adossée à la porte, envoûtée. Le rouge-gorge était allé se jucher au sommet de son arbre. Il ne bougeait pas davantage, pas même d'un petit battement d'ailes. Il restait silencieux, fixant Mary du regard. « Pas étonnant que rien ne bouge et qu'il se taise, pensait Mary. Pas une voix ne s'est fait entendre dans ce jardin depuis dix ans. »

Quittant la porte, elle s'avança à pas feutrés, un peu comme si elle craignait d'éveiller quelqu'un. L'herbe molle étouffait ses pas. Elle baissa la tête en passant sous l'arcade d'une de ces passerelles pour jardins de contes de fées. En levant la tête, elle vit l'enchevêtrement des tiges et des ramilles. « Est-ce qu'elles seraient mortes à jamais ? Est-ce que tout est mort ? Ce serait triste », se dit-elle. Si elle avait eu seulement une once du savoir de Ben Weatherstaff, elle aurait pu dire d'un seul regard si les rosiers vivaient, mais elle n'y connaissait rien : à ses yeux ce n'étaient que branches et brindilles ; aucune ne semblait porter de bourgeons.

Cependant, elle était bel et bien entrée dans le jardin et, à tout moment, elle pourrait ouvrir la porte et s'y glisser ; elle n'avait qu'à soulever le lierre. Elle venait d'accéder à un monde inconnu, un monde merveilleux qui n'appartenait qu'à elle.

Le soleil rayonnait et, au-dessus de cet îlot, le bleu du ciel semblait plus bleu, plus intense qu'ailleurs, sur l'espace ouvert de la lande. L'air affairé, comme s'il voulait lui faire visiter son domaine, le rouge-gorge quitta son arbre et vint sautiller à ses pieds. Il se remit à gazouiller en la suivant de branche en branche. Mary se sentait loin de tout, protégée par le silence, et pourtant elle ne se sentait pas seule. En fait, une seule chose le tracassait, c'était de ne pas savoir si tous les rosiers étaient morts. Si certains d'entre eux pouvaient vivre, ils donneraient des bourgeons, des feuilles, des boutons et des fleurs à la belle saison ! Elle n'aimait pas du tout l'idée que le jardin pût être mort. S'il vivait, ce serait merveilleux ! Il y aurait des milliers de roses...

Elle portait toujours sa corde enroulée à l'épaule ; l'idée lui vint de faire le tour du jardin, tantôt en sautant, tantôt en marchant, en s'arrêtant de temps en temps pour poursuivre son exploration... Par endroits, on voyait encore dans l'herbe des traces d'anciennes allées. Des arbustes entremêlés formaient des charmilles ; on y avait placé autrefois des bancs de pierre et de grandes urnes aux flancs couverts de mousse.

Non loin de là, on pouvait encore distinguer le dessin d'un parterre de fleurs : de petites pousses clairsemées mouchetaient le sol de points vert pâle. Mary se souvint de ce qu'avait dit Ben Weatherstaff et, s'agenouillant sur le sol, elle les regarda de plus près. « C'est bien cela, ce sont des pousses vertes. Ce sont des crocus, des jonquilles ou des perce-neige », pensat-elle. Elle se pencha davantage, pour mieux respirer l'odeur de la terre humide... C'était frais et ça sentait bon. « Il y en a peut-être d'autres, ailleurs, se dit-elle. Je vais aller voir. Je vais regarder partout. » Elle ne sautait plus, elle marchait, avançant très lentement, sans quitter le sol des yeux. Elle regardait attentivement, dans les anciennes plates-bandes, dans les bordures, et même dans l'herbe, et, après son inspection minutieuse, elle avait vu un si grand nombre de ces tout petits points vert pâle qu'elle en était curieusement bouleversée.

« Il n'est pas mort, il n'est pas mort, criait une petite voix en elle. Même si les rosiers sont morts, il y a d'autres fleurs qui vivent ! » Elle n'y connaissait pas grand-chose en jardinage mais, par endroits, les pousses microscopiques avaient l'air de vouloir se frayer un passage, et l'herbe épaisse les étouffait. Elle regarda autour d'elle et finit par découvrir un morceau de bois pointu. Son outil en main, elle revint et s'agenouilla sur le sol. Elle essayait de dégager une à une les petites pousses vertes en arrachant les mauvaises herbes, en coupant les touffes autour d'elles et, chaque fois, cela faisait comme une minuscule clairière. « Maintenant, elles vont mieux respirer, se dit-elle. Je vais faire la même chose partout où je verrai de jeunes pousses. Je n'aurai jamais le temps de finir, mais je peux revenir demain. » Sarclant et grattant, elle aboutit dans un espace d'herbe plus drue qui poussait à l'ombre des arbres. Elle éprouvait une joie immense ; elle avait eu si chaud qu'elle ôta manteau et chapeau, et tout ce temps, elle souriait, sans s'en rendre compte, à l'herbe et aux petits points vert pâle.

De son côté, le rouge-gorge était en pleine effervescence. Voir Mary entreprendre des travaux de jardinage sur son domaine n'était pas fait pour lui déplaire. « Jardinage », en langue rouge-gorge, est synonyme de bonnes choses à manger sur chaque motte de terre : graines, petits insectes et vermisseaux. Or, voici que cette petite personne, pas plus haute que la bêche de Ben Weatherstaff, se montrait assez ingénieuse pour pénétrer dans le jardin, et même assez énergique pour se mettre au travail tout de suite !

Mary travailla d'arrache-pied, sans relever la tête, jusqu'à l'heure du déjeuner. En fait, quand elle pensa à l'heure, elle se rendit compte qu'elle s'était mise un peu en retard. En allant chercher son manteau, son chapeau, sa corde à sauter, elle n'arrivait pas à croire qu'elle avait travaillé ainsi près de deux ou trois heures d'affilée. Elle ne comprenait pas pourquoi elle s'était sentie si heureuse.

– Je reviens cet après-midi, dit-elle en embrassant du regard son nouveau royaume.

Elle avait dit cela à haute voix, pour les rosiers et pour les arbres. Il lui semblait qu'ils l'entendaient. Puis elle courut jusqu'à la porte, sans bruit, en foulant l'herbe épaisse, et se faufila sous le lierre.

Quand elle arriva au manoir, elle avait les yeux brillants et les joues rouges. A table, elle se mit à manger de si bon appétit que Martha s'en réjouit.

– Deux tranches de viande aujourd'hui, et tu as repris du riz au lait ! Ce que c'est que de sauter à la corde ! C'est ma mère qui va être heureuse quand je vais lui raconter ça !

Pendant qu'elle arrachait l'herbe en s'aidant du morceau de bois, Mary avait eu la surprise d'extraire du sol une racine blanche, légèrement renflée comme un oignon. Elle l'avait remise en place, tassant la terre par-dessus. Elle se demandait si Martha pourrait la renseigner.

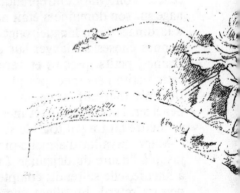

— Tu sais, ces racines blanches... Ça ressemble à des oignons, j'en ai vu, mais je ne sais pas ce que c'est.

— Des bulbes, répondit Martha. C'est ce qui donne les fleurs de printemps : des perce-neige ou des crocus, pour les plus petits. Il y en a qui sont un peu plus gros ce sont des primevères sauvages, des jonquilles ou des narcisses. La troisième sorte, la plus grosse, donne des lys ou des iris. Il faut voir comme c'est beau quand ça pousse ! Dans notre petit bout de jardin, Dickon a planté presque toutes les sortes !

— Il s'y connaît bien ? dit Mary, qui venait d'avoir une idée.

— Dickon ? Il ferait sortir des fleurs d'un tas de cailloux !

— Et les bulbes vivent longtemps ? Peuvent-ils vivre plusieurs années, si personne ne s'en occupe ?

Mary attendait la réponse avec beaucoup d'anxiété.

— Ils n'ont pas besoin de soins. Ils savent bien se débrouiller tout seuls. Si les pauvres gens en plantent dans leur jardin, c'est bien un peu pour ça ! Ils travaillent sous la terre, ils se nourrissent, ils s'activent d'eux-mêmes, et ça peut te durer toute la vie ; ils se répandent, ils font des petites pousses. Ici, dans le parc, il y a une clairière qui en est entièrement couverte au printemps. Je ne connais pas de plus bel endroit dans tout le Yorkshire ! Et personne ne pourrait dire qui les a plantées, ces fleurs-là, ni quand !

— Vivement que le printemps arrive, dit Mary. Bientôt je vais savoir ce qui pousse en Angleterre.

Après le repas, elle gagna sa place favorite sur le tapis de cheminée.

— Il y a une chose qui me ferait plaisir... Ce serait d'avoir une petite bêche.

— Une petite bêche ? Je me demande bien ce que tu ferais d'une petite bêche. Tu veux te mettre au jardinage ? s'exclama Martha en riant. Je vais l'écrire à ma mère !

Mary se tut un court instant et regarda flamber les bûches... Il valait mieux être prudente et réfléchir avant de parler. Elle devait garder son secret. Elle n'avait pas l'impression d'avoir mal agi, mais si jamais M. Craven venait à se douter de quelque chose, il entrerait dans une colère terrible ! Il ferait faire une nouvelle serrure, et c'en serait fini à jamais de son domaine merveilleux.

– C'est tellement grand, ici, dit-elle, comme si elle se parlait à elle-même. Je ne vois jamais personne. La maison est vide, le parc est désert. C'est normal que je me sente si seule. Je ne faisais pas grand-chose aux Indes, mais au moins je voyais des gens... Il y avait les domestiques, parfois des soldats qui passaient, on entendait des musiciens, on me racontait des histoires... Ici, à part Ben Weatherstaff et toi, je n'ai personne. Toi, tu as ton travail. Ben Weatherstaff aussi, mais il n'est vraiment pas bavard. C'est pourquoi je me dis souvent qu'il me faudrait une bêche. Cela m'occuperait, et s'il me donnait quelques graines, je pourrais faire un petit jardin...

Le visage de Martha s'illumina.

– C'est ce qu'a dit ma mère mot pour mot : « Pourquoi ne lui donnent-ils pas un petit lopin de terre ? C'est tout de même pas la place qui manque ! Même si ce n'était qu'un peu de persil, quelques salades, quelques radis, ça la ferait bêcher, ratisser, elle serait heureuse de voir qu'elle sait faire pousser quelque chose... » C'est vrai, tu sais, c'est ce qu'elle m'a dit.

– C'est drôle, dit Mary, étonnée. Tout ce qu'elle sait deviner, ta mère...

– Ma mère dit : « Quand une femme a mis douze enfants au monde, ça vaut bien toute la " rithmétique " pour connaître les choses et les hommes. »

– Une petite bêche coûterait combien, à ton avis ? demanda Mary.

– Voyons voir... Il y a bien à Thwaite une boutique où on vend des petits outils de jardinage, des lots avec bêche, rateau et fourche liés ensemble. Ça doit bien coûter deux shillings, mais ils sont solides, on peut vraiment jardiner.

– J'ai plus, dit Mary. J'ai ce qu'il faut. J'ai déjà cinq shillings de Mme Morrison, et Mme Medlock m'a donné un peu d'argent de poche de la part de M. Craven.

– Çà, alors ! s'exclama Martha. Il pense donc à toi !

– Mme Medlock m'a expliqué que j'aurai un shilling par semaine, à dépenser comme je voudrais. Elle m'en donne un tous les samedis, je ne savais pas quoi en faire...

– Mais tu es riche comme Crésus alors ! Le loyer au cottage, c'est un shilling, trois pence, et ce n'est pas facile de le payer. Tiens ! dit-elle, les mains sur les hanches, je viens de penser...

– A quoi ? dit Mary, intriguée.

– Dans cette boutique, à Thwaite, on vend des sachets de graines. Un penny le sachet, c'est pas cher ! Dickon connaît bien les graines. Il sait comment on les plante, et celles qui donnent les plus belles fleurs. Tu sais écrire en majuscules, au moins ?

– Je sais écrire, répondit Mary.

– Dickon ne sait lire que les lettres imprimées. Si tu savais écrire en majuscules, tu pourrais lui envoyer une lettre pour lui demander d'aller t'acheter des outils et des sachets de graines.

– Comme tu es gentille ! s'écria Mary. Je crois que j'arriverai à imiter les lettres imprimées. Il faut seulement que Mme Medlock me donne une plume et du papier.

– Pas la peine, j'en ai, dit Martha. J'écris un petit

mot à ma mère tous les dimanches. Je vais aller te chercher ce qu'il te faut...

Mary attendit son retour, ravie, en se frottant les mains. « Avec une bêche, se disait-elle, je pourrai retourner la terre et enlever les mauvaises herbes. Les graines vont donner des fleurs et le jardin revivra ! » Pourtant, elle ne put ressortir comme prévu dans l'après-midi. Quand Martha apporta le papier et la plume, elle dut débarrasser la table et porter les plats à l'office. Mme Medlock s'y trouvait et lui donna de l'ouvrage. Mary dut attendre un moment qui lui parut extrêmement long avant de la voir revenir. Ensuite, ce fut toute une affaire d'écrire le message pour Dickon. Les gouvernantes de Mary n'étaient jamais restées longtemps, elle ne savait donc pas grand-chose. Tant bien que mal, elle transcrivit pourtant les phrases à mesure que Martha dictait :

Cher Dickon,
Nous espérons que notre petit mot te trouvera en bonne santé. Mlle Mary a beaucoup d'argent, et ce serait bien de lui acheter un petit lot d'outils de jardinage et des petits sachets de graines pour un parterre de fleurs. Choisis-en des jolies et faciles à planter, elle ne l'a jamais fait aux Indes, où c'est si différent. Embrasse maman et tous les autres. Mlle Mary va me raconter des histoires sur sa vie là-bas, et je pourrai vous parler des éléphants et des chameaux, et des chasses au tigre dans la jungle.
Ta sœur affectionnée,

Martha Phoebe Sowerby

– Mettons l'argent dans l'enveloppe et je demanderai au garçon boucher qui viendra livrer la viande de la déposer en passant. C'est un bon ami de Dickon.

– Et comment recevrai-je les outils, quand Dickon les aura achetés ?

– Il va te les apporter, tu penses ! Il ne va pas les confier à d'autres.

– Je vais le voir, alors ! dit Mary. Je n'aurais jamais cru que je le verrais.

– Ça te fait plaisir ? dit Martha, en remarquant son contentement.

– Oh ! oui, je n'ai jamais vu de garçon qui ait apprivoisé un renard et un corbeau !

Soudain, Martha parut se rappeler quelque chose.

– Bon sang, j'ai oublié de te dire... C'était même ce que je voulais te raconter en premier ce matin ! J'ai parlé pour toi à ma mère, elle a dit qu'elle allait demander à Mme Medlock, quand elle la verrait.

– Tu veux dire... commença Mary.

Décidément les bonnes nouvelles arrivaient toutes en même temps.

– Eh bien oui, si tu viens au cottage ! Pour goûter les galettes d'avoine, comme ma mère sait si bien les faire, avec une noix de beurre et un bon verre de lait.

Comme ce devait être merveilleux de marcher dans la lande, le matin, sous le ciel bleu, et d'arriver dans un cottage où vivaient douze enfants ! Mary n'avait jamais rien fait d'aussi palpitant.

– Elle pense que Mme Medlock acceptera que j'y aille ?

– Elle croit que oui ; Mme Medlock connaît ma mère depuis longtemps ; elle sait bien qu'elle tient sa maison comme il faut.

– Alors, je connaîtrai ta mère, dit Mary. Elle ne doit pas ressembler aux mères des Indes...

Après toutes ces émotions, Mary resta vaguement songeuse. Martha ne quitta pas la pièce avant l'heure du dîner, mais, détendues et fatiguées, elles n'échangèrent que quelques mots. Comme elle s'apprêtait à descendre, Mary posa la question qui la tourmentait.

– La fille de cuisine a encore eu une rage de dents ?

– Pourquoi demandes-tu ça ? dit Martha.

– Tout à l'heure, en t'attendant, je suis sortie dans le couloir. Et, tout à coup, j'ai entendu les mêmes pleurs que la dernière fois. C'étaient exactement les mêmes. Et il n'y a pas de vent aujourd'hui...

– Mais... mais, balbutia Martha, tu ne dois pas aller écouter dans les couloirs ! Si M. Craven l'apprenait, il se mettrait tellement en colère que je n'ose pas imaginer ce qui se passerait.

– Je n'écoutais pas, dit Mary, je sortais seulement pour t'attendre. J'ai entendu pleurer, c'est tout. C'est déjà la troisième fois.

– Tiens donc, la sonnette ! dit Martha en battant en retraite. C'est Mme Medlock qui m'appelle.

Et elle sortit presque en courant. « C'est une maison vraiment étrange, se dit Mary en se blotissant dans un fauteuil, vraiment très étrange. »

L'entraînement au saut à la corde et le travail de jardinage l'avaient emplie d'une douce fatigue. Elle se sentait toute somnolente... et quelques minutes plus tard, elle dormait à poings fermés.

10
Dickon

Pendant toute une semaine, le soleil brilla sur le jardin secret. C'est ainsi que Mary appelait son domaine. Elle aimait ce nom, et elle aimait surtout se dire que chaque fois que les vieux murs de pierre se refermaient sur elle, personne ne pouvait savoir où elle se trouvait. Il lui suffisait d'y entrer pour se sentir transportée dans un pays enchanté. Les quelques livres qu'elle avait lus et aimés aux Indes étaient tous des recueils de contes de fées. On y évoquait quelquefois des jardins, où des gens passaient des centaines d'années à dormir, ce qui lui paraissait saugrenu. Elle n'avait nulle envie de dormir. Au contraire, chaque jour qui passait semblait l'éveiller un peu plus. A présent, elle adorait passer ses journées au grand air. Loin de redouter le vent, elle en aimait le souffle sur son visage. Elle courait plus vite, plus longtemps, et pouvait sauter à la corde en comptant jusqu'à cent. Les bulbes du jardin avaient de quoi s'étonner. Dans leurs jolies petites clairières, ils pouvaient respirer à l'aise. Sans que Mary pût le savoir, ils reprenaient des forces. Le soleil leur apportait lumière et chaleur et la pluie, quand elle tomberait, pénétrerait facilement jusqu'à eux. Silencieusement, et en secret, ils s'étaient mis à l'ouvrage.

Mary Lennox avait un caractère résolu. Quand elle

put vraiment s'appliquer à quelque chose d'intéressant, elle le fit de tout son cœur. Chaque jour, des heures durant, elle désherbait et sarclait sans se lasser. Son plaisir croissait d'heure en heure, à mesure qu'elle se rendait compte des résultats de son travail. C'était bien plus qu'un divertissement pour elle de faire revivre le jardin : elle avait un rôle à jouer, un rôle passionnant. Au fil des jours, les petites pousses se multipliaient autour d'elle. Tous les matins, en arrivant, elle en découvrait de nouvelles, et plus qu'elle n'en espérait ; certaines étaient si petites qu'il fallait se mettre à genoux pour les voir. Elle se rappela les paroles de Martha sur la clairière, dans le parc, où les bulbes se répandaient au point de recouvrir le sol de milliers de perce-neige. Les bulbes du jardin secret, abandonnés pendant dix ans, s'étaient peut-être multipliés comme ces perce-neige. Combien de temps faudrait-il avant qu'ils donnent des fleurs ? Elle s'interrompait quelquefois pour contempler le jardin ; elle essayait de l'imaginer aux jours où il se couvrirait de milliers de fleurs.

Cette semaine de soleil fut aussi pour elle l'occasion d'un rapprochement avec Ben Weatherstaff. Elle surprit plusieurs fois le vieux jardinier en surgissant près de lui tout à coup, comme si elle sortait de terre. Elle craignait tant qu'il ne s'éloigne s'il la voyait arriver, qu'elle s'approchait de lui sans faire de bruit. Précaution superflue, du reste, car Ben se montrait ces jours-ci moins bourru qu'à son habitude. Le vieil homme se sentait peut-être flatté, au fond, de voir une petite fille rechercher ainsi sa compagnie. Mary, il est vrai, se montrait sous un jour plus aimable qu'auparavant. Comment aurait-il pu savoir, la première fois qu'ils s'étaient vus, que Mary s'adressait à lui comme elle avait pris l'habitude de le faire avec les indigènes ? Comment aurait-elle pu savoir qu'un vieux paysan du

Yorkshire comme Ben, honnête et bougon, se bornait à exécuter son travail, sans faire de salamalecs à ses maîtres ?

— Tu es comme le rouge-gorge, lui lança-t-il un matin lorsque, levant la tête, il la vit plantée à ses côtés. Je ne sais jamais à quel moment je vais te voir atterrir devant moi, ni d'où tu vas arriver.

— Le rouge-gorge est mon ami, maintenant, dit Mary.

— Ça ne m'étonne pas de ce joli cœur. Il pourrait renier père et mère pour que tu le regardes plastronner et déployer ses jolies plumes.

Ben Weatherstaff était d'un naturel taciturne ; bien souvent, il ne répondait aux questions de Mary que par un grognement. Mais ce matin-là il était en verve. Il se redressa, posa son pied sur la bêche, et toisa Mary un instant.

— Tu es ici depuis combien de temps, maintenant ?

— Ça va faire un mois, dit Mary.

— C'est que tu commences à faire honneur à Misselthwaite, comme je te vois là. Tu t'es un peu remplumée, tu n'as plus le teint aussi jaune qu'avant. Le jour où tu es arrivée ici, on aurait dit un jeune corbeau qui n'a pas encore fait ses plumes. Ma parole, je n'avais encore jamais vu une fillette si laide et si revêche !

Mary avait bien des défauts, mais elle n'était pas vaniteuse. Elle ne se troubla pas.

— Je vois bien que j'ai grossi, dit-elle. Mes bas deviennent trop petits ; avant, ils plissaient sans arrêt. Oh ! Regardez un peu qui vient : le rouge-gorge, Ben Weatherstaff !

C'était lui, et plus séduisant que jamais dans son gilet rouge, brillant comme du satin. Il étirait des ailes, dressait sa petite tête et sautillait de droite et de gauche, déployant tous ses attraits pour se faire admirer de Ben, qui ne l'entendait pas de cette oreille.

— Alors, te voilà, sacripant ! Tu daignes passer cinq

minutes avec moi, quand tu n'as pas de meilleure compagnie ! Dis-moi, tu as lustré ton gilet rouge et tes plumes, ces derniers temps ! J'ai idée de ce qu'il y a là-dessous. Tu ne serais pas en train de courtiser une petite rouge-gorge ? Tu ne serais pas en train de lui faire croire qu'il n'y a pas plus fier rouge-gorge que toi d'ici à la lande de Missel ?

– Regardez ! s'écria Mary.

Le rouge-gorge, apparemment, était d'humeur entreprenante. Il se rapprocha de Ben en le regardant d'un air engageant, puis s'envola sur un groseillier et entonna un petit chant à l'intention du vieil homme. Ben Weatherstaff plissa le front de telle façon que Mary comprit parfaitement qu'il faisait semblant de bouder.

– Si tu crois que tu vas m'embobeliner de cette façon. Non, mais ! Tu te crois irrésistible !

D'un coup d'ailes – Mary n'en crut pas ses yeux – le rouge-gorge se posa sur le manche de la bêche plantée devant le jardinier et celui-ci, du coup, en resta bouche bée. Il le regardait, immobile, le souffle coupé.

– Ah ! ce coup-là, je veux bien être pendu ! dit-il très doucement. Tu comprends tout, c'est pas possible !

Il resta ainsi, sans faire un mouvement, jusqu'au moment où le rouge-gorge s'envola. Mais les yeux de Ben restaient toujours fixés sur la bêche, comme s'il la croyait ensorcelée. Enfin, il secoua la tête et se remit à bêcher, un sourire épanoui plissant son visage sillonné de rides. Mary lui demanda alors :

– Est-ce qu'il y a un jardin chez vous ?

– Non. Je suis un vieux célibataire, tu sais. J'ai un logement dans le pavillon du gardien, à l'entrée du parc.

– Et si vous aviez un jardin, qu'aimeriez-vous y planter ?

– Des patates, des choux, des oignons...

– Mais pour un jardin d'agrément ? dit Mary, qui avait son idée en tête.

– Des fleurs à bulbe et qui sentent bon... Et des rosiers avant toute chose.

Les yeux de Mary s'éclairèrent.

– Vous aimez les roses alors...

Ben Weatherstaff courba le buste pour arracher une mauvaise herbe. Il la jeta avant de lui répondre :

– J'aime les roses, ça, oui... C'est un goût qui m'est venu d'une jeune dame pour qui j'ai travaillé jadis. Elle en avait en quantité dans... une roseraie que je connaissais. Elle aimait ses roses comme des enfants, ou comme un rouge-gorge, si tu préfères. Je l'ai vue se mettre à genoux pour les embrasser.

Il se baissa encore une fois pour arracher une mauvaise herbe et la tint serrée dans sa main.

– Ça doit bien remonter à dix ans.

– Et la dame, où est-elle maintenant ?

– Au paradis, répondit-il en enfonçant avec force sa bêche dans la terre, si on en croit ce que dit le pasteur.

– Mais... ses roses ? insista Mary.

– On ne s'est plus occupés des roses !

– Elles sont mortes, alors ? Pour toujours ? Quand on ne soigne plus les rosiers, est-ce que les roses meurent pour toujours ?

Elle était si émue qu'elle en oubliait toute prudence.

– Je m'étais mis à les aimer, ces rosiers... La dame aussi, je l'aimais bien... Alors, une ou deux fois l'an, j'allais les tailler un brin, remuer un peu la terre à leurs pieds. Petit à petit, je les ai vus revenir à l'état sauvage ; mais la terre est riche, et certains ont survécu.

– Quand le bois a l'air sec, sans feuilles, marron et gris, comment peut-on savoir s'ils vivent encore ?

– Faut attendre que le printemps fasse son ouvrage.

Il faut que la pluie tombe après le soleil, et que le soleil brille sur la pluie. A ce moment-là, oui, on peut voir.

– Comment ? Comment ? cria Mary sans songer qu'elle prenait des risques.

– Tu dois regarder les rameaux et les branches. Si tu vois des petits renflements marron tendre çà et là, regarde-les de nouveau après une pluie chaude, et tu verras ce qui se passe.

Il s'interrompit, intrigué, en voyant le regard de Mary.

– Comment se fait-il que tu te passionnes tant pour les rosiers maintenant ?

Interloquée, elle se sentit rougir jusqu'au bout des oreilles. Elle chercha désespérément une réponse plausible.

– C'est... C'est pour jouer, bafouilla-t-elle. Souvent, je joue à faire comme si j'avais un petit jardin à moi. C'est que... je n'ai rien à faire, ici. Je n'ai rien à moi... ni personne !

Ben Weatherstaff la regarda.

– Oui, va, je sais bien que tu n'as personne...

Sa voix résonna si étrangement que Mary se demanda un instant si le vieux Ben Weatherstaff n'avait pas pitié d'elle. Elle-même ne se plaignait pas de son sort. Elle avait toujours éprouvé si peu d'intérêt pour les gens et les choses qui l'entouraient que tout ce qu'elle avait jamais ressenti, c'était une sorte de lassitude. Mais le monde changeait, tout lui souriait désormais ! Il lui semblait que, si personne ne découvrait son jardin secret, elle pourrait être heureuse...

Elle resta encore un quart d'heure en compagnie du jardinier. Il répondait à ses questions en bougonnant. Pourtant, il n'avait pas l'air fâché, il ne ramassait pas sa bêche pour aller travailler plus loin. C'est même lui qui se remit à parler de fleurs. Mary en profita pour lui reparler des rosiers.

– Vous continuez d'aller les voir ?

– Pas cette année. J'ai trop de rhumatismes, je ne peux même pas plier les genoux.

Aussitôt, Ben se renfrogna de nouveau. Mary ne comprenait pas pourquoi il semblait si fâché.

– Tu me fatigues avec tes questions, grommela-t-il. Je n'ai encore jamais vu de gamine qui fourre son nez partout comme toi ! Allez, va-t'en jouer plus loin !

Mary n'insista pas. Elle s'éloigna lentement en direction de son allée. En sautant à la corde, elle se disait qu'elle aimait bien Ben Weatherstaff. Il était grognon, mais elle aimait l'écouter. Elle commençait à croire qu'il en savait plus sur les fleurs que n'importe qui.

Une allée bordée d'une haie de lauriers dessinait un large coude derrière le jardin secret et aboutissait à une grille qui s'ouvrait sur un petit bois. Mary eut l'idée de l'emprunter pour sauter un peu à la corde. Elle y avait vu quelquefois des lapins sortir des fourrés. L'allée était longue, mais elle sauta avec entrain, sans s'arrêter, jusqu'à la grille. Arrivée là, elle entendit un son étrange et mélodieux qui semblait venir des taillis ; un air de flûte, peut-être plus doux. Curieuse, elle ouvrit la grille et pénétra dans le sous-bois.

Elle découvrit alors un spectacle si surprenant qu'elle écarquilla de grands yeux et retint son souffle. Assis par terre, adossé à un arbre, un garçon d'une douzaine d'années jouait d'un pipeau qu'il avait dû tailler lui-même dans un morceau de bois. Il portait des vêtements usagés, mais propres. Comme il était curieux à voir, avec son nez un peu retroussé et ses joues rouges comme des pivoines ! Mary n'avait jamais vu un visage aux yeux si bleus et si ronds. Juste au-dessus du jeune garçon, sur le tronc où il s'adossait, un écureuil au pelage roux se penchait vers le musicien. Derrière un buisson voisin, un faisan allongeait

le cou. A deux pas de lui, deux lapins étaient assis, leurs petites narines toutes frémissantes... Et tous ces animaux s'approchaient lentement du garçon, comme pour mieux entendre l'étrange et douce musique qui s'échappait de son pipeau.

En apercevant Mary, le garçon eut un petit geste de la main, et sa voix, quand il lui parla, parut presque aussi douce, presque aussi mélodieuse que le son du pipeau.

– Reste où tu es, tu vas leur faire peur.

Le garçon remit son pipeau dans sa poche et se redressa lentement. Ses mouvements étaient si souples, si mesurés, que Mary le voyait à peine bouger. Quand, enfin, il fut debout près de l'arbre, elle vit l'écureuil remonter le long du tronc et s'enfoncer parmi les branches, les lapins retomber sur leurs pattes et s'éloigner en bondissant, puis le faisan, rentrant la tête, disparaître derrière son buisson, sans montrer le moindre signe de frayeur.

– Je suis Dickon, dit le garçon. Toi, tu es mademoiselle Mary.

Mary savait depuis le début que ce garçon était Dickon. Qui d'autre aurait pu charmer les animaux de cette manière ? En suivant la scène, elle pensait aux fakirs charmeurs de serpents qu'elle avait vus quelquefois aux Indes. Dickon avait une large bouche, une bouche ronde aux lèvres rouges ; il la regardait, tout sourire.

– Il faut faire très peu de mouvements et parler à voix basse avec les animaux des bois.

C'était la première fois qu'il rencontrait Mary, pourtant il s'adressait à elle comme s'il la connaissait déjà. Mary, qui ne connaissait rien, ou quasiment rien des garçons, se sentit intimidée. Elle prit un air guindé.

– As-tu reçu la lettre de Martha ? lui dit-elle.

– Oui, c'est pour cela que je suis là.

Il se pencha et ramassa un paquet posé au pied de l'arbre.

– Tes outils, dit-il. J'en ai quatre : bêche, binette, fourche et râteau. Ce sont de bons petits instruments solides ; j'ai pris aussi un déplantoir. Et quand j'ai choisi les graines, la marchande m'a donné en plus un sachet de coquelicots blancs et un sachet de pieds-d'alouettes.

– Tu veux bien me montrer les graines ?

Elle aurait voulu parler avec autant de naturel que lui. Il s'exprimait si simplement, si amicalement ! Mary avait l'impression qu'il l'aimait bien et qu'il ne doutait pas un instant qu'elle l'aimerait bien, elle aussi, tel qu'il était, avec ses vêtements reprisés, sa drôle de bouille de petit paysan du Yorkshire et ses cheveux roux en bataille. Elle sentit, en s'approchant de lui, un parfum d'herbe et de fougères, comme s'il était imprégné des senteurs des plantes de la lande. Quand elle leva les yeux vers son visage aux joues rouges, aux yeux bleus tout ronds, elle oublia immédiatement sa timidité.

– Asseyons-nous sur ce tronc d'arbre et regardons ce que tu m'as apporté, proposa-t-elle.

Il tira de sa poche un paquet enveloppé de papier brun, puis en dénoua la ficelle et lui montra des sachets de toutes les couleurs. Sur chacun d'eux, une fleur était dessinée.

– J'ai pris des résédas et des coquelicots, poursuivit-il. Les résédas sentent très bon et, comme les coquelicots, poussent n'importe où. Il y a des fleurs qui poussent sans même qu'on ait à souffler dessus. C'est souvent les plus belles de toutes.

Il se tut et tendit l'oreille... soudain, son visage s'illumina.

– Tiens ! Il y a un rouge-gorge par là. Il nous appelle !

L'appel provenait effectivement d'un épais buisson de houx sombre tacheté de baies écarlates. Mary avait sa petite idée sur l'identité du chanteur.

– Tu es sûr qu'il nous appelle ?

– Sûr, dit Dickon qui avait l'air de trouver cela tout naturel. En tout cas, il appelle quelqu'un qu'il aime bien. C'est presque comme s'il disait : « Je suis là, je te parle. » Regarde, il est là-bas, dans le buisson ! Tu sais à qui il est, ce rouge-gorge ?

– C'est le rouge-gorge de Ben Weatherstaff, mais je crois qu'il me connaît un peu...

– Un peu ? Tu es son amie. C'est à toi qu'il est en train de parler. Dans ce cas, il ne va pas tarder à me dire tout ce qu'il sait sur toi.

Il s'approcha du buisson, avec des gestes ralentis et, quand il fut juste devant, il émit une petite série de sifflements modulés qui imitaient ceux du rouge-gorge. L'oiseau écouta, attendit un instant, puis se remit à chanter, comme pour lui donner sa réponse.

– Eh, dit Dickon en riant sous cape, c'est que c'est du sérieux entre vous !

– Il t'a dit que nous étions amis ? murmura Mary, subjuguée. Il t'a dit qu'il m'aimait, vraiment ?

– S'il ne t'aimait pas, dit Dickon, il ne viendrait pas si près de toi. Les rouges-gorges ne se trompent jamais. Ils sont meilleurs juges que les hommes. Tiens, écoute-le te faire des avances. Il dit : « Regarde-moi ! Tu ne vois même pas que je suis là ? »

Et c'était vrai : l'oiseau pépiait et sautillait sur sa branche comme s'il voulait attirer l'attention de Mary.

– Mais alors, tu comprends tout ce que disent les oiseaux ?

Dickon sourit et pencha la tête. Mary ne vit plus qu'une bouche, épanouie en un large sourire, tandis

que ses doigts fourrageaient dans son épaisse chevelure rousse.

– Je crois les comprendre, dit-il. Et j'ai dans l'idée
qu'ils pensent pareil. Il faut dire que ça fait longtemps
que je vis avec eux sur la lande. Il y a des oiseaux que
j'ai vu sortir de l'œuf. Ils cassent leur coquille à coups
de bec. Je les ai regardés lisser leurs plumes, je les ai
vus apprendre à voler. Je les ai tellement observés que
je me sens comme eux, quelquefois. De temps à autre,
j'ai l'impression d'être un renard, parfois un lapin ou
un écureuil, un scarabée, pourquoi pas ? Je suis peut-
être tout cela sans le savoir.

Il revint s'asseoir auprès d'elle et parla de nouveau
des graines. Il décrivit chacune des fleurs, expliqua
comment les planter, les soigner et les arroser.

– Si tu veux, lança-t-il en posant son regard franc
sur elle, je te les planterai moi-même. Où est ton jardin ?

Les mains de Mary se crispèrent sur ses genoux. Elle
ne savait quoi répondre et se tut pendant un bon
moment. Elle ne s'attendait pas du tout à cette propo-
sition. Elle s'en voulait terriblement, rougissant et
pâlissant tour à tour.

– Tu as bien un petit bout de jardin, poursuivit
Dickon, déconcerté.

Il l'avait vue rougir et pâlir et, comme elle ne disait
toujours rien, il commençait à s'inquiéter.

– Ils ne t'ont même pas donné un petit lopin de
terre ? Ce n'est pas grave, il n'y a qu'à attendre.

Pauvre Mary ! Elle était au supplice. Ses mains se
crispèrent encore davantage, mais elle leva les yeux,
bravement.

– Je ne connais pas bien les garçons, commença-
t-elle en hésitant. Si je te livrais un secret, serais-tu
capable de le garder ? C'est mon plus grand secret, et
je ne sais pas ce que je ferais si quelqu'un le décou-

vrait... Avec un profond soupir, elle ajouta solennellement : peut-être bien que j'en mourrais...

Dickon, au comble de l'embarras, tiraillait une mèche de ses cheveux roux. Il releva la tête et dit d'un air enjoué :

— Des secrets, j'en garde tout le temps. Si je livrais à d'autres garçons tous les secrets que j'ai surpris, les oiseaux de la lande devraient quitter leur nid et les renards, leur tanière. Tu vois que tu peux avoir confiance en moi !

Mary ne voulait pas attraper la manche de Dickon, mais elle le fit, et avoua, d'une voix basse et précipitée :

— Voilà, j'ai volé un jardin ! Un jardin dont personne ne veut. *Ils* l'ont laissé à l'abandon. Tout est peut-être mort à l'intérieur. Mais, moi, je ne peux pas le savoir.

Une brusque colère l'envahissait à cette pensée. Elle ne s'était jamais sentie aussi contrariée de sa vie.

— Ils n'ont pas le droit de me le prendre ! Ils ont voulu le laisser mourir. Ils ont fermé la porte à clef ! lança-t-elle d'une voix indignée.

Elle se couvrit le visage de ses mains et éclata en sanglots. Les yeux de Dickon s'arrondissaient de plus en plus.

— Eh là ! Eh là ! Qu'est-ce qui t'arrive ?

— Je n'ai rien à moi, ici, et je n'ai rien à faire ! dit Mary. Ce jardin, c'est moi qui l'ai trouvé ! C'est moi seule qui y suis entrée ! J'y suis entrée comme le fait le rouge-gorge. Personne ne lui dit rien, à lui !

— Où il est, ton jardin ? dit doucement Dickon.

D'un bond, Mary fut sur ses jambes. Plus que jamais, elle se sentait dévorée de colère et d'amertume ; elle avait repris ses manières autoritaires, mais c'était pour dissimuler son chagrin.

— Suis-moi, dit-elle. Je vais te montrer !

Elle le conduisit dans l'allée bordée par la haie de lauriers, puis dans celle qui longeait le mur de lierre. Dickon la suivait, l'air apitoyé. C'était comme si on le menait à la découverte du nid d'une espèce d'oiseau inconnue. Il avançait doucement, avec précaution. Il vit Mary s'approcher du mur, soulever le rideau de lierre, et tressaillit ; déjà Mary commençait à pousser la porte... Ils se glissèrent à l'intérieur. Mary, d'un ton de défi, dit en lui montrant son domaine :

– Tu vois, c'est le jardin secret ! Je suis la seule personne au monde qui souhaite le voir revivre !

Le regard de Dickon parcourait le jardin. Ses yeux se posaient sur chaque plante, chaque arbre, chaque buisson.

– Comme c'est beau, dit-il dans un souffle. C'est comme si je pénétrais dans un rêve...

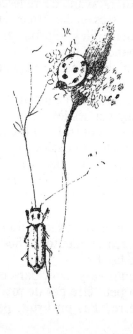

11
Le nid de la grive

Pendant de longs instants, il demeura immobile, regardant autour de lui. Puis Mary le vit s'avancer d'un pas léger, encore plus léger que le sien la première fois qu'elle était entrée dans le jardin. Dickon examinait tout : les arbres nus, autour desquels s'enroulaient les tiges de rosiers avant de redescendre le long des branches, les pousses enchevêtrées sur les murs et dans l'herbe, les charmilles d'arbustes d'hiver, ornées d'urnes et de bancs de pierre.

– Jamais je n'aurais cru le voir un jour, finit-il par dire dans un souffle.

– Qui t'avait parlé de ce jardin ?

Il mit un doigt sur ses lèvres.

– Pas si fort, on pourrait nous entendre...

Elle vint lui parler à l'oreille.

– On t'avait dit qu'il existait ?

– Martha nous parlait d'un jardin où personne n'entrait plus jamais. On se demandait souvent à quoi il ressemblait.

Il s'arrêta et observa la façon dont tiges et rameaux enlaçaient les arbres alentour. Ses yeux tout ronds rayonnaient de bonheur.

– Les nids qu'il va y avoir dans ces arbres au printemps ! Il n'y a peut-être pas de meilleur endroit dans toute l'Angleterre ! Pas un bruit, personne alentour !

Pourquoi tous les oiseaux de la lande ne viennent-ils pas construire leur nid ici ?

Mary, sans bien s'en rendre compte, l'agrippa par la manche une fois de plus.

– Tu peux me dire s'il y aura des roses ? Je me demandais si tous les rosiers étaient morts...

– Non, pas ceux-là... Du moins, pas tous. Regarde !

Il gagna l'arbre le plus proche, un très vieil arbre dont le tronc était recouvert de lichen, et d'où retombaient, en un léger lacis, des tiges de rosier. Il ouvrit son canif.

– Il y a beaucoup de branches mortes qu'il aurait fallu élaguer, et beaucoup de vieux bois aussi ; mais il y a des pousses de bois vert de l'année dernière. Regarde, en voilà une.

Parmi d'autres rameaux plus gris, plus secs et plus cassants, il saisit une pousse dont le brun tirait légèrement sur le vert. D'un geste presque craintif, Mary la toucha elle aussi.

– Elle est vivante ! Tu en es sûr ?

Dickon eut un large sourire.

– Elle est « drute », autant que toi et moi !

Martha disait souvent ce mot « drut », qui signifie « vigoureux », « vivant » en patois du Yorkshire. Mary ne fut donc pas étonnée de l'entendre.

– Je suis si heureuse qu'elle soit « drute », dit-elle en étouffant sa voix. J'aimerais tellement qu'elles le soient toutes. Viens, allons voir !

Heureux et excités, ils allèrent d'arbre en arbre, de rosier en rosier. Dickon, du bout de son couteau, lui montrait mille petits détails, et elle s'étonnait chaque fois de n'avoir pas su les remarquer.

– D'année en année, ces rosiers sont revenus à l'état sauvage. Les plus faibles n'ont pas survécu, les autres ont fait pousses sur pousses, et voilà la merveille. Regarde !

Il lui montrait une branche grise, d'aspect cassant.

– On croirait du bois mort, mais c'est loin d'être sûr. Ce n'est pas mort à la racine. Je vais couper à ras, tu vas voir.

Il s'agenouilla pour couper les rameaux sans vie.

– Qu'est-ce que je disais ! exulta-t-il. Il y a encore du vert dans ce bois-là.

Mary était déjà à genoux, regardant de tous ses yeux.

– Quand c'est comme ça, un peu moelleux, tirant légèrement sur le vert, tu peux être certaine que c'est drut. Quand c'est sec et que ça casse tout seul, comme ce morceau que j'ai coupé, alors il n'y a plus rien à faire. Il reste une grosse racine ici, c'est de là que le bon bois est sorti. Si on élague, si on nettoie bien tout autour, si on éclaircit comme il faut – il s'interrompit un instant et considéra le fouillis des tiges qui poussaient alentour –, avant l'été on verra des cascades de roses !

Ils reprirent leur exploration. Dickon maniait son couteau avec force et précision, il savait parfaitement s'y prendre pour ôter le bois sec et mort. Quand un rameau ou une brindille, même gris, contenait de la sève, il le voyait immédiatement. Au bout d'une demi-heure, Mary commençait à la distinguer, elle aussi. Chaque fois qu'il taillait un rameau, elle étouffait un cri de joie à la moindre trace de vert. Les outils

entrèrent en action. Il lui apprit à tenir la fourche ; il bêchait autour des racines, après quoi, elle remuait la terre pour lui donner plus d'air. Ils étaient en plein travail autour d'un des plus beaux rosiers, quand elle l'entendit tout à coup pousser un petit cri de surprise. Il montrait des touffes d'herbe à quelques pas de là.

– Tu as vu ? Qui a fait ça ?

C'était une des petites clairières que Mary avait aménagées autour des jeunes pousses.

– Moi.

– Toi ? Alors tu sais jardiner ?

– Je n'y connais rien, dit Mary. L'herbe poussait si serrée, et les pousses étaient tellement petites ! J'avais l'impression qu'elles n'avaient pas assez de place pour respirer. Je leur en ai fait un peu. Je ne savais même pas ce que c'était.

Dickon alla voir de plus près, et son visage s'épanouit.

– Tu ne pouvais pas mieux faire, dit-il. Le chef jardinier du manoir ne s'y serait pas pris autrement. Maintenant, tu vas les voir grimper plus haut que les haricots de Jack ! Là, ce sont des crocus, et là des perce-neige, et là-bas des narcisses, et des jonquilles aussi ! Ce sera quelque chose ! (Il courait d'une clairière à l'autre.) Tout de même, pour une petite plume comme toi, ça représente un gros travail !

– J'ai un peu grossi, dit Mary. Je me sens plus forte qu'avant. D'habitude, je me fatigue très vite, mais le jardinage, je ne m'en lasse pas du tout. J'aime bien sentir l'odeur de l'herbe et de la terre quand je la retourne.

– Pour ça, tu as raison, il n'y a rien de meilleur, admit Dickon en connaisseur, sauf peut-être respirer les plantes pendant la pluie ou juste après. Moi, je vais sur la lande quand il pleut, je me couche à l'abri d'un buisson et je respire à pleins poumons, en écoutant les gouttes de pluie glisser sur les frondes des fougères. Ma mère dit que je frétille du bout du nez, comme les lapins !

– Comment ? Tu ne t'enrhumes pas ? dit Mary, stupéfaite.

Elle n'avait jamais vu de garçon aussi étrange, ni aussi drôle.

– Je n'ai jamais été malade de ma vie. Pluie, vent, rien ne m'empêche de gambader sur la lande comme un lapin. Ma mère dit qu'avec tout l'air pur que j'ai respiré en douze ans, je suis paré contre les rhumes. Je suis solide comme un tronc de cornouiller !

Il travaillait tout en parlant ; Mary le suivait et l'aidait, tantôt avec la petite fourche, tantôt avec le déplantoir.

– Ce n'est pas l'ouvrage qui manque ici, dit-il, l'air ravi.

– Dis, Dickon, tu vas revenir ? implora Mary. Je pourrai t'aider. Je sais déjà bêcher et sarcler. Je peux faire plus si tu m'apprends. Oh ! Dickon, dis-moi, tu reviendras ?

– Je reviendrai chaque jour si tu veux, qu'il pleuve ou qu'il vente. Jamais je n'ai pris autant de plaisir à redonner vie à un jardin !

– Oh ! Dickon, si tu viens vraiment, si tu m'aides à le faire revivre... je ferai n'importe quoi pour toi ! dit-elle sans pouvoir trouver mieux.

– Eh ! Moi, je le sais bien ce que tu feras, dit-il avec un bon sourire. Tu vas devenir belle et forte, tu vas manger comme un petit renard ! Je t'apprendrai à parler rouge-gorge. On passera de bons moments, tous les deux !

Il se mit à déambuler dans le jardin... Il regardait d'un air songeur les murs, les arbres et les buissons.

– Je n'aimerais pas que tout soit bien taillé comme dans les jardins de jardinier. Qu'en penses-tu ? dit-il.

121

Tu ne trouves pas que c'est plus beau comme ça, à l'état sauvage, avec ces tiges qui s'entremêlent et retombent où elles veulent ?

– Je n'aimerais pas cela non plus. Ce ne serait plus un jardin secret s'il était parfaitement entretenu.

Dickon passa les doigts dans ses cheveux, l'air intrigué.

– Pour un jardin secret, c'est un jardin secret, c'est sûr ! Mais je vais te dire une chose : le rouge-gorge n'est pas le seul a y être entré depuis dix ans.

– Mais si, répliqua Mary. Forcément ! La porte était fermée à clef, et la clef était enterrée. Personne ne pouvait entrer.

– C'est vrai, admit Dickon. Pourtant, c'est bizarre, j'ai l'impression que quelqu'un est venu élaguer de temps en temps, et ça ne remonte pas à dix ans.

– Mais comment ? dit Mary. Puisque c'est impossible.

Dickon observa soigneusement une des branches d'un rosier-tige et secoua la tête.

– Comment ? C'est bien ce que je me demande ! Avec la porte fermée et la clef dans la terre...

Par la suite, pas une année, pas un seul mois, peut-être pas même une semaine ne se passa, sans que Mary vînt à repenser à ce merveilleux premier matin où elle avait soudain senti que le jardin allait revivre. Comme si c'était pour elle, pour elle seule, qu'il avait décidé de revivre ce matin-là. Aussi, quand Dickon entreprit de défricher un carré de terre pour pouvoir y planter les graines, elle repensa à la chanson que Basile et ses frères et sœurs lui chantaient pour se moquer d'elle.

– Dis-moi, tu connais les soucis ? Ce sont bien des petites fleurs orange ?

– Oui, très jolies, j'en ai, d'ailleurs.

– J'aimerais qu'on les plante en premier.

– Pourquoi ? fit Dickon, étonné.

Et Mary raconta l'histoire... Elle expliqua à quel point elle haïssait Basile et les autres enfants du pasteur quand ils l'appelaient Mary Amère.

– Ils faisaient la ronde et ils chantaient :

Mary Amère est bien marrie
Un petit rien la contrarie
Trop de soleil pour son persil
Trop de pluie sur ses salsifis
Dans son jardin tout dépérit
Sauf les misères et les soucis

– Je viens de me rappeler les paroles, alors j'ai pensé qu'on pourrait peut-être planter des soucis.

Elle se renfrogna brusquement et enfonça son déplantoir dans la terre d'un geste vengeur.

– C'est vrai, j'étais peut-être amère, mais pas autant qu'eux !

Dickon mit la main sur sa bouche pour étouffer un éclat de rire.

– Eh ! Tu n'as pas de raison d'être amère, dit-il en tassant la terre noire. Pense à toutes les fleurs qui existent, aux animaux en liberté, aux oiseaux qui bâtissent leur nid ! Aucune raison !

A genoux près de lui, un sachet de graines à la main, Mary le regarda ; elle en oubliait sa rancune.

– Martha me l'avait dit : tu es gentil, Dickon. Je t'aime bien. Avec toi, maintenant, cela fait déjà cinq personnes. Je ne l'aurais jamais cru.

Dickon s'accroupit, dans la même posture que Martha quand elle astiquait la grille de la cheminée. Mary le trouvait adorable, avec ses grands yeux bleus et ronds, ses joues rouges, son nez retroussé.

– Cinq, seulement cinq ? dit-il. Et qui sont les quatre autres ?

– Ta mère et Martha, dit Mary en comptant sur ses

doigts. Le rouge-gorge, et Ben Weatherstaff... ça fait quatre.

Dickon dut étouffer un second éclat de rire.

— Tu dois penser que je suis un drôle de garçon mais, moi, je n'ai encore jamais vu de fille plus étrange que toi !

Alors Mary fit une chose dont elle fut la première surprise. Elle se pencha vers lui, et lui posa une question – une question qu'elle n'aurait jamais rêvé pouvoir poser un jour à quelqu'un.

— Tu m'aimes bien ? lui demanda-t-elle.

— Eh ! Pour sûr ! Et de tout mon cœur ! s'exclama Dickon. Et le rouge-gorge t'aime bien, lui aussi !

— Bon, ça fait deux, dit Mary. Deux pour moi !

Ils se remirent au jardinage avec plus d'entrain que jamais. Mary, en entendant sonner la grande horloge de la cour, eut un petit pincement au cœur, et son visage s'assombrit.

— Il va falloir que j'aille déjeuner, finit-elle par dire tristement. Et toi, tu dois partir aussi ?

— Oh ! je n'ai pas besoin d'assiette ! Ma mère ne me laisse jamais partir sans mettre quelque chose dans ma poche.

Il alla ramasser sa veste et en sortit un petit paquet entouré d'un mouchoir bien propre à carreaux bleus et blancs, qui enveloppait deux grosses tranches de pain.

— Souvent, c'est des tartines beurrées mais, aujourd'hui, il y a aussi une tranche de lard.

Mary trouvait ce repas un peu frugal, pourtant Dickon semblait vraiment se régaler à l'avance.

— Va vite manger, dit-il. Moi, j'aurai fini avant toi, et je travaillerai encore un peu avant de retourner au cottage. Il s'assit, le dos contre un arbre.

— Je donnerai la couenne au rouge-gorge. Il en raffole.

Mary n'avait pas envie de quitter Dickon. Il lui était apparu comme une sorte de génie des bois. N'allait-il pas s'évanouir, disparaître comme par enchantement dès qu'elle aurait le dos tourné ? Tout cela était peut-être trop beau pour être vrai. Elle fit quelques pas vers la porte, puis s'arrêta et revint enfin vers lui.

– Dis, tu me promets, quoi qu'il arrive, de n'en parler à personne...

Dickon était déjà en train de dévorer son pain à belles dents, il parvint tout de même à sourire.

– Imagine que tu sois une grive et que tu me montres ton nid, crois-tu que j'irais le répéter ? Je n'aime pas trahir les secrets. Tu peux partir aussi tranquille qu'une grive quand elle sort de son nid !

Et Mary sut qu'elle pouvait être tranquille.

12
Puis-je avoir un petit lopin de terre?

Mary courut si vite qu'elle arriva à bout de souffle dans sa chambre. Elle avait les joues rouges, les cheveux ébouriffés. Martha attendait son retour pour lui servir son déjeuner.

– Tu es en retard, dit-elle. Où étais-tu passée ?

– J'ai vu Dickon. Il est venu !

– Je te l'avais bien dit ! fit Martha, triomphante. Alors, comment le trouves-tu ?

– Je le trouve... je le trouve très beau, dit Mary, résolument.

Martha parut décontenancée, mais flattée aussi.

– Il n'y a pas meilleur garçon, c'est sûr et certain, admit-elle, mais de là à dire qu'il est beau... Nous autres, on ne va pas jusque-là. Tu as vu son nez en trompette ?

– J'aime beaucoup son nez en trompette.

Martha ne semblait pas convaincue.

– Et ses yeux, tu as vu ses yeux ? Bon, ils ont une jolie couleur, mais tu as vu comme ils sont ronds ?

– J'aime ses yeux ronds, dit Mary. Ils sont de la même couleur que le ciel sur la lande.

Cette fois Martha était aux anges.

– Ma mère dit que ce doit être à force de chercher des oiseaux dans le ciel. Mais reconnais qu'il a une grande bouche...

126

Mais Mary s'obstinait.

– J'aime bien sa bouche aussi, dit-elle. J'aimerais avoir une bouche comme la sienne.

Martha éclata de rire. Elle était ravie.

– Ce serait beau à voir, dans une petite bouille comme la tienne ! Remarque, je savais qu'il te plairait. Alors, les graines et les outils ? Tu les as trouvés à ton goût ?

– Comment sais-tu qu'il les a apportés ?

– Eh, forcément ! Il aurait traversé le Yorkshire pour te les remettre en main propre. C'est un garçon à qui on peut se fier.

Mary avait peur que Martha lui pose des questions sur ce qu'ils avaient fait le matin. Par bonheur elle n'en fit rien ; elle était trop intéressée par les graines et par les outils. Les choses commencèrent à se gâter quand elle demanda à Mary où elle comptait planter ses fleurs.

– A qui as-tu demandé, pour les graines ?

– Je n'en ai encore parlé à personne, répondit Mary sur ses gardes.

– A ta place, je ne m'adresserais pas à M. Roach, le chef jardinier. C'est un monsieur trop important.

– Je ne le connais pas, dit Mary. Je n'ai vu que Ben Weatherstaff et ses apprentis.

– Justement, c'est à Ben Weatherstaff que j'irais demander un lopin de terre, si j'étais toi. Aussi bourru qu'il puisse paraître, il n'est pas moitié si méchant qu'il aimerait en avoir l'air. En plus, il fait tout ce qui lui plaît, M. Craven ne lui dit rien. Il était déjà jardinier du vivant de Mme Craven et elle l'aimait parce qu'il la faisait rire...

– Si je choisis, pour jardiner, un endroit à l'écart, un endroit dont personne ne veut, je ne ferais rien de mal, n'est-ce pas ? dit Mary qui cherchait à se rassurer.

– Il n'y a pas de raison, dit Martha. Je ne vois pas quel mal il y aurait à ça !

Mary mangea rapidement et quitta la table aussitôt. Elle courait déjà dans la chambre pour aller prendre son chapeau lorsque Martha ajouta :

– J'avais encore une chose à te dire. J'attendais que tu aies tranquillement mangé. M. Craven est rentré ce matin, et je crois bien qu'il voudrait te voir.

Mary blêmit.

– Mais pourquoi ? Il ne voulait pas me voir le jour où je suis arrivée. J'ai entendu Pitcher le dire.

– Je crois que c'est à cause de ma mère. Elle a rencontré M. Craven sur la route de Thwaite. C'était la première fois qu'elle osait lui parler. Mme Craven était venue nous voir au cottage autrefois et même s'il n'y pensait plus du tout, ma mère ne l'avait pas oublié. Elle s'est permis de l'arrêter. Je ne sais pas trop ce qu'elle lui a dit, mais il tient à te voir, d'autant plus qu'il repart demain.

– Il repart demain ! dit Mary. J'aime mieux ça.

– Pour longtemps. Il ne revient qu'à l'automne, ou peut-être même au début de l'hiver. Tous les ans, il quitte l'Angleterre pour voyager à l'étranger.

– Oh ! j'aime mieux ça ! répéta Mary.

S'il ne revenait qu'à l'automne, il restait deux saisons entières au jardin secret pour revivre. Même s'il découvrait tout et le lui enlevait, elle aurait eu le temps d'en profiter un peu.

– Quand veut-il me voir ? Le sais-tu ?

Comme elle finissait sa phrase, la porte s'ouvrit et Mme Medlock entra, tout en noir, vêtue de sa plus belle robe, coiffée d'un chapeau noir, et arborant un médaillon où l'on voyait une photo de M. Medlock, disparu des années plus tôt. La tenue des grandes occasions ! Elle était dans tous ses états.

– Martha, donnez-lui un coup de brosse, elle est

toute décoiffée, dit-elle. Et mettez-lui sa plus belle robe. M. Craven m'a demandé de la conduire dans son bureau.

En un clin d'œil, Mary perdit le peu de rose qu'elle avait aux joues. Son cœur s'emballa. Elle se sentait redevenir la fillette muette et laide qu'elle était un mois plus tôt. Sans un mot, elle gagna sa chambre, Martha sur les talons, se laissa brosser les cheveux, habiller et, une fois pomponnée, suivit Mme Medlock en silence. Elle n'avait pas le choix, bien sûr. Il fallait voir M. Craven. Il ne l'aimerait pas. Elle ne l'aimerait pas non plus. Elle le savait. Elle devinait déjà ce qu'il allait penser, en la voyant.

Mme Medlock la conduisit dans une partie de la demeure où Mary n'était jamais allée et, quand elles furent devant la porte du bureau, elle frappa à petits coups discrets. « Entrez ! » fit une voix. Elles entrèrent. Un homme était assis dans un fauteuil, devant la cheminée.

– Mademoiselle Mary, monsieur...

– Très bien. Vous pouvez disposer. Je vous sonnerai pour la raccompagner.

Mme Medlock sortie, Mary resta plantée là gênée et se tordant les mains. La première chose qu'elle remarqua, c'était que l'homme assis dans le fauteuil n'était pas réellement bossu. C'était un homme dont les épaules pouvaient paraître trop hautes, parce qu'il se tenait voûté, un homme aux cheveux bruns, sillonnés de mèches blanches. Il tourna la tête vers elle et parla.

– Approche !

Elle avança d'un pas. Il n'était pas si laid. Son visage aurait été beau sans cette expression pitoyable. Il paraissait nerveux et embarrassé, comme s'il ne savait que dire ni que faire.

– Ça va ? interrogea-t-il.

– Oui, dit Mary.

– On s'occupe bien de toi ?
– Oui.

Il se passa nerveusement les doigts dans les cheveux, en la regardant du coin de l'œil.

– Tu n'es pas bien grosse, dirait-on.

– Je commence à prendre du poids, répondit Mary d'une voix éteinte.

Comme il avait l'air malheureux ! Ses yeux noirs paraissaient à peine la voir. Son regard se portait constamment ailleurs. Il força son attention.

– Je ne sais pas où j'avais l'esprit, je t'avais oubliée, dit-il. Je voulais t'envoyer quelqu'un, une bonne d'enfants ou une gouvernante, mais tout cela m'est sorti de la tête.

– S'il vous plaît, monsieur,... S'il vous plaît...

Elle sentait sa gorge se nouer.

– Eh bien, parle, enfin ! Qu'y a-t-il ?

– Je trouve que je suis déjà trop grande pour qu'on me donne une bonne d'enfants, parvint-elle à articuler. Et s'il vous plaît... Oh, s'il vous plaît, ne me donnez pas de gouvernante, pas tout de suite !

Encore une fois, M. Craven se passa les doigts dans les cheveux en la regardant d'un air perplexe.

– C'est pourtant ce que cette dame Sowerby me suggérait de faire, marmonna-t-il, pensif.

Mary reprit quelque courage.

– La mère de Martha ?

– Sans doute...

– Elle connaît les enfants, dit Mary. Elle en a eu douze.

M. Craven parut sortir un instant de son hébétude.

– Alors, dans ce cas, que veux-tu faire ?

– Je veux jouer dehors, dit Mary qui faisait un terrible effort pour que sa voix ne tremble pas. Je n'aimais pas cela aux Indes, mais ici j'ai davantage d'appétit et c'est grâce au grand air que je grossis.

Il la regarda de nouveau.

– Cette dame a dit, également, que sortir te fait du bien. C'est bien possible, après tout. Elle pense qu'il serait bon, peut-être, que tu commences par reprendre des forces avant d'avoir une gouvernante.

– Oui, je reprends des forces à jouer sur la lande quand le vent souffle.

– Où joues-tu ? interrogea M. Craven.

– Oh ! un peu partout, dit Mary d'une voix presque inaudible. Martha m'a apporté une corde à sauter. Je saute et je cours, je regarde si les plantes sortent de terre. Je ne fais rien de mal... ajouta-t-elle.

131

– Ne prends pas cet air effrayé ! s'inquiéta M. Craven. Une petite fille comme toi ne peut rien faire de mal. Tu peux agir à ta guise.

Mary sentit sa gorge se dénouer ; elle porta la main à son cou et avança encore d'un pas.

– Est-ce que je pourrais..., commença-t-elle.

Mais elle n'arriva pas au bout de sa phrase, et M. Craven, devant son petit visage anxieux, parut encore plus mal à l'aise.

– Ne prends pas cet air effrayé ! Bien sûr que tu peux ! lui dit-il. Je suis ton tuteur, après tout. Un drôle de tuteur, je sais bien... Mais je ne peux pas m'occuper de toi. Je suis trop malade, trop distrait, et trop soucieux ; cependant, j'aimerais que tu te sentes bien et que tu sois heureuse ici. Je ne connais rien aux enfants et Mme Medlock veillera à ce que tu aies tout ce qu'il te faut. Je t'ai demandé de venir aujourd'hui parce que cette dame Sowerby m'a dit qu'il serait bon que je te voies. Sa fille lui avait parlé de toi. D'après elle, ce qu'il te faudrait, c'est respirer du bon air, te sentir libre et courir où bon te semble.

– Elle connaît très bien les enfants, reprit Mary malgré elle.

– Je l'espère, dit M. Craven. Je l'ai trouvée plutôt audacieuse de m'arrêter ainsi sur la lande... Elle m'a dit que Mme Craven avait été bonne pour elle. (Il semblait avoir eu de la peine à prononcer le nom de sa femme.) Cette dame est des plus respectables, j'en conviens, et je me rends bien compte qu'elle ne m'a dit que des paroles sensées. Joue dans le parc autant que tu le souhaites ! Tu habites une grande maison, tu peux aller où bon te semble et t'amuser comme il te plaît. Au fait, as-tu besoin de quelque chose ? ajouta-t-il, comme si l'idée venait seulement de l'effleurer. Des poupées, des jouets, des livres ?

– Puis-je avoir... balbutia Mary. Puis-je avoir... un petit lopin de terre ?

Dans sa hâte, elle ne songea pas à l'étrangeté de sa demande et n'en eut conscience qu'après coup. M. Craven la regarda, interloqué.

– Un petit lopin de terre ? reprit-il. Que veux-tu dire ? Explique-toi mieux !

– Pour y semer des graines... faire pousser des plantes... les voir vivre, dit Mary d'une voix défaillante.

Il la regarda un moment. Puis elle le vit passer vivement une main sur ses yeux.

– C'est si important, pour toi, un jardin ? dit-il d'une voix douce.

– Aux Indes, non. Il faisait trop chaud, j'étais toujours fatiguée ou malade. Mais, quelquefois, je m'amusais à dessiner des petits parterres et j'y plantais des fleurs. Mais ici, c'est différent.

M. Craven, debout, arpentait lentement la pièce.

– Un petit lopin de terre, répétait-il, songeur.

Il semblait perdu dans ses pensées. Quand il lui parla de nouveau, ses yeux noirs étaient presque doux, son regard presque bienveillant.

– Tu peux prendre toute la terre que tu veux ; tu me fais penser à quelqu'un, à quelqu'un qui aimait la terre... qui aimait voir pousser les plantes. Si tu trouves un endroit qui te plaît (un sourire presque imperceptible éclaira un instant son visage), tu n'as qu'à le prendre, mon enfant, pour le faire vivre à ta manière.

– Je peux le prendre n'importe où ? N'importe où, si personne n'en veut ?

– N'importe où, affirma M. Craven. C'est une chose convenue, je l'ai dit. Allez, je suis las à présent. (Il sonna.) Je pars pour l'été.

Mme Medlock revint si vite que Mary la soupçonna d'être restée en faction dans le couloir.

– Bon ! Madame Medlock, lui dit-il. En voyant l'enfant, j'ai compris ce que cette dame avait voulu dire. Qu'elle commence par forcir un peu, elle aura le temps d'étudier après. Donnez-lui une nourriture saine et

fortifiante. Laissez-la courir dans le parc. Ne vous occupez pas trop d'elle. Elle a besoin de liberté, d'espace, de courses au grand air. Mme Sowerby se propose de venir la voir à l'occasion. Qu'elle aille au cottage, à son tour, si elle le désire.

Mme Medlock sembla ravie. Sans doute était-elle soulagée d'apprendre qu'elle n'allait pas avoir à s'occuper de Mary. Cette charge lui semblait trop lourde et, jusque-là, elle s'en était tenue au strict minimum. Indépendamment de cela, elle vouait à la mère de Martha une affection des plus sincères.

– Très bien, monsieur, répondit-elle, nous sommes des amies de longue date, Susan Sowerby et moi-même, et je peux vous assurer qu'on ne trouverait pas dans la région de femme plus sensée. Moi-même je n'ai pas eu d'enfant, mais elle en a mis douze au monde et je n'en connais pas qui se portent mieux. Mademoiselle Mary gagnera certainement à les fréquenter. J'ai toujours prêté attention à ce que dit Susan Sowerby. Pour ce qui est d'élever les enfants, elle a l'intelligence du cœur. Si vous voyez ce que je veux dire...

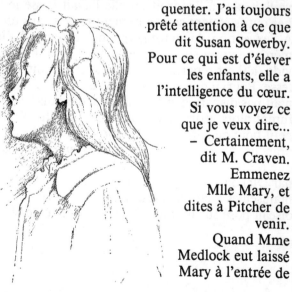

– Certainement, dit M. Craven. Emmenez Mlle Mary, et dites à Pitcher de venir.

Quand Mme Medlock eut laissé Mary à l'entrée de

son couloir, elle gagna sa chambre à toutes jambes. Martha l'attendait, impatiente de connaître le résultat de cette première entrevue.

– J'ai le droit d'avoir mon jardin ! cria Mary d'une voix enthousiaste. J'ai le droit de le prendre où je veux ! Je n'aurai pas de gouvernante, pas pour le moment, en tout cas ! Et ta mère va venir me voir ; je pourrai aller au cottage ! Il dit que je ne fais rien de mal, et que je peux aller où je veux !

– C'est gentil à lui, dit Martha toute réjouie.

– Martha, dit gravement Mary, c'est le plus gentil des hommes. Mais comme il a l'air malheureux ! Et son front est tout ridé...

Elle se hâta vers le jardin. En rentrant pour déjeuner, elle avait pensé qu'elle ne devait pas s'absenter trop longtemps car Dickon devait partir tôt pour faire le chemin de retour, une marche de sept kilomètres... En franchissant le rideau de lierre, elle vit qu'il ne travaillait plus à l'endroit où elle l'avait laissé le matin. Les outils étaient soigneusement rangés sous un arbre. A l'exception du rouge-gorge, qui revenait à l'instant même se poser sur un rosier-tige, le jardin secret était vide. « Il est reparti, se dit-elle avec un soupir de tristesse. Pourvu que ce ne soit pas un rêve ! Pourvu qu'il n'ait pas disparu comme un génie des bois ! » Ses yeux furent alors attirés par une tache blanche. C'était un petit bout de papier fixé, au moyen d'une épine, à une branche de rosier. Il avait été découpé dans la lettre que Mary avait écrite avec Martha : un message laissé par Dickon ! Quelques mots y étaient tracés en lettres majuscules ; en dessous, Dickon avait esquissé un oiseau posé sur un nid... Elle lut : « Je reviendrai. »

13
Je suis Colin

Mary rapporta le dessin au manoir pour le montrer à Martha.

– Ma parole ! Je n'aurais jamais cru que Dickon dessinait si bien. Tu as vu ? C'est une grive dans son nid. Elle est plus vraie que nature !

Alors Mary comprit le message de Dickon : dans le jardin, elle était comme la grive dans son nid. Dickon garderait son secret. Comme elle l'aimait déjà, ce petit paysan du Yorkshire ! Elle espérait qu'il reviendrait le lendemain et, en s'endormant, elle avait hâte d'être au matin.

Seulement, on ne peut jamais prévoir le temps qu'il va faire dans le Yorkshire, surtout au printemps. Au milieu de la nuit, de grosses gouttes de pluie se mirent à cingler les vitres et l'éveillèrent. Un instant après, il pleuvait à verse, et le vent commença à mugir et à fouetter l'immense demeure. Elle se dressa sur son lit, dépitée comme aux pires moments de sa courte existence.

– Quelle rabat-joie ! maugréa-t-elle. Cette pluie est plus désagréable que je ne l'étais moi-même auparavant. A croire qu'elle fait exprès de tomber, uniquement pour me contrarier.

Elle s'allongea de nouveau et enfouit son visage dans l'oreiller. Elle n'aurait pas pleuré pour si peu, mais elle maudissait cette attente, cette pluie, ce vent, et ces mugissements. Elle avait beau fermer les yeux, elle ne

137

pouvait se rendormir. La mélancolie de ces bruits la tenait éveillée, car ils trouvaient un écho dans son humeur sombre et sa profonde déception. Si elle s'était sentie heureuse, ils l'auraient peut-être bercée.

– Quel vent ! Quel vent ! répétait-elle. Avec ce vent on a toujours l'impression qu'une âme errante appelle en pleurant sur la lande...

Depuis près d'une heure, elle se tournait et se retournait dans son lit sans pouvoir trouver le sommeil, lorsqu'un bruit insolite la fit se redresser sur un coude. Elle tourna la tête vers la porte, aux aguets.

– Ce n'est plus le vent, murmura-t-elle. Le vent ne ferait pas ce bruit. Ce sont les pleurs qui recommencent...

La porte de sa chambre était entrebâillée et les gémissements résonnaient dans le corridor. Chaque minute qui passait renforçait sa détermination : elle devait aller voir ce qui se passait. C'était une aventure plus passionnante et plus mystérieuse encore que la découverte du jardin secret et de sa clef enfouie dans la terre. C'est sans doute parce que la pluie l'avait mise de mauvaise humeur en contrariant ses projets qu'elle trouva assez d'audace pour glisser un pied hors du lit. « Il faut en avoir le cœur net ! se dit-elle. Toute la maison dort. Bien sûr, il y a Mme Medlock, mais elle ne me fait pas peur ! »

Elle s'empara d'un bougeoir et s'avança à pas furtifs jusqu'à la porte de la chambre. Devant elle, le corridor s'étendait, pareil à un long tunnel noir ; cependant la curiosité l'emporta sur la crainte. La difficulté consistait à se rappeler le chemin qu'elle avait suivi la première fois, à retrouver l'étroit couloir et la porte dissimulée sous la tapisserie. Les pleurs devaient venir de là. A la faible lueur de la bougie, elle avança à tâtons, le cœur battant, dans le silence. Par moments, les pleurs cessaient, puis reprenaient, faibles et lointains.

Ils l'aidaient à s'orienter mais, chaque fois qu'ils s'interrompaient, elle était obligée d'attendre, immobile et attentive, dans l'obscurité. « Par où étais-je passée, déjà ? Il faut tourner là, je crois... » Elle s'arrêtait pour réfléchir. « Par là, en longeant le couloir. Ensuite à gauche, puis l'escalier ; enfin c'est à droite... C'est bien cela ! Voilà la tapisserie. »

Elle entrouvrit discrètement la petite porte et la referma derrière elle. Les pleurs lui parvenaient distinctement, même s'ils demeuraient assez faibles. Un peu plus loin, sur la gauche, il devait y avoir une porte ; elle voyait un faible rai de lumière se dessiner sur le sol. Un inconnu pleurait dans cette pièce et, à en juger par ces pleurs, c'était un enfant.

Elle gagna la porte et l'ouvrit avec les plus grandes précautions. Cette fois, elle était dans la pièce, une grande pièce pleine de meubles anciens. Le feu couvait dans la cheminée, elle voyait rougeoyer des braises ; une veilleuse brûlait au chevet d'un lit à colonnes surmonté d'un dais de brocart... Sur le lit, un jeune garçon était étendu sur le dos, secoué de sanglots spasmodiques.

Stupéfaite, elle se demanda si cette scène était bien réelle, ou si elle était encore dans son lit, en train de rêver. Le garçon avait un visage mince et anguleux, les traits fins, et le teint d'une pâleur d'ivoire. Ses yeux semblaient très grands dans son visage étroit, d'autant plus que de lourdes boucles couvraient en partie son front. Il avait dû être malade, mais ne paraissait pas souffrir ; il pleurait plutôt de détresse et de fatigue.

Debout près de la porte, sa bougie à la main, elle osait à peine respirer. Elle entra pourtant dans la chambre, sur la pointe des pieds. Le garçon tourna la tête vers cette lumière plus vive. Son regard se posa sur elle, et elle vit ses yeux gris s'ouvrir au point d'en devenir immenses.

– Qu'est-ce que c'est ? souffla-t-il. Qui es-tu ? Un fantôme ?

– Non ! murmura Mary. Et toi ?

Sa voix tremblait de frayeur. Les yeux immenses du garçon la fixaient, fascinés ; pourtant, malgré sa surprise, elle ne manqua pas d'observer combien ces yeux étaient étranges... C'était cette frange de longs cils noirs, sur le gris d'agate de l'iris, qui les faisait paraître aussi grands.

– Je ne suis pas un fantôme, dit-il. Je suis Colin.

– Colin ?

– Colin Craven. Et toi ?

– Moi, je m'appelle Mary Lennox, et M. Craven est mon oncle.

– C'est mon père, dit le garçon.

– Ton père ! dit Mary, stupéfaite. Il a un fils ? Je ne savais pas ! Pourquoi ne m'ont-ils rien dit ?

– Approche-toi, dit-il, l'air inquiet, sans détourner ses yeux étranges.

Comme elle s'approchait, il tendit la main vers elle.

– Tu es bien sûre d'exister vraiment ? dit-il. Parfois, dans les rêves que je fais, tout me paraît tellement réel ! Tu es peut-être un rêve, toi aussi.

– Tiens, tu n'as qu'à toucher la manche de ma robe de chambre, dit Mary. Sens comme c'est épais et chaud ! Je peux te pincer, si tu veux. Moi aussi, j'ai cru que je rêvais.

– Mais d'où viens-tu ? demanda-t-il.

– De ma chambre. Il y avait du vent, je n'arrivais pas à dormir. J'ai entendu quelqu'un pleurer, j'ai voulu savoir qui c'était. Pourquoi pleurais-tu ?

– Je n'arrivais pas à dormir, moi non plus. J'avais la migraine. Quel est ton nom, déjà ?

– Mary Lennox. On ne t'a pas dit que j'étais venue vivre ici ?

Il palpait toujours le tissu et commençait à la croire.

— Ils n'auraient pas osé, dit-il.

— Pourquoi ?

— S'ils me l'avaient dit, j'aurais eu peur que tu me voies. Je ne veux pas que les gens m'aperçoivent. Je ne veux pas qu'on parle de moi.

— Mais pourquoi ? dit-elle encore, déconcertée.

— Je suis toujours malade et alité. Mon père n'aime pas qu'on parle de moi. Les domestiques ont reçu l'ordre de ne rien dire sur moi aux gens. Je risque de devenir bossu. Si je vis... Mais je ne vivrai pas. Mon père se dit qu'un jour ou l'autre je deviendrai comme lui : cette pensée lui fait horreur.

— Quelle maison bizarre ! dit Mary. Quelle maison bizarre ! On fait des mystères de tout ! Toutes les pièces sont fermées à clef ! Les jardins sont fermés à clef ! Toi aussi, on t'enferme à clef ?

— Non, je reste dans cette chambre, je ne supporte pas d'en sortir. Dès que je suis dehors, ça me fatigue !

— Ton père vient te voir quelquefois ? se risqua à demander Mary.

— Quelquefois. La plupart du temps, il vient quand je dors. Il n'a pas envie de me voir.

— Pourquoi ? demanda-t-elle encore.

Un instant, le visage du garçon se crispa.

— Ma mère est morte peu après ma naissance. Ça le désespère de me voir. Il croit que je ne le sais pas, mais j'ai entendu les gens parler. Il me déteste...

— Comme le jardin, dit Mary en pensant tout haut. Il le déteste parce qu'elle est morte.

— Quel jardin ?

— Rien... balbutia-t-elle. Un jardin qu'elle aimait, c'est tout. Tu es toujours resté ici ?

— Presque toujours. Deux ou trois fois, ils m'ont emmené à la mer, mais je n'ai pas voulu y rester ; les gens me regardaient tout le temps. J'avais un corset en métal qui servait à maintenir mon dos. Ensuite, un grand docteur est venu de Londres pour m'examiner. Il a dit que c'était de la bêtise, qu'il fallait l'enlever tout de suite et m'emmener promener au grand air. J'ai horreur du grand air et je ne sors jamais.

— Je n'aimais pas le grand air non plus quand je suis arrivée, dit Mary. Pourquoi me regardes-tu comme cela ?

— A cause de mes rêves. Dans mes rêves, il y a des choses tellement réelles ! Quelquefois, j'ai les yeux ouverts, mais je me demande si je ne dors pas.

— Nous ne rêvons pas, dit Mary en jetant un regard sur la chambre : un haut plafond, des recoins sombres, le feu qui couve... C'est vrai que ça ressemble à un rêve, et c'est le milieu de la nuit, tout le monde dort dans la maison... Nous, c'est sûr, nous ne dormons pas.

— Je ne veux pas que ce soit un rêve, dit le garçon en s'agitant.

Mary s'inquiéta un peu.

— Si tu n'aimes pas qu'on te regarde, tu préférerais peut-être que je m'en aille...

Le garçon n'avait pas encore lâché la robe de chambre. Il tira doucement sur la manche.

— Non. Si tu t'en allais maintenant, je serais convaincu que c'était un rêve. Si tu es bien réelle, tu n'as qu'à t'asseoir là. Je veux que tu me parles de toi.

Mary posa son bougeoir sur la table de chevet et s'assit auprès du lit, sur un tabouret. Elle n'avait pas du tout envie de partir, en fait. Elle voulait rester dans cette chambre, bien cachée au cœur de l'immense demeure, et continuer à parler avec le mystérieux garçon...

— Que veux-tu savoir ? demanda-t-elle.

Il voulut savoir depuis quand elle se trouvait au manoir, dans quel couloir était sa chambre, comment elle occupait son temps, si elle détestait la lande autant que lui, où elle avait vécu avant de venir habiter dans le Yorkshire. Mary répondit à toutes ces questions, et à bien d'autres encore, et lui, le dos calé sur ses oreillers, ne se lassait pas de l'écouter. Il lui fit raconter sa vie aux Indes et son voyage en bateau. Elle pensa que, étant invalide, il ne connaissait pas le monde réel comme la plupart des autres enfants. Une nurse lui avait appris à lire et à écrire très jeune. Depuis, il occupait son temps à lire ou à regarder des images dans de très beaux livres illustrés.

Son père venait rarement le voir dans la journée et, pour le distraire, il le comblait de cadeaux. Et pourtant, Colin ne semblait pas en tirer un réel plaisir. Quand il avait envie d'une chose, il l'obtenait immédiatement. Jamais personne ne le forçait à faire ce qu'il ne voulait pas.

— Ils sont tous aux petits soins pour moi, dit-il, indifférent. Quand je me mets en colère, je tombe malade. Ils pensent tous que je ne vais pas vivre et que je ne serai jamais grand.

Il s'était si bien habitué à cette idée que, apparemment, la vie ne présentait désormais plus le moindre intérêt à ses yeux. Le son de la voix de Mary devait lui paraître agréable ; il l'écoutait, les yeux mi-clos, sans l'interrompre. Une ou deux fois, elle se demanda s'il ne s'était pas endormi ; pourtant, dès qu'elle se taisait, il posait de nouvelles questions.

— Quel âge as-tu ?

— Dix ans, dit aussitôt Mary, en ajoutant sans réfléchir : le même âge que toi.

— Comment le sais-tu ? dit-il, surpris.

— Quand tu es né, on a fermé le jardin à clef et on a enterré la clef. Et cela remonte à dix ans.

Colin se redressa sur un coude et tourna lentement les yeux vers Mary.

— Quel jardin a-t-on fermé ? Où a-t-on enterré cette

144

clef ? dit-il, subitement intéressé. Et qui aurait bien pu faire cela ?

– C'était un jardin... un jardin que M. Craven détestait, répondit Mary, prise de court. Alors il a fermé la porte. Et maintenant... personne ne sait où il a enterré la clef.

– Mais comment est-il, ce jardin ? dit Colin, très intrigué.

– Depuis dix ans, personne n'a le droit d'y entrer, dit-elle prudemment.

Mais il était déjà trop tard. Colin montrait la même curiosité que Mary la première fois qu'elle avait entendu parler de ce mystérieux jardin. Il posa question sur question. Où était-il ? Avait-elle essayé de trouver la porte ? Avait-elle demandé aux jardiniers, au moins ?

– Ils ne diraient rien, de toute façon. Ils ont ordre de ne pas en parler.

– Je saurai bien les faire parler ! dit Colin. Tu peux me faire confiance !

– Comment ? Tu peux les y obliger ? dit Mary d'une voix éperdue.

Cette fois, elle était vraiment inquiète. S'il pouvait faire parler les gens, qui sait ce qui pouvait se produire ?

– Ils doivent m'obéir, je te l'ai dit. Si je devais vivre, cette maison me reviendrait un jour. Je serais leur maître. Ils le savent. Je les forcerai à parler.

Mary n'avait pas conscience d'être elle-même une enfant gâtée, mais elle voyait très clairement à quel point ce garçon pouvait l'être. Il semblait convaincu que le monde lui appartenait. Et comme il parlait froidement de sa mort prochaine !

– Tu crois vraiment que tu ne vas pas vivre ?

Elle lui posait cette question par curiosité, mais surtout parce qu'elle espérait lui faire oublier le jardin.

– Je ne crois pas que je vivrai, dit-il d'un air détaché. Déjà, lorsque j'étais tout petit, les gens le disaient.
Ils croyaient que j'étais trop jeune pour comprendre.
Même maintenant, avec leurs messes basses, s'ils
croient que je n'entends pas ce qu'ils disent ! Je le sais
parfaitement. Le docteur qui me soigne est un cousin
de mon père. Il est pauvre ; alors, si je meurs, c'est lui
qui héritera de Misselthwaite le jour de la mort de
mon père. Je ne suis pas très loin de penser qu'il ne
tient pas tellement à ce que je vive.

– Toi, tu y tiens ? lui demanda Mary.

– Non, dit-il d'une voix irritée. Mais je ne veux pas
mourir non plus. Quand je vais mal, je reste sur ce lit
et je pense à cela sans arrêt. Après, je pleure pendant
des heures...

– Je t'ai entendu pleurer trois fois, je ne savais pas
que c'était toi. C'est à cause de cela que tu pleurais ?

Il fallait à tout prix qu'il oublie le jardin.

– Sans doute, répondit-il. Parlons d'autre chose. Tu
n'aimerais pas le voir, ce jardin ?

– Si, dit Mary d'une voix éteinte.

– Moi aussi, je crois que j'en ai très envie. D'habitude, je n'ai envie de rien, mais ce jardin, j'ai envie de
le voir ! Je vais leur faire déterrer cette clef ! Je vais
leur faire ouvrir cette porte ! Ils m'y emmèneront dans
mon fauteuil roulant. Je respirerai l'air frais ! Je vais
leur faire ouvrir cette porte !

L'idée semblait l'avoir conquis. Ses yeux gris
jetaient des éclairs et semblaient plus grands que
jamais.

– Ils obéiront, tu peux me croire. Je saurai bien les
y forcer. Toi, tu pourras venir, si tu veux.

Mary se tordait les mains. Le garçon allait tout
gâcher ! Dickon ne reviendrait plus jamais. Plus
jamais elle ne serait en sûreté dans le jardin, comme
une grive dans son nid !

– Non... Non... Je ne veux pas, cria-t-elle... Je ne veux surtout pas que tu le fasses !

Il la regarda, éberlué.

– Et pourquoi pas ? s'écria-t-il. Tu ne m'as pas dit que tu voulais le voir ?

– Si, si, je l'ai dit, admit-elle, avec un sanglot dans la voix. Mais si tu les forces à l'ouvrir, si tu les forces à t'y emmener, ce ne sera plus jamais un secret !

Il se redressa un peu plus.

– Un secret ? dit-il. Explique-toi.

Mary poursuivit et les mots se précipitaient dans sa bouche.

– Écoute-moi bien, dit-elle. Écoute... Suppose qu'il y ait une porte sous le lierre... et qu'on puisse la trouver. On se glisserait à l'intérieur, rien que nous, on refermerait la porte. Personne ne saurait qu'on est là. Ce serait notre jardin, on y serait... comme des grives. On serait comme des grives dans leur nid. On pourrait y aller quand on veut, presque tous les jours, on bêcherait, on pourrait y planter des graines ! On essaierait de le faire revivre !

– Il est mort ? demanda Colin.

– Il risque de mourir bientôt si personne ne s'en occupe... Les bulbes vivront, mais les roses...

Il lui coupa la parole.

– Qu'est-ce que c'est, les bulbes ?

– Il y en a de plusieurs sortes, qui donnent des jonquilles, des narcisses ou des perce-neige. Ils travaillent sous terre en ce moment. Ils font sortir des petites pousses vertes parce que le printemps approche.

– Le printemps approche, répéta Colin. Comment est-ce, le printemps ? On ne peut pas savoir, quand on vit toujours dans sa chambre.

– Au printemps, la pluie tombe après qu'il a fait soleil, et le soleil brille sur la pluie. C'est ce qui fait pousser les plantes, sans qu'on le sache, parce qu'elles sont sous terre. Si le jardin reste secret, si jamais on peut y entrer, on pourra les regarder grandir chaque jour, on pourra voir combien de rosiers sont encore vivants. Tu comprends que ce serait bien plus beau si c'était un jardin secret ?

Colin se laissa doucement retomber sur ses oreillers. Il laissa un moment son regard errer dans le vague.

– Je n'ai jamais eu de secret, dit-il, à part celui dont je t'ai parlé : je ne vivrai pas longtemps, je ne grandirai pas. Comme ils ne savent pas que je le sais, c'est une sorte de secret aussi... J'aime mieux celui dont tu me parles.

– Si tu ne les obliges pas à t'emmener dans le jardin, dit Mary d'une voix implorante, peut-être que je pourrai un jour... Je sais que je pourrai un jour découvrir comment on y entre. A ce moment-là, comme le docteur a dit que tu devais prendre l'air, et faire tout ce que tu veux, on trouverait peut-être un garçon qui pourrait te pousser jusque-là. Ainsi, le jardin resterait toujours secret.

– Je crois que j'aimerais cela, admit Colin d'un air rêveur. Dans un jardin secret, je ne craindrais plus le vent.

Mary respira. L'idée de garder le secret semblait lui plaire. Elle avait même la conviction que, s'il imaginait le jardin, il en arriverait à l'aimer, et refuserait que des étrangers y entrent.

– Je vais te dire comment je l'imagine... livré à lui-même depuis si longtemps ; toutes les tiges des rosiers se sont peut-être enchevêtrées...

Et comme elle évoquait les rosiers qui avaient *peut-être* grimpé et rampé d'arbre en arbre, avant de retomber au sol, les oiseaux qui étaient *peut-être* venus y construire leur nid parce que l'endroit était sûr... Colin, tranquillement allongé, l'écoutait silencieusement... Ensuite, elle parla de Ben Weatherstaff et du rouge-gorge sur qui elle avait tellement à raconter, qu'elle en oublia ses frayeurs. Les exploits du rouge-gorge enchantèrent Colin. Il souriait au point de sembler presque beau. C'était étrange car, au début, avec ses yeux beaucoup trop grands, et toutes ces boucles de cheveux qui retombaient sur son front, Mary ne l'avait pas trouvé beau ; bien au contraire, elle l'avait même trouvé plus vilain qu'elle. Ce qui n'était pas peu dire !

– Je n'aurais pas cru qu'un oiseau pouvait faire ce que tu dis. Quand on reste toujours dans sa chambre, on ne voit jamais rien. Mais toi, tu en connais des choses ! Tu as si bien parlé du jardin que j'ai eu l'impression que tu y étais déjà entrée.

Ne sachant que dire, elle ne répondit rien. Mais il n'attendait aucune réponse, et voulut à son tour lui faire une surprise.

– Je vais te montrer quelque chose. Tu vois ce rideau de soie rose, au-dessus de la cheminée ?

Mary ne l'avait pas remarqué, mais il y avait en effet un rideau de soie qui semblait recouvrir un portrait.

– Il y a un cordon sur le côté. Tu n'as qu'à le tirer, dit Colin.

Intriguée, Mary se leva et alla tirer le cordon. Les rideaux glissèrent sur une tringle, et un portrait apparut : une jeune femme la regardait de ses yeux rieurs. Ses cheveux d'un brun lumineux étaient relevés sur son front, retenus par un ruban bleu, et ses yeux, bordés de cils noirs, ressemblaient à ceux de Colin, à ceci près qu'ils étaient gais, et ceux de Colin malheureux.

– C'est ma mère, dit-il tristement. Je ne peux pas comprendre qu'elle soit morte. Quelquefois, je la hais pour cela.

– C'est étrange, s'exclama Mary.

– Je ne serais pas comme je suis, si elle avait vécu...

J'aurais probablement pu grandir normalement. Et mon père ne détesterait pas me regarder. Je n'aurais sans doute pas le dos faible. Allez, referme le rideau.

Elle revint s'asseoir près de lui.

— Elle est beaucoup plus belle que toi, mais elle a exactement les mêmes yeux. C'est la même forme, la même couleur. Pourquoi son portrait est-il caché derrière un rideau ?

Il s'agita, mal à l'aise.

— C'est moi qui leur ai dit de le mettre. Parfois, je n'aime pas qu'elle me regarde. Quand je suis malade, quand je me sens malheureux, son sourire me fait mal. De toutes les façons, c'est ma mère, je ne veux pas que tout le monde la voie.

Il y eut un moment de silence... Puis Mary reprit la parole.

— Que va dire Mme Medlock, quand elle apprendra que je suis venue ?

— Elle m'obéira, elle aussi ! De toute manière, je dirai que c'est moi qui ai souhaité que tu viennes me voir et que tu reviendras tous les jours. Je suis content que tu sois venue.

— Moi aussi, poursuivit Mary. Je viendrai autant que je pourrai, mais – elle hésita un instant – il faudra aussi, chaque jour, que je cherche la porte du jardin secret.

— Oui, c'est vrai, admit Colin. Ainsi, quand tu reviendras me voir, tu pourras me dire où tu en es.

Il réfléchit quelques instants, adossé à ses oreillers.

— Je crois que, toi aussi, tu vas être un secret. Je ne dirai rien sur toi jusqu'à ce qu'ils découvrent ta présence. Je n'ai qu'à dire à l'infirmière que j'ai envie de rester seul et elle quittera ma chambre. Tu connais Martha ?

— Oui, bien sûr, c'est Martha qui s'occupe de moi.

Il montra le couloir du doigt.

— Elle dort dans la chambre à côté. L'infirmière est sortie cette nuit, elle est en visite chez sa sœur. Quand elle sort, c'est toujours Martha qu'elle charge du service à sa place. Martha te préviendra quand tu pourras venir ici.

Mary comprit alors pourquoi Martha avait paru si troublée par ses questions sur les pleurs.

— Martha savait donc tout sur toi, depuis le début ? demanda-t-elle.

— Oui, elle s'occupe de moi souvent. L'infirmière n'attend qu'une occasion de s'éloigner, et Martha la remplace.

— Il y a un moment que je suis là, dit Mary, veux-tu que je m'en aille ? J'ai l'impression que tu as sommeil.

— J'aimerais mieux être déjà endormi quand tu t'en iras, suggéra-t-il d'un air hésitant.

— Ferme les yeux alors, dit Mary en rapprochant son tabouret. Je vais faire ce que mon ayah faisait toujours pour moi aux Indes. Je vais te chanter une berceuse en caressant ta main.

— Oh... Je crois que ça me plairait...

Elle avait un peu pitié de lui et craignait qu'il ne reste encore ainsi sans pouvoir dormir... Elle prit sa main et la caressa en lui chantonnant doucement une petite berceuse en hindi.

— C'est très joli, balbutia-t-il d'une voix déjà lourde de sommeil.

Elle fredonna un certain temps ; lorsqu'elle vit ses longs cils noirs doucement posés sur ses joues, elle sut qu'il dormait.

Alors, elle se leva tout doucement, prit son bougeoir sur la table, traversa la chambre à pas feutrés et s'éloigna, sans un bruit.

14
Un jeune rajah

Le matin, la pluie tombait toujours et la lande tout entière était recouverte de brume. Il ne pouvait être question de passer la journée dehors, et Martha avait tant à faire que Mary n'eut pas une seule fois l'occasion de lui parler. Au début de l'après-midi, elle lui demanda cependant de lui tenir un peu compagnie. Martha la rejoignit, apportant les chaussettes qu'elle se mettait à tricoter dès qu'elle n'avait rien d'autre à faire.

– Eh bien, qu'est-ce qui t'arrive ? dit-elle. Tu as quelque chose à me dire, on dirait !

– Je sais maintenant d'où venaient les pleurs. J'ai tout découvert, dit Mary.

Martha laissa tomber son tricot sur ses genoux en ouvrant des yeux stupéfaits.

– Non ! Ce n'est pas vrai ! s'exclama-t-elle.

– J'ai entendu pleurer cette nuit. Je me suis levée et je suis allée voir. C'était Colin, je l'ai trouvé.

Martha devint cramoisie.

– Mais enfin, mademoiselle Mary ! s'écria-t-elle au bord des larmes. Ce n'est pas honnête d'avoir fait ça ! Je n'ai jamais parlé de lui, mais c'est moi qui vais avoir des ennuis. Je vais perdre ma place, maintenant... Que va dire ma mère ?

– Il n'y a pas de raison, dit Mary. Il était content

que je sois venue. Tu ne seras pas renvoyée. On a parlé pendant des heures.

– Avec lui ? s'écria Martha. Il était content ? Tu es sûre ? Tu ne sais pas comment il est quand quelque chose le contrarie. Il est capable de hurler comme un bébé, rien que pour terroriser son monde. Il sait très bien qu'on n'est pas libre de faire ce qu'on veut avec lui.

– Ça ne l'a pas contrarié ! Pas du tout ! dit Mary. Je lui ai demandé s'il voulait que je m'en aille, mais c'est lui qui m'a dit de rester. Il m'a posé beaucoup de questions ; j'étais assise à côté de lui, sur un grand tabouret, et je lui racontais toutes sortes de choses sur les Indes, sur le rouge-gorge de Ben Weatherstaff, sur... les jardins. Il ne voulait plus que je m'en aille. Il m'a montré le portrait de sa mère. Avant de partir, je lui ai chanté une berceuse.

– Vraiment ? J'ai du mal à y croire ! Tu t'es jetée dans la gueule du loup. S'il avait été mal luné, il aurait réveillé tout le monde. Il ne supporte pas qu'on le regarde.

– Il l'a très bien supporté, puisque je l'ai fait tout le temps. Et il me regardait aussi.

– Mais moi, qu'est-ce que je vais devenir maintenant ? gémit Martha, désemparée. Quand Mme Medlock va le savoir, elle va croire que je t'ai parlé de lui. Je n'aurai plus qu'à faire mes paquets et à m'en retourner chez ma mère.

– Il ne dira rien à Mme Medlock, dit Mary avec fermeté. C'est un secret, pour l'instant. Il dit que, de toute manière, tout le monde doit faire ce qu'il veut.

– Ah ! le sale gamin ! Pour ça, c'est sûr ! lança Martha en soupirant.

– Il dit que Mme Medlock doit obéir aussi, et il veut que je vienne le voir tous les jours. Alors, quand il demandera que je vienne, tu devras me prévenir.

– Moi ! s'écria Martha. Bon, je l'ai déjà perdue, ma place !

– Tu ne la perdras pas si tu fais ce qu'il te demande. Tout le monde doit lui obéir !

– Tu ne vas tout de même pas me faire croire qu'il s'est montré gentil avec toi, s'exclama Martha, stupéfaite.

– Je crois qu'il m'aime bien...

– Alors, tu l'as ensorcelé. Il n'y a pas d'autre explication.

– Par magie, tu veux dire ? s'enquit Mary, un peu inquiète. J'ai entendu parler de magie et d'envoûtements aux Indes, mais je ne suis pas magicienne. Je n'ai fait qu'entrer dans sa chambre, et j'étais tellement ébahie que je suis restée là à le regarder. Alors il a tourné la tête en ouvrant de grands yeux. Il croyait que j'étais un fantôme, et je pensais la même chose à son sujet. C'était bizarre de se retrouver en pleine nuit, l'un en face de l'autre. On ne se connaissait pas du tout ! Nous avons commencé à parler... Et quand je lui ai demandé s'il voulait que je m'en aille, c'est lui qui m'a demandé de rester.

– Alors, on peut sonner les cloches ! lança Martha.

– De quelle maladie souffre-t-il ?

– On ne l'a jamais su, au juste. Après sa naissance et la mort de Mme Craven, M. Craven n'avait plus toute sa tête. Les docteurs se demandaient s'ils n'allaient pas le mettre à l'asile. Il ne voulait pas voir l'enfant. « S'il doit devenir bossu comme moi, mieux vaut encore le voir mourir », disait-il.

– Colin est bossu ? interrogea Mary. Il n'en a pas l'air, pourtant.

– Il ne l'est pas encore, dit Martha. Mais les choses ont mal tourné pour lui, dès le début. Ma mère dit qu'avec tous les malheurs qui se sont abattus sur cette maison aucun bébé n'aurait pu y grandir comme il faut. Ils avaient si peur pour son dos que c'était devenu une obsession. Ils le tenaient allongé, ils l'empêchaient de marcher. Plus tard, ils l'ont même forcé à porter un corset en fer. Ça l'a rendu très nerveux, tant et si bien qu'après, il est vraiment tombé malade. Alors, un docteur de Londres est venu l'examiner. « Enlevez-lui ça ! » leur a-t-il dit aussitôt. Il a parlé à l'autre docteur, poliment, mais il ne mâchait pas ses mots. « Trop de médicaments », affirmait-il. Il disait aussi : « Vous ne lui rendez pas service en lui passant tous ses caprices. »

— Je le trouve très gâté, dit Mary.

— S'il n'était que gâté, dit Martha. C'est un vrai tyran ! Oh, bien sûr, il a été malade. Il a fait crise d'asthme sur crise d'asthme, et des fièvres ont failli le tuer. Une fois ce fut une fièvre rhumatismale, et une autre fois une typhoïde. Et si quelqu'un en a été quitte pour une bonne peur, c'est bien Mme Medlock ! Depuis des heures et des heures, il n'avait pas repris connaissance... « Cette fois-ci, c'est la fin, a-t-elle dit à l'infirmière, croyant qu'il ne pouvait pas l'entendre. Et c'est ce qu'on peut souhaiter de mieux, aussi bien pour lui que pour les autres ! » Au même moment, elle tourne la tête, et qu'est-ce qu'elle voit ? M. Colin qui la regardait. Il la regardait dans les yeux, l'air aussi lucide que toi et moi. Elle s'est demandé ce qui allait se passer, mais il lui a seulement dit : « Taisez-vous ! Donnez-moi à boire ! »

— Tu crois qu'il va mourir ? demanda Mary à Martha.

— Ma mère ne voit pas comment un enfant pourrait vivre s'il passe tout son temps enfermé à regarder des livres d'images et à prendre des médicaments. Il est si faible, il ne veut pas sortir. Il dit qu'il prend froid trop facilement.

Mary s'installa sur le tapis et regarda brûler les bûches.

— Je me demande si ce ne serait pas bon pour lui de sortir un peu dans un jardin, de regarder pousser les plantes. Moi, c'est cela qui m'a fait du bien.

— Une des pires crises qu'il nous ait faites, dit Martha, c'est le jour où ils l'ont sorti près des rosiers, tu sais, à côté de la fontaine. Il avait lu dans un journal qu'on pouvait attraper un rhume simplement en respirant l'odeur des roses. Soudain, le voilà qui éternue puis qui commence à gémir et à se plaindre... Il y avait là un jardinier qui venait d'arriver au manoir et personne ne l'avait prévenu... Il l'a regardé, un rien curieux. Bon sang ! Ça l'a mis dans une rage ! Il disait qu'il l'avait regardé pour voir s'il devenait bossu ! Et puis, il s'est mis à hurler à s'en rendre malade toute la nuit.

— S'il crie après moi, assura Mary, c'est bien simple, je n'irai plus le voir !

— S'il veut que tu ailles le voir, il faudra bien que tu y ailles, dit Martha. J'aime autant te le dire.

A peine avait-elle achevé sa phrase qu'un coup de sonnette retentit. Elle rangea bien vite son tricot.

— Ça doit être l'infirmière qui vient pour que je la remplace auprès de lui. Pourvu qu'il ne soit pas mal luné !

Dix minutes plus tard, Martha fit irruption dans la chambre, l'air éberlué.

— Non, c'est pas Dieu possible ! Tu l'as ensorcelé ! Il s'est levé et il t'attend en regardant ses livres d'images, bien installé sur son divan. Il a donné congé à l'infirmière jusqu'à six heures et m'a demandé d'aller te chercher : « Je veux que Mlle Mary vienne bavarder un peu avec moi. Attention, Martha, n'oublie pas : tu ne dois en parler à personne ! » Si j'étais toi, je me dépêcherais !

Mary se rendit de bonne grâce à cette invitation cavalière. Certes, son envie de voir Colin n'était pas tout à fait aussi forte que son désir de voir Dickon, mais elle était dévorée de curiosité.

Un bon feu de bois flambait dans l'âtre quand elle pénétra dans la chambre. A la clarté du jour, elle vit que c'était une très belle pièce. Un épais tapis recouvrait le sol ; des tentures, des tableaux et des livres égayaient les murs de leurs couleurs vives et chaudes. Tout cela donnait une sensation de confort et même de lumière malgré les nuages et la pluie. Colin, lui, ressemblait à un tableau. Il était assis, adossé à un grand coussin de brocart, vêtu d'une robe de chambre de velours, un peu de rose aux joues.

– Entre ! dit-il. J'ai pensé à toi toute la matinée.

– Moi aussi, j'ai pensé à toi, dit Mary. Mais si tu savais comme Martha a peur ! Elle croit que Mme Medlock l'accusera de m'avoir parlé de toi, et qu'elle la renverra.

Colin prit un air contrarié.

– Va la chercher, ordonna-t-il. Elle est dans la pièce à côté.

Mary ramena Martha tout apeurée. Colin la dévisagea en fronçant les sourcils.

– Dois-tu faire tout ce qui me plaît, oui ou non ?

– Je dois faire ce qui plaît à monsieur ! dit-elle en rougissant.

– Bon. Et Mme Medlock, doit-elle aussi faire tout ce que je demande.

– C'est pareil pour tout le monde, monsieur !

– Alors, si je t'ordonne d'aller chercher Mlle Mary, comment Mme Medlock pourrait-elle te le reprocher ? Crois-tu qu'elle oserait te renvoyer ?

– Oh ! monsieur ne laisserait pas faire ça... ! répondit Martha, implorante.

– Si elle se permettait un seul mot à ce sujet, c'est

elle que je renverrais ! trancha Colin avec autorité. Et elle n'y tient pas, tu peux me croire !

– Oh ! merci, monsieur ! dit Martha en esquissant une révérence. Je veux faire mon devoir, monsieur.

– Ton devoir ! C'est ce que j'attends de toi, renchérit Colin, solennel. Je te protégerai. Allez, file !

Quand Martha eut quitté la chambre, Colin s'aperçut que Mary le regardait de curieuse façon.

– A quoi penses-tu ? demanda-t-il. Pourquoi me regardes-tu comme cela ?

– Je pensais à deux choses, répondit-elle.

– Lesquelles ? Assieds-toi là ! Dis-moi !

– Voici la première, répondit Mary en gagnant le grand tabouret. Un jour, aux Indes, on m'a montré un jeune rajah. Ses habits de soie étaient constellés de rubis, d'émeraudes et de diamants. Il parlait à ses domestiques exactement sur le même ton que toi, à l'instant, avec Martha. Ils devaient exécuter ses ordres à la minute, sinon ils risquaient la mort, je crois.

– Je te demanderai de m'en raconter plus sur les rajahs dans un moment, l'interrompit Colin. Mais dis-moi d'abord à quoi tu pensais en second.

– Je me disais que tu étais vraiment tout à fait différent de Dickon !

– Dickon ? Qui est-ce ? s'exclama-t-il. Dickon ! Quel nom bizarre !

Mary se dit qu'elle pouvait parler de Dickon sans dévoiler le secret du jardin. Elle se rappelait le plaisir qu'elle avait elle-même éprouvé quand Martha lui racontait ses expéditions sur la lande. De plus, elle en brûlait d'envie. C'était un moyen de se rapprocher de Dickon.

– C'est un des frères de Martha, commença-t-elle ; il a douze ans. Il ne ressemble à personne au monde. Il apprivoise les écureuils, et les renards, et les oiseaux, un peu comme les fakirs qui charment les serpents. Il

joue un air sur son pipeau, et ils approchent pour l'écouter.

Il y avait, près de Colin, une table sur laquelle étaient posés des albums illustrés. Il en choisit un.

– Dans ce livre, il y a l'image d'un charmeur de serpents.

C'était un livre magnifique. Colin le feuilleta et trouva l'image qu'il cherchait.

– Il joue de la flûte, comme cela ? demanda-t-il.

– Oui, il joue un air de pipeau et les animaux s'approchent de lui sans crainte, confirma Mary. Il n'appelle pas cela de la magie. Il dit que c'est venu à la longue, à force de vivre sur la lande, parce qu'il connaît leurs habitudes. Il les aime tellement qu'il a quelquefois l'impression d'être un oiseau ou un lapin. Il posait réellement des questions au rouge-gorge. On aurait dit qu'ils se parlaient, en sifflant et en gazouillant.

Colin se laissa retomber sur son coussin ; il ouvrait des yeux étonnés.

– Que sais-tu d'autre sur lui ?

– Il connaît les œufs et les nids. Il sait où vivent les loutres, les blaireaux, les renards, mais il le garde comme un secret. Il ne veut pas que d'autres garçons en profitent pour les effrayer. Il sait des choses sur tout ce qui pousse et sur tout ce qui vit sur la lande.

– Tiens ! Il aime la lande ? s'étonna Colin. Comment fait-il pour l'aimer ? C'est grand, c'est nu, c'est désertique !

– Il n'y a rien de plus beau au contraire, dit Mary d'un ton de reproche. Des milliers de petites fleurs y poussent ! Des milliers d'animaux y vivent ! Il y bâtissent des nids, des terriers, des tanières ! Ils s'affairent, ils s'amusent sous terre, dans les arbres ou dans les fougères ! C'est tout un monde !

Colin se dressa sur un coude et tourna la tête vers Mary :

– Comment sais-tu tout cela ?

– Je n'y suis jamais allée, c'est vrai, reconnut Mary, étonnée. Je ne l'ai traversée qu'une fois et il faisait complètement nuit ; j'avais trouvé cela horrible. Martha m'en a parlé la première, ensuite Dickon, et quand Dickon se met à parler de la lande, c'est un peu comme si on s'y trouvait. On a l'impression de tout voir, de tout entendre, d'être en plein soleil, de respirer le parfum des genêts, doux comme du miel, de contempler le ciel, rempli d'abeilles et de papillons...

– Quand on est malade constamment, on ne voit rien de tout cela, dit Colin en s'agitant sur ses coussins.

Il ressemblait à quelqu'un qui tend l'oreille pour discerner un son lointain et inconnu :

– On ne peut rien voir si on reste enfermé, dit Mary.

– Je ne peux pas aller sur la lande ! répliqua-t-il avec rancœur.

Mary se tut une bonne minute, puis elle risqua :

– Qu'en sais-tu ?

Il eut un mouvement de recul et la regarda, interloqué.

– Aller sur la lande ? Mais comment ? Tu sais bien que je vais mourir.

– Comment peux-tu le savoir ? dit-elle sèchement.

Elle n'appréciait pas cette façon qu'il avait de parler de sa mort, et n'éprouvait aucune pitié ; elle avait l'impression qu'il se vantait presque de sa fin prochaine.

– Je l'ai toujours entendu dire, poursuivit Colin, irrité. Ils n'arrêtent pas d'en parler à voix basse et ils croient que je ne m'en rends pas compte. De toute façon, c'est ce qu'ils souhaitent.

162

Mary Lennox se sentait redevenir Mary Amère. Elle pinça les lèvres :

– Moi, si on souhaitait ma mort, je ferais tout pour vivre, au contraire. Qui a envie de te voir mourir ?

– Les domestiques, dit Colin. Et le docteur Craven, naturellement. Il aurait Misselthwaite ! Il est pauvre, il serait riche ! Il ne le reconnaîtrait pour rien au monde, mais il suffit que j'aille plus mal pour qu'il prenne un air réjoui. Quand j'ai eu la fièvre typhoïde, son visage s'épanouissait à vue d'œil. Je me dis souvent que c'est ce que souhaite mon père aussi, finalement.

– Je ne le crois pas, dit Mary d'une voix ferme et résolue.

Colin la regarda fixement.

– Tu ne le crois pas ! répéta-t-il.

Il s'affaissa sur son coussin. Il y eut un assez long silence, pendant lequel ils méditèrent sur des choses graves, de ces choses auxquelles les enfants n'ont pas l'habitude de penser.

– Le grand docteur de Londres me plaît, se décida à dire Mary. Il t'a délivré de ton corset. Est-ce qu'il disait lui aussi que tu allais mourir ?

– Non, pas lui.

– Et que disait-il ?

– Lui ne parlait pas à voix basse ; il se doutait peut-être que je détestais ça. Je l'ai entendu dire : « Ce garçon peut vivre, mais il faut que cela vienne de lui ! A vous de faire en sorte qu'il en ait envie ! » Il avait l'air d'être en colère.

Mary réfléchit un moment.

– Je vais te dire qui pourrait peut-être t'aider à avoir cette envie – elle sentait qu'elle devait résoudre ce problème, d'une manière ou d'une autre –, il faudrait que tu fasses la connaissance de Dickon ! Il ne parle jamais de mort ou de maladies... Il regarde toujours le ciel, pour voir passer les oiseaux ; c'est pour

163

cela que ses yeux sont si grands, si ronds et si bleus. Il observe la terre pour voir pousser les plantes. Quand il rit, c'est toute sa figure qu'on voit rire autour de sa bouche, et ses joues sont rouges comme des pivoines !

Elle se rapprocha du divan ; à cette évocation, son visage s'était transformé.

— Écoute-moi bien, Colin, continua-t-elle, on ne va plus parler de mourir, je n'aime pas ça... Parlons de la vie ! Parlons de Dickon, encore et encore de Dickon... Après, on regardera des images dans les livres.

Elle n'aurait rien pu dire de mieux. Parler de Dickon à Colin, c'était lui parler d'une famille vivant à quatorze avec seize shillings par semaine, d'une famille dont les douze enfants se nourrissaient de liberté, comme de jeunes poneys. Parler de Dickon à Colin, c'était lui parler également de la bonne Mme Sowerby, de la corde à sauter achetée pour Mary, de la lande noyée de soleil, des petites pousses vert pâle pointant dans la terre noire. Et il y avait dans tout cela tant de vie que Mary racontait et racontait encore, grisée, tandis que Colin l'écoutait, l'interrompait parfois, et parlait, lui aussi, comme il ne l'avait jamais fait. Tant et si bien qu'ils en vinrent à rire tous les deux pour des riens, comme seuls les enfants savent le faire quand ils sont heureux d'être ensemble. Ils riaient tellement qu'à la fin cette petite fille délaissée, fermée, incapable d'amour, et ce petit garçon malade, obsédé par la mort et la maladie, ne se montraient pas moins bruyants, pas moins gais, pas moins expansifs que n'importe quels autres enfants à qui la nature a donné la bonne humeur et la santé. Ils en oubliaient les beaux livres ; ils ne voyaient pas le temps passer ; ils riaient à gorge déployée, imitant Ben Weatherstaff en train de parler au rouge-gorge, quand Colin, en se redressant – il avait complètement oublié son dos –, dit soudain, tout surpris :

– Tu sais que nous sommes cousins, au fait ; je n'y avais jamais pensé.

Il leur parut si drôle d'avoir déjà tant parlé sans même songer à leur lien de parenté qu'ils se mirent à rire de plus belle... Au même instant, la porte s'ouvrit : le docteur Craven apparut, introduit par Mme Medlock. Le docteur sursauta, visiblement inquiet. Mme Medlock le heurta et faillit tomber à la renverse.

– Grand Dieu ! s'écria-t-elle, les yeux exorbités.

– Comment se fait-il ? dit le docteur en s'approchant du divan où Colin trônait, impassible.

Mary pensa qu'il ressemblait plus que jamais à un jeune rajah, car il répondit calmement au docteur, comme si l'inquiétude qu'affichait ce dernier et l'effroi de Mme Medlock étaient choses sans importance ; il semblait aussi peu affecté que si le vieux chien et le chat de la maison étaient entrés dans la pièce.

– C'est ma cousine, Mary Lennox, dit-il. Je lui ai demandé de venir pour bavarder un peu avec moi. Je l'aime bien et je veux qu'elle vienne chaque fois que je la ferai appeler.

Le docteur Craven posa sur la gouvernante un regard chargé de reproche.

– J'ignore, monsieur, croyez-le bien, balbutia Mme Medlock, comment cela a pu se produire. Tous les domestiques ont reçu des instructions.

– Personne n'a parlé, dit Colin, ne soyez pas bornée, Mme Medlock. Elle m'a entendu pleurer. Je suis très content qu'elle soit venue.

Mary vit bien que le docteur n'avait pas l'air ravi, mais à l'évidence il n'osait pas contrarier son malade. Il s'assit auprès de Colin et prit son pouls.

– Tu t'es trop agité, j'en ai peur, mon garçon. Tu sais que ce n'est pas bon pour toi.

Les yeux de Colin étincelèrent de façon assez inquiétante.

165

– C'est plutôt si vous l'empêchez de venir que je vais m'agiter, dit-il. Je vais mieux, et c'est grâce à elle. Qu'on apporte son goûter en même temps que le mien. Nous allons le prendre tous les deux.

Le docteur et Mme Medlock se regardèrent, embarrassés.

– Il est vrai qu'il semble un peu mieux, docteur, risqua Mme Medlock. Cela dit, maintenant que j'y repense, c'était déjà le cas ce matin, avant qu'elle ne vienne dans la chambre.

– Elle est venue cette nuit, dit Colin. Elle est restée un bon moment. Elle m'a même chanté une berceuse indienne qui m'a aidé à m'endormir. Je me sentais mieux en m'éveillant, et j'ai eu envie de déjeuner. Je veux prendre mon goûter, maintenant. Prévenez l'infirmière, madame Medlock !

Le docteur Craven ne s'attarda pas. Il dit quelques mots à l'infirmière, puis il prodigua conseils et mises en garde à Colin : il ne fallait pas qu'il oublie qu'il était de santé fragile, qu'il n'était pas bon de trop parler, qu'il se fatiguait facilement...

« Ça fait beaucoup de choses pénibles à ne surtout pas oublier », pensa Mary en son for intérieur.

Colin écoutait, agacé, fixant le docteur Craven de ses grands yeux étranges avec leur frange de longs cils noirs.

– Je veux oublier, au contraire, lui répondit-il. Ma cousine m'aide à oublier. Voilà pourquoi j'ai besoin d'elle.

Quand le docteur quitta la chambre, il avait l'air préoccupé. Il jeta un coup d'œil sur la petite fille toujours assise, immobile sur son tabouret. Dès son entrée, elle avait pris un air distant et n'avait plus ouvert la bouche. Il n'arrivait pas à comprendre quel charme on pouvait lui trouver... En même temps, le garçon avait vraiment l'air de mieux se porter... Il s'engouffra dans le couloir en poussant un profond soupir.

– Ils veulent toujours me faire manger quand je n'en ai aucune envie, dit Colin tandis que l'infirmière posait le plateau sur une table basse placée au pied du divan. Bon, maintenant si tu manges, je mange ! Ces muffins sont tout chauds, ils doivent être délicieux ! Alors, que disait-on, au fait ? Ah oui ! Parle-moi des rajahs !

15
Tu n'étais même pas sorti de l'œuf que tu savais déjà bâtir un nid

Après toute une semaine de pluie, le bleu du ciel s'illumina de nouveau et le soleil réchauffa la terre de ses rayons. Mary n'avait pu se rendre au jardin ; elle n'avait pas vu Dickon, mais elle ne s'était pas ennuyée un seul instant. Tous les jours, elle passait plusieurs heures dans la chambre de Colin. Ils parlaient de rajahs et de jardins, de Dickon et du cottage sur la lande. Ensemble, ils regardaient des images dans les grands livres illustrés. Parfois Mary faisait la lecture à Colin. Quelquefois Colin lisait à son tour. Quand un passage amusait Colin, ou l'intéressait vivement, Mary ne décelait rien en lui qui puisse faire penser à un infirme. Pourtant, ses joues restaient pâles et il ne se levait pas de son divan.

– Il faut que tu sois une fine mouche pour être partie toute seule dans le noir, comme ça, au beau milieu de la nuit, lui avait dit Mme Medlock. Mais il faut bien dire que c'est une bénédiction pour nous. Il n'a pas fait la moindre crise, il n'a pas pleuré une seule fois depuis que vous êtes devenus amis. L'infirmière était à deux doigts de me donner sa démission. Depuis que tu as pris du service, ajouta-t-elle avec un petit rire, elle ne parle plus de s'en aller.

169

Au cours de ces journées passées avec Colin, Mary n'avait jamais cessé d'observer la plus grande prudence au sujet du jardin secret. Il lui fallait d'abord tirer un certain nombre de choses au clair. Elle appréciait la compagnie de Colin, mais elle voulait s'assurer qu'il était capable de garder un secret. Il était bien différent de Dickon, mais il était tellement séduit par l'idée d'un jardin secret qu'elle croyait pouvoir lui faire confiance. Toutefois, elle le connaissait depuis trop peu de temps encore pour en être certaine. Il fallait aussi trouver le moyen de le faire entrer dans le jardin sans que personne ne s'en rendît compte. Le docteur de Londres avait dit que Colin devait prendre l'air. Colin n'y répugnait plus, pourvu que sa promenade le menât dans ce jardin. S'il pouvait vraiment respirer, rencontrer Dickon, le rouge-gorge, et regarder pousser les plantes, peut-être, un jour, oublierait-il ses préoccupations morbides... Quand elle se regardait dans la glace, Mary voyait bien qu'elle n'était plus la petite fille des Indes. Elle se trouvait tout de même beaucoup plus jolie qu'à son arrivée, Martha elle-même l'avait remarqué :

— Le bon air de la lande t'a déjà fait du bien, tu n'es plus si sèche ni si jaune que le jour de ton arrivée. Même tes cheveux commencent à boucler. C'est signe qu'il y a de la vie dedans.

Si le jardin et le grand air avaient fait du bien à Mary, il n'y avait aucune raison pour qu'ils ne soient pas bons pour Colin. Mais il avait horreur d'être vu par des inconnus : tolérerait-il la présence de Dickon ?

— Pourquoi te mets-tu en colère quand on te regarde ? demanda-t-elle.

— Tout petit, j'avais déjà horreur de ça. Quand ils m'emmenaient à la mer, ils me promenaient allongé sur une espèce de chariot, alors les gens me regardaient sans arrêt. Parfois, des dames s'arrêtaient pour parler avec l'infirmière. A les entendre soupirer, je comprenais que'elles disaient que je n'allais pas faire de vieux os. Quelquefois, elles s'approchaient de moi et venaient me tapoter la joue : « Le pauvre petit chou ! » Une fois, j'ai attrapé le doigt de l'une d'elles et je l'ai mordu de toutes mes forces ! Si tu l'avais vue filer !

– Elle a cru que tu avais la rage ! lui dit Mary sans aménité.

– Elle pouvait croire ce qu'elle voulait ! répondit Colin, renfrogné.

– Tu aurais pu me mordre, alors, quand je suis entrée dans ta chambre, dit Mary avec un sourire. Pourquoi ne l'as-tu pas fait ?

– Parce que je t'ai prise pour un fantôme, ou pour un rêve, répondit-il. On ne mord pas un fantôme, ça ne sert à rien.

– Si c'était un garçon... un garçon qui te regardait, hésita Mary, ça te ferait horreur aussi ?

Il s'adossa à son coussin et se tut, songeur...

– Il n'y aurait qu'un garçon, peut-être, finit-il par dire d'une voix lente, comme s'il pesait chacun de ses mots... Oui, je crois que lui ne me dérangerait pas... le garçon qui connaît les tanières des renards : Dickon !

– Oui, Dickon, j'en suis sûre...

– Il s'approche des oiseaux et ça ne les dérange pas, et les autres animaux non plus.

Il se remit à réfléchir...

– C'est peut-être pour cela au fond... Il est, en quelque sorte, un charmeur d'animaux, et moi je suis une sorte de garçon-animal.

Pensant à ce qu'il venait de dire, il éclata de rire tout à coup, et Mary avec lui. L'idée d'un garçon-animal caché au fond de sa tanière leur paraissait irrésistible.

A l'aube du premier jour qui vit revenir le beau temps, Mary se réveilla de bonne heure. Le soleil filtrait dans la chambre à travers les fentes des volets, et ce spectacle était si joyeux qu'elle s'élança hors de son lit et courut jusqu'à la fenêtre. Elle l'ouvrit, poussa les volets et un grand souffle d'air frais et parfumé l'enveloppa. La lande resplendissait de toutes les nuances de bleu, comme si un enchanteur avait, pendant la nuit, métamorphosé le paysage. De doux chants d'oiseaux résonnaient dans l'air matinal, tous différents, tels des instruments s'accordant avant un concert. Elle tendit la main et sentit la caresse du soleil.

– C'est chaud ! Mais oui ! C'est chaud ! dit-elle. Les petites pousses vertes vont lever un peu partout maintenant, les bulbes et les racines enfouis dans la terre vont se réveiller. Ils vont s'activer !

A genoux sur l'appui de la fenêtre, elle se pencha pour inspirer de longues bouffées d'air pur. Elle huma encore et encore, et éclata de rire en pensant à Dickon, avec son nez qui frétillait comme celui des petits lapins.

– Il doit être très tôt, dit-elle. Les petits nuages au loin sont tout roses ; je n'ai jamais vu un ciel pareil. Et personne n'est encore levé, je n'entends même pas les garçons d'écurie...

Elle descendit de l'appui de fenêtre, mue par une impulsion soudaine.

– Je ne peux plus attendre ! Je vais voir le jardin !

Elle s'habillait seule, maintenant, et fut prête en cinq minutes. Elle connaissait une petite porte de service qu'elle pourrait ouvrir sans difficulté. Elle se glissa dans l'escalier, chaussée seulement de ses bas, laça ses bottines dans le hall, tira la chaîne de la porte, tourna le verrou et la clef et, dès qu'elle eut ouvert, bondit sur la pelouse... Voilà ! Elle était dehors ! L'herbe brillait, fraîche et verte à nouveau, dans la claire lumière du printemps. Mary sentait sur son visage des bouffées de brise chargées de douces senteurs, et de chaque buisson, de chaque arbre, s'échappaient des chants d'oiseaux. Envahie de bonheur, elle joignit les mains et leva les yeux vers le ciel bleu et rose ; il irradiait d'une telle clarté qu'elle eut envie de chanter tout haut, elle aussi, comme les grives, les rouges-gorges et les alouettes. Elle gagna la grille cachée dans les arbustes et courut tout le long des allées qui menaient au jardin secret. « Tout change déjà, se disait-elle. L'herbe verdit, des pousses apparaissent et déroulent des feuilles minuscules. Il y a même des petits bourgeons verts. Dickon va venir me rejoindre cet après-midi, j'en suis sûre ! »

Les longs jours de pluie tiède avaient transformé l'aspect des parterres qui bordaient le mur. Beaucoup de graines avaient germé, des tiges étaient sorties et il y avait bel et bien des touches de couleurs par endroits, des petites taches jaunes et pourpres, parmi les bouquets de crocus. Six mois plus tôt, Mary n'aurait rien perçu de l'éveil du monde. Cette fois-ci, elle ne manquait rien.

Elle n'était plus très loin de la porte cachée sous le lierre, lorsqu'un cri strident retentit au-dessus d'elle et la fit sursauter. C'était le croassement d'un corbeau. Levant les yeux, elle aperçut, juché sur le rebord du mur, un grand oiseau au plumage luisant, bleu-noir, qui l'observait d'un air sagace. Jamais encore elle n'avait vu un corbeau de si près, et elle eut un mouvement de crainte. Mais dans la seconde qui suivit, l'oiseau fila, claquant des ailes, vers l'intérieur du jardin. Elle poussa la porte, en espérant qu'il n'allait pas y rester trop longtemps... Mais il avait sans doute l'intention de s'installer car, dès qu'elle eut franchi le rideau de lierre, elle le vit de nouveau, tranquillement perché sur un pommier nain. Au pied de l'arbre était couché un petit animal, au pelage roux, à la longue queue touffue. Tous deux, le renard et le corbeau, fixaient la

tête rousse de Dickon, agenouillé et déjà en plein travail.

– Dickon ! Oh ! Dickon ! Mais comment as-tu fait pour être là si tôt ? Le soleil se lève à peine !

Il se redressa en riant, l'air radieux, tout ébouriffé, les yeux bleus comme des morceaux de ciel.

– Eh ! Il n'y a rien de drôle à ça ! J'étais levé bien avant le soleil. Je ne pouvais pas rester au lit. Le monde renaît, ce matin ! Ça siffle, ça bourdonne, ça creuse, ça bâtit ! Les plantes commencent à respirer ; on sent qu'elles respirent, c'est dans l'air. Alors ce n'est pas le moment de dormir ! Tout à l'heure, au lever du soleil, j'ai vu toute la lande s'éclairer ; elle avait l'air folle de joie ! Ça vient d'un coup sur la bruyère, et j'étais comme fou moi aussi, je me suis mis à crier, à chanter à tue-tête ! Il fallait que je coure jusqu'ici. Le jardin m'attendait !

Mary cherchait à reprendre son souffle, comme si c'était elle qui avait couru.

– Oh ! Dickon ! finit-elle par dire. Oh ! Dickon ! Je suis si heureuse que j'ai du mal à respirer !

En voyant Dickon parler à cette inconnue, le petit animal à la queue en panache vint se coucher près de lui. Le corbeau poussa un petit croassement, quitta sa branche et, d'un coup d'ailes, vint se percher sur son épaule.

– C'est mon renardeau, précisa Dickon, en caressant la petite tête rousse. Il s'appelle Cap'taine. Et lui, là, si tu l'avais vu voler tout à l'heure sur la lande ! C'est Suie.

Le renard et l'oiseau ne semblaient pas effrayés par cette présence étrangère. Quand Mary et Dickon se décidèrent à parcourir leur domaine, Suie resta sur l'épaule de son maître, Cap'taine trottant à ses côtés.

– Regarde ! continua Dickon. Regarde comme ça a poussé ! Et là-bas ! Oh ! Et là, tu as vu !

Il se laissa tomber à genoux, Mary l'imita. C'était un massif de crocus sauvages aux taches orange et or. Mary inclina le visage pour embrasser ces petites fleurs.

– Je n'embrasserais pas les gens comme ça ! dit-elle en relevant la tête. Mais les fleurs, ce n'est pas pareil.

Dickon parut déconcerté par sa remarque, mais il sourit.

– Moi, si, dit-il. En revenant de la lande, j'embrasse souvent ma mère comme ça, quand elle se tient sur le pas de la porte et qu'elle sourit paisiblement.

Ils firent le tour du jardin et y trouvèrent tant de merveilles qu'ils avaient bien du mal à contenir leur joie et à parler bas. Il lui montra de minuscules bourgeons qui commençaient à gonfler sur des rosiers qu'ils avaient crus morts. Ils découvrirent une multitude de nouveaux petits points vert pâle. Ils collèrent le nez à la terre grasse et noire, se grisant de l'odeur du printemps. Puis ils se remirent à bêcher, à sarcler, mettant un tel cœur à unir leurs efforts à ceux du jardin, que Mary eut bientôt les cheveux aussi emmêlés que Dickon, et les joues d'un carmin assez bien assorti à la couleur pivoine de celles de son ami.

Ce matin-là, toute la joie de la terre semblait contenue dans le jardin secret. Mais une scène plus émouvante encore, et de toutes la plus mystérieuse, devait s'y dérouler. Frôlant la crête du mur, rapide comme un éclair, une flammèche écarlate fila entre les arbres, vers un épais bouquet de branches. Mary vit que c'était un oiseau ; quelque chose pendait de son bec. Dickon s'immobilisa ; seule sa main se posa sur le bras de Mary. Ils restaient figés comme deux petits enfants surpris à rire dans une église.

– Surtout calme-toi ! Ne remue pas ! l'avertit Dickon en patois. Faut même presque pas respirer ! Je savais bien l'autre fois, quand je l'ai vu, qu'il était prêt à s'accoupler. C'est le rouge-gorge de Ben Weatherstaff. Il est en train de bâtir un nid. Il va continuer s'il ne se sent pas observé. (Ils s'assirent lentement dans l'herbe.) Il ne doit pas sentir qu'on le regarde, il pourrait se fâcher pour de bon s'il croit qu'on se mêle de ses affaires. Tant qu'il sera occupé à faire son nid, il ne sera plus le même avec nous. Il va s'effrayer pour un rien. Il monte son ménage, tu comprends ? Il ne faut pas plus bouger qu'un arbre ou un buisson. Quand il se sera habitué, je lui parlerai pour qu'il comprenne qu'on ne veut pas le déranger.

Mary doutait qu'elle puisse passer pour un arbre ou pour un buisson, mais pour Dickon, c'était la chose la plus naturelle du monde. Après l'avoir observé quelques minutes, elle n'aurait même pas été étonnée de le voir se couvrir de feuilles. Et pourtant, il ne faisait rien d'extraordinaire, il restait simplement assis, mais dans une immobilité totale, vraiment étonnante. Il parlait, mais ses lèvres ne bougeaient pas et sa voix se réduisait à un murmure.

– C'est ça aussi le printemps ! Bâtir un nid ! disait-il. Et depuis que le monde est monde, tous les ans cela se passe ainsi... Ils ont des façons bien à eux. Nous autres, ce qu'on peut faire de mieux, c'est de ne pas trop s'en occuper... Au printemps, quand on est curieux, on perd ses amis...

– Mieux vaut ne plus parler de lui, suggéra Mary dans un souffle. Sinon, je ne vais pas pouvoir m'empêcher de le regarder... Et j'ai quelque chose à te dire...

– Il aimera mieux cela, lui aussi... Alors, qu'est-ce que tu as à me dire ?

– Que sais-tu de Colin ?

Dickon la regarda.

– Et toi ? demanda-t-il.

– Je l'ai vu, je lui ai parlé. J'ai passé tous les jours de la semaine avec lui. Il aime que je vienne le voir. Il

177

dit que je l'aide à oublier qu'il est malade et qu'il va mourir...

Dickon, d'abord surpris, parut soulagé.

— Je suis content. Tant mieux ! dit-il. Et puis, c'est plus facile pour moi. Je savais que je devais éviter de parler de lui et je n'aime pas beaucoup faire des cachotteries.

– Et le jardin, tu n'aimes pas que ce soit un secret ?

– Je n'en parlerai jamais, mais j'ai dit à ma mère : « Maman, j'ai un secret, je suis obligé de le garder, mais ce n'est pas quelque chose de mal. Tu sais que je ne dis à personne où se trouvent les nids que je connais : ce n'est pas plus méchant que ça. »

Mary aimait toujours entendre parler de Mme Sowerby.

– Qu'est-ce qu'elle a dit ? demanda-t-elle sans crainte.

Dickon souriait de plaisir.

– C'était bien d'elle, ce qu'elle m'a dit : « Garde tous les secrets que tu veux ; il y a douze ans que je t'ai fait, tu ne risques pas de me cacher grand-chose. »

– Mais comment connais-tu Colin ?

– Je ne l'ai jamais vu mais, dans le pays, on sait que M. Craven a un petit garçon qui risque de devenir bossu, et qu'il n'aime pas qu'on parle de lui. Les gens le plaignent, sa dame était si jolie ! Ils s'aimaient tendrement. Mme Medlock passe au cottage quelquefois quand elle va à Thwaite, et elle ne se gêne pas pour parler à ma mère devant nous, les enfants. Elle sait qu'on ne racontera rien. Comment as-tu fait pour découvrir qu'il vivait aussi au manoir ? Martha, elle s'en faisait du souci ! Elle nous a raconté qu'un soir tu l'avais entendu pleurer, que tu lui posais des questions et qu'elle ne savait pas quoi dire.

Alors Mary lui raconta toute l'histoire : les mugissements du vent qui l'avaient tenue éveillée, les gémissements qui retentissaient dans le couloir, et comment elle s'était décidée à partir à la recherche de la chambre où brillait la petite veilleuse, près du lit à colonnes. Quand elle décrivit à Dickon le petit visage au teint blême et les étranges et grands yeux gris bordés de longs cils noirs, il hocha doucement la tête.

– Les gens le disent, il a les yeux de sa mère... Sauf

que les yeux de sa mère étaient toujours gais. (Dickon réfléchit un instant.) Ils disent que si M. Craven ne supporte pas de le regarder, c'est à cause de cette ressemblance, quand il regarde sa petite figure et qu'il voit son air malheureux. D'un côté ce sont les mêmes yeux ; en même temps, ce ne sont pas les mêmes.

– Tu crois qu'il aimerait mieux que son fils meure ? demanda Mary dans un souffle.

– Non, mais il préférerait qu'il ne soit pas venu au monde. Ma mère dit qu'il n'y a rien de pire pour un enfant. Un enfant qui n'est pas désiré, c'est bien rare qu'il pousse comme il faut. M. Craven est prêt à acheter tout ce qu'il peut trouver sur la terre pour faire plaisir à son enfant, mais ce qu'il veut, en réalité, c'est oublier que son enfant est sur la terre ! Et tout cela parce qu'il a peur de voir un jour son fils devenir bossu comme lui.

– Colin aussi en a peur. A tel point qu'il n'ose pas s'asseoir en se tenant droit. Il dit que, s'il sent un jour un petit début de bosse dans son dos, il va hurler à en mourir.

– Aïe ! s'exclama Dickon. Il ne doit pas rester allongé à broyer du noir ! Ou alors il ne pourra jamais guérir !

Près de lui, couché sur le flanc, le renardeau levait la tête de temps en temps en quête d'une caresse ; Dickon lui flatta l'encolure en réfléchissant, silencieux... Finalement, il leva la tête ; ses yeux se promenèrent alentour, sur les arbres et sur les buissons.

– Tu te rappelles la première fois que tu m'as fait entrer ici ? Tout était gris ! Regarde maintenant la différence !

Mary regarda autour d'elle, émue.

– Oui ! Oui ! Je vois ! Le mur gris a changé... Il se couvre d'un voile de gaze verte.

– Oui, et à partir de maintenant il ne va plus arrêter

180

de verdir, jusqu'à ce que tout le gris disparaisse. Tu ne sais pas à quoi je pensais ?

– Non, mais sûrement à quelque chose de bien, dit Mary. Est-ce à propos de Colin ?

– Je me disais que, s'il venait nous rejoindre ici au lieu de rester dans sa chambre, il ne penserait plus à s'observer pour savoir si une bosse lui pousse ; il regarderait fleurir les rosiers, et ce serait bien meilleur pour lui. Je me demande si on ne pourrait pas le décider à sortir ; il pourrait s'étendre sous les arbres ou même rester dans son fauteuil.

– J'ai eu la même idée, dit Mary. Mais je me demandais si Colin garderait le secret, et s'il était possible de l'amener ici sans qu'on nous voie. Tu pourrais peut-être pousser son fauteuil... Le docteur a dit qu'il devait prendre l'air. Si Colin veut sortir, personne n'osera s'y opposer. Il ne supporte pas qu'on le regarde : s'il ordonne aux jardiniers de rester à l'écart, ils ne pourront pas nous découvrir.

Dickon réfléchit un moment tout en caressant son renard.

– Ce serait bien pour lui, pour sûr. Nous autres, on ne pense pas qu'il aurait mieux fait de ne pas naître. On sera simplement des enfants qui regardent vivre un jardin. Deux garçons et une fille qui regardent le printemps. Ce serait meilleur que toutes les médecines du docteur.

– Tu sais, il est devenu un peu... étrange, à force de ne jamais sortir de sa chambre et d'avoir si peur pour son dos. Il a lu énormément de livres, mais il ne sait rien d'autre. Il dit qu'il est trop malade pour faire attention à ce qui l'entoure, qu'il a horreur de prendre l'air, de voir des jardins et des jardiniers. Cependant, pour ce jardin, ce n'est pas la même chose. Il aime en entendre parler, parce que c'est un jardin secret. Je n'ai pas osé lui dire grand-chose, mais il a dit qu'il aimerait le voir.

– Je ne sais pas quand, mais tu vas voir, on l'amènera ici un jour ! Je pousserai son fauteuil roulant. Tu as remarqué, pendant qu'on bavardait, comme notre rouge-gorge a bien travaillé ? Regarde-le sur sa branche, il se demande où il va placer la brindille qu'il a dans le bec.

Il modula un petit trille et le rouge-gorge tourna la tête, une brindille au bout du bec, l'air intéressé. Dickon se mit à lui parler comme aurait pu le faire Ben Weatherstaff, mais sur un ton plus amical.

– Mais vas-y, pose ta brindille, et ne t'inquiète pas, où que tu la mettes, ce sera toujours la bonne place. Tu n'étais même pas sorti de l'œuf que tu savais déjà bâtir un nid. Ne lambine pas, tu n'as pas de temps à perdre.

– Oh ! j'aime beaucoup la façon dont tu lui parles ! Ben Weatherstaff le gronde toujours ; ça l'amuse de se moquer de lui, et le rouge-gorge, en l'écoutant, sautille de droite et de gauche, on dirait qu'il comprend tout. Ben dit qu'il est si vaniteux qu'il accepterait de recevoir des cailloux, pourvu qu'on s'occupe de lui.

Dickon reprit en souriant.

– Tu sais, on ne va pas te déranger. On est sauvages, presque autant que toi. On bâtit un nid, nous aussi. Mais attention, tu es le seul à le savoir, ne va pas le crier sur les toits !

Le rouge-gorge ne répondit pas ; il avait sa brindille dans le bec. Mais, quand d'un coup d'ailes il gagna son propre petit coin de jardin, Mary comprit, à son œil sombre, brillant comme une goutte de rosée, que pour rien au monde il ne trahirait leur secret.

16
Tu peux toujours courir !

Il y avait tant à faire dans le jardin ce matin-là que Mary revint au manoir en retard pour le déjeuner. Elle était tellement pressée de retourner à son travail qu'elle ne se souvint de Colin qu'à la toute dernière minute.

– Préviens Colin que je ne viendrai pas cet après-midi, dit-elle à Martha. Je suis occupée au jardin.

Martha parut alarmée.

– Oh ! mademoiselle Mary ! Il risque de le prendre mal !

Mais Mary, à la différence des domestiques de la maison, n'avait nullement peur de Colin. De plus, elle n'avait guère l'habitude de se sacrifier pour les autres.

– Je ne peux pas rester, lança-t-elle en quittant la pièce en courant. Dickon m'attend.

Ils se remirent donc à l'ouvrage, aussi heureux et affairés que le matin. Ils débarrassèrent complètement le jardin de ses mauvaises herbes. La plupart des rosiers avaient été taillés, la terre retournée aux racines. Dickon était venu avec sa propre bêche et il apprit à Mary à se servir de ses outils. L'endroit, sans être devenu un vrai « jardin de jardinier », était admirable et sauvage ; il verrait croître, avant même le printemps, une profusion de plantes et de fleurs.

– Ces pommiers et ces cerisiers que tu vois là, au-dessus de nous, vont bientôt fleurir, affirma Dickon qui bêchait avec vaillance. Et les pruniers, et les pêchers ! Par terre, se déploiera un immense tapis de fleurs...

Le corbeau et le renardeau, eux aussi, prenaient plaisir à s'ébattre dans ce décor sauvage ; le rouge-gorge et sa compagne traversaient l'air, vifs comme l'éclair, tout à leurs préparatifs. De temps à autre, le corbeau ouvrait tout grand ses longues ailes noires et s'en allait à l'aventure par-delà les arbres du parc. A chaque retour, il se perchait près de Dickon et lui racontait son périple. Dickon lui donnait la réplique avec le même naturel mais, une fois, trop occupé, il tarda un peu à lui répondre, Suie se posa alors sur son épaule et lui tira l'oreille avec son bec, pour le rappeler gentiment à l'ordre. Une autre fois, comme Mary voulait se reposer un peu, ils s'assirent tous deux sous un arbre. Dickon tira de son pipeau quelques notes limpides. Peu après, deux écureuils apparurent sur le faîte du mur et l'écoutèrent un moment sans bouger.

— Tu as pris des forces, constata Dickon. Bientôt, si tu continues, plus personne ne va te reconnaître !

La gaieté et l'émulation illuminaient le petit visage de Mary.

— Je grossis un peu tous les jours, répondit-elle triomphalement. Il va bientôt falloir m'acheter d'autres vêtements. Et mes cheveux épaississent, Martha me l'a dit. Avant, ils étaient tout plats et tout maigres...

Quand ils se quittèrent, le soleil déclinait, et ses rayons obliques doraient les branches des arbres.

— Il fera beau demain, dit Dickon. Je serai là au lever du jour.

— Moi aussi, j'y serai.

Elle rentra en courant à toutes jambes. Elle voulait parler à Colin du corbeau, du renardeau, de l'approche du printemps. Elle se réjouissait d'avance de son plaisir. Dans sa chambre, Martha l'attendait, la mine lugubre.

– Que se passe-t-il ? demanda Mary. Tu as dit à Colin que je ne pouvais pas venir ?

– Oui, et j'ai vu le moment où il allait encore piquer une crise de nerfs ! Le calmer tout l'après-midi n'a pas été une partie de plaisir, tu peux me croire ! Il regardait l'heure sans arrêt.

Mary pinça les lèvres. Pas plus que Colin, elle ne s'était jusque-là souciée des sentiments d'autrui. Elle ne voyait vraiment pas pourquoi un petit garçon coléreux et gâté lui gâcherait son plus grand plaisir... Elle n'avait aucune conscience des souffrances qu'il pouvait endurer, malade et angoissé, incapable de lutter et de prendre le dessus. Elle se sentait donc dans son droit, et Colin, bien évidemment, avait tous les torts à ses yeux.

Il n'était pas sur le divan quand elle pénétra dans sa chambre, mais couché dans son lit, sur le dos et il ne daigna pas tourner les yeux vers elle. Les choses s'annonçaient mal. Mary, retrouvant sa raideur coutumière, s'avança à son chevet.

– Pourquoi n'es-tu pas levé ? dit-elle.

– Ce matin, je m'étais levé. Je croyais que tu allais venir, répondit-il sans la regarder. Mais j'ai demandé à me recoucher. J'ai souffert tout l'après-midi, au dos et à la tête. Je me sentais fatigué. Pourquoi n'es-tu pas venue ?

– Parce que j'étais occupée. Je jardinais avec Dickon.

Colin fit la grimace et se tourna vers elle.

– J'interdirai l'entrée du domaine à ce garçon, si tu passes ton temps avec lui au lieu de me tenir compagnie !

A ces mots, Mary se sentit gagnée par la rage.

– Si tu l'empêches de venir, répliqua-t-elle d'une voix cinglante, je ne mets plus les pieds dans cette chambre !

– Tu viendras si je le veux !

– Tu peux toujours courir !

– Je te ferai amener de force ! dit Colin. Je te ferai traîner dans cette chambre par les domestiques !

– Ah ! c'est comme ça, monsieur le rajah ! lui lança-t-elle d'une voix féroce. Tu peux peut-être me faire amener de force, mais tu ne peux pas m'obliger à parler ! Je ne desserrerai pas les dents. Je ne te regarderai même pas. Je fixerai la porte tout le temps !

Ils s'observèrent un moment, en chiens de faïence. Quel joli couple ! A leur place, deux gamins des rues auraient réglé l'affaire à coups de poing.

– Sale égoïste ! lança Colin.

– Égoïste ? C'est toi qui l'es ! Traiter les autres d'égoïstes parce qu'ils ne font pas ce que tu veux ! Tu es le garçon le plus égoïste que j'aie jamais vu !

– Ce n'est pas vrai ! répliqua Colin. Je suis moins égoïste que ton cher Dickon ! Il te retient toute la journée à jouer dans la boue, alors qu'il sait parfaitement que, pendant ce temps-là, je suis tout seul !

Les yeux de Mary étincelèrent.

– Dickon ! Égoïste ? Il n'y a personne au monde qui soit meilleur que lui ! C'est... c'est un ange !

Cette réflexion pouvait sembler ridicule, mais peu lui importait.

– Oh ! un ange ! ricana Colin. Un petit paysan, voilà tout ! Un petit paysan des plus ordinaires !

– Ça vaut mieux qu'un rajah des plus communs ! répliqua-t-elle. Mille fois mieux, même !

Des deux lutteurs, Mary était la plus solide ; elle prenait lentement le dessus. Jamais personne n'avait osé tenir tête à Colin, et l'expérience lui était bénéfique, même s'il n'en avait pas conscience, pas plus que Mary d'ailleurs. Vaincu, il détourna la tête, et une grosse larme roula sur sa joue. Il commençait à s'attendrir sur son sort.

– Je suis moins égoïste que toi, parce que je suis toujours malade. Je sais qu'un jour une bosse va pousser dans mon dos, et je sais que je vais mourir.

– Je n'y crois pas du tout ! dit-elle sans hésiter.

Il ouvrit de grands yeux, partagé entre la rage, la surprise et un curieux soulagement.

– Tu ne le crois pas, cria-t-il, pourtant c'est vrai, tu le sais très bien. Et d'ailleurs, tout le monde le dit !

– Je ne te crois pas ! répliqua Mary avec aigreur. Tu dis cela pour que les gens aient pitié de toi. Je crois même que tu en es fier. Si tu étais un gentil garçon, il se pourrait que je te croie, mais tu n'es pas gentil, tu as un caractère odieux !

Dans un mouvement de saine colère, Colin, oubliant son dos, se dressa d'un bond sur son lit.

– Sors de cette chambre ! s'écria-t-il en saisissant son oreiller.

Il manquait de force et le projectile tomba aux pieds de Mary, mais elle fut piquée au vif.

– Je pars ! dit-elle. Je ne reviendrai plus !

D'un pas ferme, elle se dirigea vers la porte et, juste avant de la franchir, elle se retourna et dit brusquement :

– J'avais tant de choses à te raconter ! Aujourd'hui Dickon est venu avec son renard et son corbeau... Maintenant, je ne te dirai plus rien !

En refermant la porte de la chambre, elle tomba nez à nez avec l'infirmière. Selon toute apparence, celle-ci avait surpris leur dispute. Elle riait ! C'était une grande et jolie jeune femme, mais peu disposée à se dévouer à ses malades. Elle ne supportait plus Colin et cherchait par tous les moyens à s'en décharger sur Martha ou sur n'importe qui d'autre. Mary, qui n'avait jamais eu la moindre sympathie pour elle, la toisa.

– Pourquoi riez-vous ? lui demanda-t-elle.

– Je vous ai entendus tous les deux, lui répondit l'infirmière. Gâté et malade comme il est, ce qui peut lui arriver de mieux, c'est de rencontrer quelqu'un qui lui résiste ! (Elle pouffait dans son mouchoir.) Il aurait pu se tirer d'affaire s'il avait eu une petite sœur suffisamment maligne pour lui tenir tête.

– Il va mourir ? interrogea Mary.

– Je n'en sais rien et je m'en moque, dit l'infirmière. C'est un véritable hystérique ; voilà ce qu'il a.

– Hystérique ? Qu'est-ce que c'est ? dit Mary.

– Tu comprendras sans peine s'il fait une crise, après tout ce que tu lui as dit ! En tout cas, cette fois-ci il saura pourquoi et ce n'est pas plus mal, au fond.

Mary retourna dans sa chambre, toute joie évanouie. Elle était déçue, en colère, mais elle ne plaignait pas Colin. Elle s'était fait une fête de tout lui raconter, de le réconforter en lui confiant son grand secret. Elle croyait pouvoir lui faire confiance, mais ce n'était plus le cas désormais. Elle ne lui dirait rien, et il pouvait rester enfermé et mourir si ça lui chantait ! Ça lui apprendrait ! Son amertume était telle qu'elle en oubliait presque Dickon et le voile de verdure tendu sur le mur, et les douces senteurs de printemps portées par le vent de la lande.

Martha l'attendait, en proie à une vive curiosité. Elle regardait, l'air intrigué, une caisse posée sur la table. Le couvercle était ôté, et Mary vit en s'approchant qu'elle contenait plusieurs paquets enrubannés.

– M. Craven t'envoie ça, dit Martha. Ce pourrait bien être des livres d'images...

Mary se rappela aussitôt les mots qu'il avait prononcés quand elle était dans son bureau : « Est-ce que tu désires quelque chose ? Des poupées, des jouets, des livres ? » Elle ouvrit le premier paquet. Lui avait-il envoyé une poupée ? Et qu'allait-elle bien pouvoir en faire ? Heureusement, le premier paquet contenait de grands livres illustrés, aussi beaux que ceux de Colin. Deux d'entre eux avaient pour sujet les jardins et le jardinage, avec des pages entières de planches illustrées. Les autres paquets contenaient des jeux et une boîte de papier à lettres, marqué à ses initiales, avec un porte-plume en or et un encrier...

C'était si beau que le plaisir l'emporta sur la colère. Elle était loin d'imaginer que son oncle se souviendrait d'elle, et son petit cœur endurci s'émut.

– La première chose que je vais faire en essayant le porte-plume, dit-elle aussitôt à Martha, ce sera de lui écrire une lettre.

S'il n'y avait pas eu cette brouille entre elle et Colin, elle se serait précipitée dans sa chambre pour lui montrer ses cadeaux. Ils auraient joué, regardé les livres ensemble. Ils se seraient tellement amusés qu'il n'aurait pas eu un instant pour penser qu'il allait mourir, ni pour se passer le dos de la main le long de la colonne vertébrale pour vérifier si une bosse y poussait. Elle ne supportait pas ce geste. Le visage de Colin, à ce moment-là, reflétait une telle inquiétude qu'elle se sentait inquiète aussi, impuissante à le soulager. Il prétendait que s'il remarquait la moindre excroissance, il saurait que sa bosse commençait à pousser. Depuis le jour où il avait surpris les propos que Mme Medlock murmurait à une infirmière, il s'était mis cette idée dans la tête. A force d'y penser, cette peur s'était ancrée en lui. Mme Medlock avait dit à l'infirmière que son père avait senti un commencement de malformation en passant le dos de sa main le long de sa colonne vertébrale. Colin n'avait jamais confié à personne d'autre qu'à Mary que ses crises, ou son hystérie, comme avait dit l'infirmière, naissaient de cette peur secrète.

« Il pense à sa bosse quand on le contrarie ou quand il se sent fatigué, se dit-elle. Il y a peut-être songé toute la journée. »

Elle fixait le tapis en fronçant les sourcils.

« Je lui ai dit tout à l'heure que je ne reviendrai plus... Bon ! On va voir, ce n'est pas sûr... Demain matin, j'irai peut-être voir s'il n'a pas besoin de moi. Quand il me verra arriver, il me jettera certainement son oreiller à la figure. Mais je crois que j'irai quand même... »

17
La crise

Mary s'était levée tôt ce matin-là ; toute la journée, elle avait travaillé sans interruption au jardin. Le soir venu, elle sentit ses paupières se fermer toutes seules. Quand Martha lui servit son dîner, elle mangea de bon appétit et ne se fit pas prier pour aller se coucher. Juste avant de s'endormir, elle murmura pour elle-même : « Demain matin, je sors très tôt, avant le petit déjeuner, pour travailler avec Dickon. Ensuite, je crois que j'irai voir Colin... »

Elle s'éveilla brusquement vers le milieu de la nuit. Les cris qui résonnaient lui perçaient les oreilles d'une façon si insupportable qu'elle sauta au bas de son lit avant d'être complètement consciente.

– Qu'est-ce que c'est ? Qu'est-ce que c'est ? dit-elle.

Mais elle avait déjà deviné. On entendait claquer des portes ; des bruits de pas précipités retentissaient dans les corridors et, dominant ce tumulte, on entendait quelqu'un gémir, pleurer, hurler, et ces plaintes avaient quelque chose de terrible. « Colin ! se dit-elle. C'est Colin ! Il a une crise d'hystérie. C'est ce qu'avait dit l'infirmière. C'est horrible ! »

Devant la violence de ces cris et de ces sanglots, elle comprenait maintenant pourquoi on passait tous ses caprices à Colin. Elle se boucha les oreilles. Elle avait la chair de poule.

– Que faire? Que faire? se répétait-elle à voix haute. Qu'il s'arrête! C'est insupportable!

Peut-être se calmerait-il si elle allait lui parler... Mais elle se rappela la façon dont il l'avait chassée de sa chambre. S'il la voyait, les choses seraient peut-être pires.

Elle avait beau appuyer les mains de toutes ses forces sur ses oreilles, elle ne parvenait pas à étouffer les cris.

Elle sentit une nouvelle et irrépressible crise de colère froide monter en elle. Tout d'un coup, elle avait envie de se laisser aller à la fureur elle aussi, une fureur plus affreuse encore, pour qu'il ait encore plus peur qu'elle ! Les colères, elle connaissait. Elle n'avait pas l'habitude de subir celles des autres. Elle trépigna et serra les poings.

– Qu'est-ce qu'ils attendent pour le faire taire ? Ils n'ont qu'à le battre ! cria-t-elle.

Au même moment, des pas pressés se firent entendre dans le couloir... L'infirmière parut à la porte. Cette fois-ci, elle ne riait plus... Elle était toute pâle.

– C'est une crise d'hystérie ! dit-elle. Il n'arrive plus à se contrôler, il va se faire mal ! Sois gentille, personne ne parvient à le calmer. Viens, essaie, puisqu'il t'aime bien, toi !

– Il m'a mise à la porte de sa chambre hier soir ! dit Mary en tapant du pied.

L'infirmière avait craint de la trouver en larmes et la tête sous les couvertures. L'attitude présente de Mary lui plaisait.

– Oui, c'est très bien ! Comme cela ! dit-elle. C'est exactement ce qu'il faut. Pendant que tu le secoueras comme cela, il ne pensera pas à autre chose ! Allez, vite, vas-y ! Dépêche-toi !

Beaucoup plus tard, Mary devait comprendre ce que les événements de cette nuit-là avaient eu de grotesque et de triste à la fois, et combien il était drôle que des adultes aient pris peur au point d'appeler à leur secours une petite fille qu'ils savaient presque aussi hargneuse et aussi rétive que Colin !

Pour l'heure, elle filait dans les corridors, et plus les cris se rapprochaient, plus sa colère montait. Elle ouvrit violemment la porte et vint se planter devant le grand lit à colonnes.

– Arrête ! hurla-t-elle. Arrête tout de suite ! Je te hais ! Tout le monde te hait ! Tout le monde devrait quitter cette maison et te laisser tout seul, jusqu'à ce que tu réussisses à te tuer ! D'ailleurs, c'est ce qui va se passer si tu continues à crier comme ça, et je n'en serais pas fâchée !

Jamais un enfant affectueux et compatissant n'aurait pu prononcer de telles paroles. Pourtant, la réaction de Colin montra que ce choc était bel et bien le seul moyen d'avoir un effet apaisant sur un jeune garçon hystérique qu'on n'avait jamais contredit, ni contrarié, de sa vie.

Il était couché sur le ventre, la tête enfouie dans l'oreiller, qu'il martelait de coups de poing, quand il entendit retentir la petite voix furibonde. Il en fut tellement saisi qu'il sursauta comme si un chien l'avait mordu. Son visage était terrible à voir, tout congestionné. Il haleta, s'étrangla presque, mais Mary ne s'en soucia pas une seconde.

– Maintenant, un cri, un seul, et attention à toi ! Si tu cries encore une fois, je hurle plus fort que toi ! Tu auras très peur, crois-moi !

De fait, Colin ne criait plus. Il était tellement stupéfait que le cri qu'il allait pousser restait dans sa gorge. Des larmes ruisselèrent sur ses joues, et tout son corps tressaillit.

– Mais je... je ne peux pas m'arrêter ! gémit-il entre deux hoquets. Je ne peux pas, je te dis... Je ne peux pas !

– Tu peux très bien ! Ta maladie, c'est de l'hystérie ! Tu m'entends, de l'hystérie !

Chaque fois qu'elle disait « hystérie », elle tapait méchamment du pied.

– La bosse... dit Colin en sanglotant. Je l'ai sentie... Je l'ai sentie. Je le savais. Je deviens bossu. Et après, je... je vais mourir !

Il tremblait comme une feuille. Il se rallongea sur le ventre, enfouit la tête dans l'oreiller, en sanglotant et en gémissant, mais sans se remettre à hurler.

– Tu n'as rien senti, tu l'inventes ! lança Mary d'une voix féroce. Tu as peut-être senti une bosse, mais c'était une bosse d'hystérie. C'est de l'hystérie, et rien d'autre ! Il n'y a rien sur ton vilain dos ! Il n'y a que de l'hystérie ! Tourne-toi un peu et fais voir !

Elle aimait bien dire « hystérie », et le mot, en outre, semblait impressionner Colin. C'était sans doute, de même que pour Mary, la première fois qu'il l'entendait.

– Infirmière ! ordonna Mary. Approchez ! Montrez-moi son dos !

L'infirmière, Mme Medlock et Martha étaient prudemment restées dans le couloir, serrées les unes contre les autres. La scène leur avait coupé le souffle et elles ouvraient de grands yeux. Pas très rassurée, l'infirmière s'avança vers le lit où Colin gisait, pantelant, le corps secoué de sanglots.

– Je ne sais pas, dit-elle à voix basse. Je ne sais pas s'il va me laisser faire...

Mais Colin, qui avait entendu, lui dit entre deux sanglots :

– Mon-montrez-lui, elle verra co-comme ça !

C'était vraiment un pauvre petit dos, chétif et malingre ; on aurait pu compter les côtes et toutes les vertèbres, une à une... Mais Mary ne les compta pas. Elle se pencha vers Colin, l'air si farouche et si impitoyable que l'infirmière tourna la tête et ne put s'empêcher de sourire. Il y eut un moment de silence, une longue minute pendant laquelle Colin tentait tant bien que mal de retenir sa respiration, tandis que le regard de Mary scrutait sa colonne vertébrale, de haut en bas, de bas en haut, avec une attention égale à celle du grand docteur de Londres.

– Pas la plus petite trace de bosse ! finit-elle par dire. Pas un grain, pas une tête d'épingle ! On voit tes vertèbres, et c'est tout. Tu es maigre, donc tu sens tes os. Les miens ressortaient autant que les tiens avant que je me mette à grossir. Tu n'as pas plus de bosse que moi. Si tu continues à croire cela, tout le monde va se moquer de toi !

Si Colin avait eu auprès de lui quelqu'un à qui parler de ses terreurs secrètes, s'il n'avait pas été contraint de garder ses questions pour lui, s'il n'était pas toujours resté alité dans l'immense demeure, dans une atmosphère confinée, lourde d'anxiété, entouré de gens ignorants et accablés, il aurait pu se rendre compte que ses maux et ses inquiétudes n'étaient au fond que des chimères, de pures créations de l'esprit. Mais il avait passé des mois, des années, à ressasser ses souffrances. Et maintenant, une petite fille soutenait avec une rage implacable qu'il allait moins mal qu'il ne croyait ; il commençait à penser qu'elle avait peut-être raison.

– Je ne savais pas qu'il avait peur d'avoir une bosse dans le dos, se risqua à dire l'infirmière. Il a le dos faible parce qu'il ne veut pas se tenir droit, mais j'aurais pu lui dire qu'il n'en avait pas.

Colin avala sa salive et tourna légèrement le visage en direction de l'infirmière.

– C'est vrai ? dit-il, l'air pathétique.

– Oui, monsieur Colin.

– Tu vois bien, dit Mary un peu apaisée.

Une fois de plus, Colin détourna le visage et le cacha dans l'oreiller. Son souffle était encore saccadé, mais la crise touchait à sa fin. De grosses larmes roulaient sur ses joues et mouillaient l'oreiller, mais elles n'exprimaient plus maintenant que le soulagement. Finalement il se retourna, regarda encore l'infirmière et, chose étrange, il n'avait rien d'un jeune rajah quand il lui dit :

– Vous croyez que je pourrai... vivre ? Que je peux grandir comme tout le monde ?

L'infirmière n'était pas très fine, ni très psychologue, mais elle eut tout de même le bons sens de répéter ce qu'avait dit le docteur de Londres.

– Il n'y a pas de raison, monsieur, si vous faites ce qu'on vous dit de faire, sans vous laisser aller à vos mouvements d'humeur, et si vous sortez prendre l'air aussi souvent que vous le pourrez.

Le plus gros de la crise était maintenant passé. Colin se sentait épuisé. Attendri, il avança la main vers Mary. Elle était prête, sa rage passée, à faire preuve d'indulgence. Elle répondit à son geste, et sa main et celle de Colin se rencontrèrent. Cette poignée de main scella leur réconciliation.

– Je sortirai. Je sortirai, avec toi, Mary, dit Colin. Je crois que je supporterai le grand air, si nous réussissons à trouver...

Il s'interrompit ; il était à deux doigts de dire « si nous réussissons à trouver le jardin secret ». Mais il se reprit juste à temps :

– ... si Dickon peut venir avec nous, et si c'est lui qui me conduit. J'ai tellement envie de voir Dickon, le renardeau, et le corbeau...

L'infirmière remit en ordre le lit défait, retapa et redressa l'oreiller. Elle prépara un bol de bouillon bien chaud pour Colin et en donna un aussi à Mary qui en avait bien besoin pour se remettre de ses émotions. Mme Medlock et Martha pouvaient s'éclipser, rassurées, et, après avoir tout remis en place, l'infirmière se montra, elle aussi, désireuse de prendre congé. Elle aimait mener une vie régulière et souffrait du manque de sommeil. Elle regarda Mary, qui avait poussé son fauteuil près du lit et tenait la main de Colin, et bâilla ostensiblement.

– Il faut retourner dans ta chambre, à présent, et rattraper un peu de sommeil, dit-elle. S'il n'est pas trop énervé, il ne va pas tarder à s'endormir. J'irai ensuite m'étendre dans la pièce à côté.

– Tu aimerais que je te chante encore la berceuse de mon ayah ? murmura Mary à Colin.

Il lui serra doucement la main, avec un regard désarmant.

– Oh ! oui, dit-il, c'est tellement doux ! Je m'endormirai tout de suite.

– Je vais l'aider à s'endormir, dit Mary à l'infirmière. Vous pouvez disposer, maintenant.

– Si jamais il ne dormait pas d'ici une petite demi-heure, il faudrait venir me chercher.

– Entendu, répondit Mary.

Dès que l'infirmière fut sortie, Colin se tourna vers Mary en pressant sa main dans la sienne.

– J'ai failli parler du jardin, mais je me suis repris juste à temps. Maintenant je me tais, pour pouvoir m'endormir. Mais tu m'as dit que tu avais beaucoup de choses à me raconter. Penses-tu avoir découvert un moyen d'entrer dans le jardin secret ?

En voyant la petite figure blême de Colin et ses yeux gonflés de fatigue, Mary sentit son cœur faiblir.

– Oui, je... je crois, répondit-elle. Et si tu t'endors maintenant, je t'en parlerai demain...

Elle sentit la main de Colin trembler dans la sienne.

– Oh ! Mary ! dit-il. Oh ! Mary ! Si je peux vraiment y entrer, je crois que j'arriverai à vivre ! Et si, au lieu de me chanter une berceuse, tu me parlais du jardin, comme la dernière fois ? Dis-moi comment tu l'imagines ! C'est ce qui m'aiderait le mieux à dormir.

– Bon, dit Mary. Ferme les yeux.

Il ferma les yeux et resta tranquille. Lui tenant toujours la main, elle commença à parler lentement, à voix basse.

– Il y a maintenant si longtemps qu'il est livré à lui-même que toutes les tiges de rosiers se sont enchevêtrées et forment un fouillis charmant. Je crois que les rosiers ont grimpé et grimpé encore, qu'ils se sont enroulés aux branches, qu'ils retombent en longs rideaux, qu'ils se répandent sur le sol et sur les murs comme un léger voile de gaze grise... Certains de ces rosiers sont morts, mais il y en a beaucoup qui vivent. Bientôt, quand viendra l'été, ils fleuriront en cascades de roses. Je crois que le sol est couvert de jonquilles, de narcisses, d'iris, de perce-neige, et qu'ils s'ouvrent lentement des chemins dans le noir pour faire sortir leur tige de terre, et faire éclore leurs fleurs dans la lumière. Maintenant, le printemps arrive... et peut-être que toutes ces fleurs... (Sa voix douce apaisait Colin... elle poursuivit plus bas encore.) Peut-être que toutes ces fleurs sont en train de percer dans l'herbe. Peut-être qu'il y a, par endroits, de petites taches de crocus d'or, de petites taches de crocus rouges... et tout cela en ce moment même... Peut-être que l'on voit déjà se dérouler de petites feuilles, que les bourgeons éclatent... Peut-être que le gris laisse place à un léger voile de verdure qui s'étend partout. Et peut-être que des oiseaux arrivent de partout à la ronde... qu'ils arrivent pour voir le jardin, parce qu'il n'y a nulle part au monde un endroit plus sûr, plus paisible, et qu'une fois qu'ils y sont entrés rien ne peut plus les menacer. Et peut-être... qui sait... peut-être, dit-elle d'une voix plus douce encore, peut-être que le rouge-gorge a trouvé une compagne... qu'ils bâtissent un nid.

Colin s'était endormi.

18

Il n'y a pas un instant
à perdre

Naturellement, Mary ne put se lever tôt le lendemain, car elle était fatiguée. Elle fit la grasse matinée et quand Martha lui apporta son petit déjeuner, elle lui apprit que Colin, bien que plus calme, restait fiévreux, comme c'était souvent le cas à la suite de ses crises de nerfs. Mary prit le temps de déguster son repas en l'écoutant.

– Il espère que tu voudras bien aller le voir dès que tu pourras. C'est curieux comme il s'est entiché de toi. Tu n'as pas été tendre avec lui la nuit dernière, ah ! ça non, c'est le moins qu'on puisse dire ! Personne n'aurait osé ! Pauvre gars ! On l'a tellement gâté ! Comme dit ma mère « il n'y a que deux choses vraiment mauvaises pour les enfants : tout leur interdire ou ne rien leur interdire du tout ». Et elle ne sait pas quel est le pire des deux ! C'est que tu n'es pas commode, non plus ! Et pourtant, quand je suis entrée dans sa chambre, ce matin, il m'a dit bien poliment : « Martha, s'il te plaît, tu demanderas à Mlle Mary si elle veut bien venir bavarder avec moi. » Lui, tu te rends compte, me dire « s'il te plaît », à moi ! Tu vas y aller ?

– Je cours voir Dickon en premier... Non, Colin d'abord, pour lui dire... je sais ce que je vais lui dire ! s'écria-t-elle, saisie d'une brusque inspiration.

Lorsqu'elle entra dans la chambre, elle avait son

chapeau sur la tête, et Colin eut l'air déçu. Il était couché dans son lit, pâle et les yeux cernés de noir.

– Je suis content que tu sois venue, dit-il. Je suis très fatigué. J'ai mal à la tête et j'ai des courbatures partout. Tu vas sortir ?

Mary s'approcha du lit et s'y appuya un instant.

– Je n'en ai pas pour longtemps, dit-elle. Je vais voir Dickon et je reviens. Colin, c'est... c'est à propos du jardin secret.

Le regard de Colin s'éclaira aussitôt ; son visage reprit des couleurs.

– Ah ! s'écria-t-il. C'est vrai ? J'en ai rêvé toute la nuit. Je t'ai entendue parler d'un voile gris qui se change en vert, et j'ai rêvé que j'étais debout dans un lieu tapissé de feuilles vertes qui tremblaient doucement dans le vent... Il y avait des nids partout, et les oiseaux me regardaient d'un air paisible et très doux ! Je vais rester au lit tranquillement, et repenser à tout cela, en attendant que tu reviennes.

Cinq minutes plus tard, Mary retrouvait Dickon dans le jardin. Le jeune renard et le corbeau étaient là mais, cette fois, il avait aussi amené un couple d'écureuils apprivoisés.

– Ce matin, j'ai traversé la lande sur mon poney, Jump, dit Dickon. Brave petit cheval ! J'avais ces deux-là dans mes poches. Lui, c'est Noisette ; l'autre, Coquille. En entendant leur nom, les écureuils vinrent se percher d'un bond, l'un sur son épaule droite, l'autre sur son épaule gauche.

Ils s'assirent sur l'herbe, Cap'taine couché en rond juste à leurs pieds, Suie, l'air sérieux, sur une branche, prêt à les écouter, Noisette et Coquille bondissant dans l'herbe. Mary trouvait insupportable l'idée qu'il lui faudrait bientôt quitter cet endroit enchanté mais, quand elle commença à raconter les événements de la nuit, elle vit le visage de Dickon s'assombrir et son état d'esprit se modifia. Elle comprit qu'il éprouvait une peine profonde pour Colin, et ses propres sentiments lui semblèrent bien tièdes. Au bout d'un moment, il leva le menton, regarda le ciel et le jardin.

– Écoute bien ces oiseaux, écoute ! On dirait que le monde en est plein ! Ça chante et ça siffle ! Regarde-les passer au-dessus de nous comme des flèches ! Ils s'appellent et ils se répondent ! C'est comme ça, le printemps ! Les arbres sont bruissants d'appels, les feuilles s'ouvrent pour voir le soleil et ça sent tellement bon ! (Il leva son nez en trompette et inspira profondément.) Quand je pense à ce pauv' gars sur son lit ! Qu'est-ce qu'il peut savoir de tout ça ? Il ne pense qu'à des choses qui le font pleurer... C'est à nous aut' de le tirer de là ! Il faut qu'il voie tout ça, qu'il écoute l'chant des oiseaux, et qu'il respire le bon air pur ! Qu'il vienne s'inonder de soleil ! Il n'y a pas un instant à perdre !

Quand il était emporté par l'émotion, Dickon revenait à son patois du Yorkshire et oubliait de faire des efforts pour que Mary puisse le comprendre. Mais Mary adorait cette langue aux intonations savoureuses. En secret, elle essayait même d'apprendre à la parler comme lui. Elle fit une tentative :

– Je vais t'dire ce qu'on va faire nous autres deux !

Dickon rit de toutes ses dents. Cela l'amusait de voir Mary se tordre la langue pour reproduire les mêmes sons que lui.

– Il s'est mis à t'aimer grandement. Tellement bien qu'il voudrait te voir, et aussi Suie et Cap'taine. En m'en retournant, je vais lui demander si tu ne peux point t'en venir demain, au matin, lui rendre une visite avec tes animaux. Et quand les bourgeons et les feuilles auront bien poussé, nous autres deux, on va tenter de le faire sortir. Toi, tu vas pousser son fauteuil, comme cela il pourra voir tout ce qu'il y a de belles choses ici.

Elle ne se tenait plus de fierté ; jamais elle n'avait prononcé de si long discours en patois.

– Faudrait que tu causes un brin du Yorkshire à m'sieur Colin, pour le faire rire ! Quand on se sent malade, il n'y a rien de tel. Ma mère dit qu'une bonne partie de rire tous les matins remettrait d'aplomb un malade du typhus.

– Je vais le faire aujourd'hui même, dit Mary en riant.

Le jardin secret semblait transformé : on aurait dit que chaque nuit un magicien venait toucher la terre de sa baguette, faisant surgir de nouvelles merveilles. Mary avait du mal à quitter tout cela ; Noisette était venu s'agripper à sa robe, et Coquille, descendu de son arbre, la regardait de ses yeux vifs et inquisiteurs, comme pour lui demander pourquoi elle partait si tôt.

Elle rentra pourtant au manoir, et quand elle fut assise près de Colin, dans sa chambre, ce dernier se mit à humer l'air, frétillant du nez comme Dickon, mais de façon beaucoup moins experte.

– Tu sens comme les fleurs... une odeur fraîche, dit-il, tout joyeux. Qu'est-ce que c'est ? C'est vif, doux et chaud à la fois.

– Pardi, c'est le vent de la lande ! C'est cause que j'étais assise dans l'herbe en dessous d'un arbre avec Dickon, avec Cap'taine, Suie, Noisette et Coquille. C'est cause que c'est l'printemps, avec le soleil et l'air pur, qui fait que tout sent tellement si bon !

Elle avait prononcé ces mots avec le plus d'accent possible, mais il faut avoir entendu l'authentique patois du Yorkshire pour savoir ce qu'il a de surprenant.

Colin ne put s'empêcher de rire.

– Dis donc, comme c'est bizarre ! Tu ne parles pas comme d'habitude !

– Je te montre le parler de la campagne ! répondit Mary, triomphante. Je ne le parle pas aussi bien que Dickon ou Martha, mais tu vois, j'y arrive un peu. Tu n'as pas compris ce que je disais ? Comment ? Un gar-

çon comme toi, qui a vu le jour sur la lande ! Tu devrais avoir honte !

Elle riait tant que Colin éclata de rire lui aussi ; la chambre résonnait de leurs rires. Mme Medlock, qui s'apprêtait à entrer, battit en retraite dans le couloir où elle resta un moment à les écouter, abasourdie.

– C'est pas Dieu possible !

Comme il n'y avait personne pour l'entendre, elle se laissait aller, dans sa surprise, à parler patois.

– J'aurions jamais cru entendre une chose pareille dans cette maison !

Ils avaient tant à se dire ! Colin ne se lassait pas d'entendre parler de Cap'taine et de Suie, de Noisette, de Coquille et de Jump, le poney... Mary avait accompagné Dickon dans le bois pour voir Jump. C'était un poney à poil long et rude, avec une lourde crinière emmêlée qui lui cachait les yeux, et un museau rose, rond et doux comme du velours. Il était maigre, car il vivait uniquement de l'herbe de la lande, mais trapu, et les tendons de ses petites jambes étaient durs comme de l'acier. Jump avait relevé la tête et henni en apercevant Dickon, puis il avait trotté vers lui et était venu poser le cou gentiment contre son épaule. Dickon lui avait murmuré quelques mots à l'oreille, et Jump lui avait répondu en hennissant, soufflant et reniflant. Puis il avait salué Mary de son

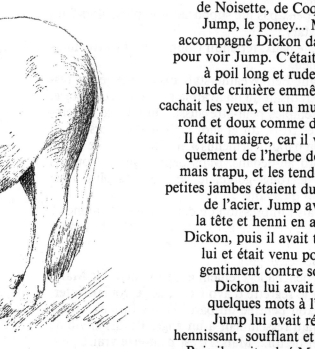

sabot de devant, et Dickon lui avait sans doute soufflé de l'embrasser, car il était venu frotter son petit museau rose contre la joue de Mary.

— Comprend-il vraiment ce que Dickon lui demande ? commenta Colin, ébahi.

— J'en ai bien l'impression, dit Mary. Dickon pense que quand on s'aime... on arrive toujours à se comprendre. Mais il faut être sincère.

Colin se tut. Ses yeux gris fixaient le mur en face de lui, mais Mary savait qu'il était en train de réfléchir.

— J'aimerais être capable d'aimer, mais je ne peux pas. Je n'ai jamais rien eu à aimer. Et je ne supporte pas les gens.

— Tu ne peux pas me supporter non plus, alors ? lui demanda Mary.

— Si, toi, je peux, répondit Colin. C'est bizarre, mais je t'aime bien.

— Pourtant Ben Weatherstaff disait que je lui ressemblais... Il disait qu'on avait le même sale caractère. Tu lui ressembles peut-être aussi. On doit se ressembler tous les trois, toi et moi et Ben Weatherstaff. Il disait qu'on paraît « grinchus » au-dehors, parce qu'on l'est d'abord au-dedans. Mais depuis que je connais Dickon et le rouge-gorge, je ne me sens plus aussi « grinchue » qu'avant.

— Tu avais l'impression de détester tout le monde ?

— Oui, oui, c'était cela, dit Mary sans affectation. Je t'aurais détesté si je t'avais rencontré avant de connaître le rouge-gorge et Dickon.

Colin se pencha légèrement et prit la main de Mary.

— Mary, je regrette d'avoir dit que je voulais interdire à Dickon l'entrée du parc. J'étais furieux quand tu as dit qu'il ressemblait à un ange. J'avais envie de me moquer de toi... Mais... c'est peut-être vrai.

— Oui, c'est bizarre de dire cela, admit Mary avec

franchise. Son nez est retroussé, il a une grande bouche, des habits rapiécés et il parle patois, mais... quand même... si un ange, un vrai, venait habiter sur la lande, s'il existait un ange du Yorkshire, cet ange-là comprendrait les plantes, il comprendrait les fleurs sauvages et saurait les faire pousser ; et les animaux des bois sauraient qu'il est leur ami...

– Je crois que si Dickon me regardait, ça ne me gênerait pas, dit Colin. J'ai envie de le connaître...

– Tu me fais plaisir en disant cela, dit Mary, parce que...

Elle comprenait tout à coup que c'était le moment de tout lui dire, et Colin aussi sentait bien que quelque chose se préparait.

– Parce que quoi ? interrogea-t-il avidement.

Mary était tellement anxieuse qu'elle se leva de son tabouret et prit ses deux mains dans les siennes.

– Est-ce que je peux vraiment te faire confiance ? J'ai confiance en Dickon parce que même les oiseaux se fient à lui. Est-ce que je peux vraiment te faire confiance... pour de bon ?

Son expression était si solennelle que Colin répondit dans un murmure :

– Oui...

– Alors, écoute-moi bien : demain matin, Dickon viendra te rendre visite avec ses animaux sauvages...

– Oh ! balbutia Colin, ravi.

– Et ce n'est pas tout ! continua Mary qui pâlissait d'émotion. J'ai mieux encore à t'annoncer : on peut entrer dans le jardin ! Il y a une porte, je l'ai trouvée. Il y a une porte, dans le mur, cachée sous le lierre.

S'il avait été plus robuste, Colin aurait crié trois fois « hourra ! ». Mais il était affaibli et malade des nerfs. Il ouvrit des yeux démesurément grands et suffoqua.

– Oh, Mary ! Je vais le voir ? s'écria-t-il au bord des

larmes. Je vais voir le jardin ? Je pourrai y entrer ? Crois-tu que je vivrai assez pour pouvoir y entrer ?

Il s'agrippait à elle en lui serrant les mains.

– Naturellement que tu vas le voir ! Naturellement que tu pourras y entrer ! Et tu vas vivre ! lui lança Mary, indignée. Enfin, ne sois pas ridicule !

Elle était si sincère et si spontanée que Colin reprit ses esprits et se mit à rire de lui-même... Quelques minutes plus tard, elle était assise de nouveau sur le tabouret et lui parlait du jardin, non plus tel qu'elle l'imaginait, mais tel qu'il était en réalité. Colin ne songeait plus du tout à sa fatigue et à sa migraine ; il l'écoutait, captivé.

– C'était exactement comme tu l'avais imaginé, dit-il quand elle eut terminé. A croire que tu l'avais déjà... Je te l'avais dit, tu te souviens...

Mary hésita un instant puis, rassemblant tout son courage, elle avoua la vérité.

– Je l'avais déjà vu, dit-elle. Et j'y étais déjà entrée... J'ai trouvé la clef, il y a plusieurs semaines... mais je n'osais pas t'en parler... Je ne savais pas si je pouvais te faire confiance... tu comprends ? confiance pour de bon.

19
Le printemps est là !

On avait naturellement fait appel au docteur Craven, le matin qui suivit la crise de Colin. On l'envoyait toujours chercher en de telles circonstances, et il trouvait toujours, en arrivant, un petit garçon blême et tremblant, refugié au fond de son grand lit, et si agité que la moindre parole malheureuse pouvait provoquer une rechute. Aussi le docteur Craven redoutait-il ces visites.

Pris par sa tournée du matin, il ne put se rendre au manoir qu'en tout début d'après-midi.

– Comment est-il, cette fois ? lança-t-il, irrité, à Mme Medlock. Il va se rompre une veine un de ces jours pendant une crise ! Ce garçon est à moitié fou, et incapable de se contrôler !

– Docteur, c'est à n'y rien comprendre, lui répondit Mme Medlock. Vous n'allez pas le croire, mais cette petite, arrivée des Indes, l'a tout bonnement envoûté. Comment a-t-elle fait ? Ça, mystère ! Avec un tel caractère ! Dieu sait qu'elle n'a rien d'attrayant, on ne l'entend jamais dire un mot. N'empêche qu'elle a fait ce que personne n'avait osé faire avant elle. Elle lui a tenu tête, je ne trouve pas meilleure expression ! Elle s'est mise à taper du pied et à lui hurler de se taire. Il a eu tellement peur qu'il a cessé aussitôt. Un miracle !

Cet après-midi... mais venez plutôt voir vous-même, docteur, ça dépasse l'entendement.

En entrant dans la chambre de son malade, le docteur Craven découvrit une scène ahurissante. Lorsque Mme Medlock ouvrit la porte, il entendit des bruits de voix et des éclats de rire. Vêtu de sa robe de chambre, Colin était assis bien droit sur le divan. Il bavardait avec le petit laideron des Indes, un livre illustré ouvert sur les genoux... Mais il n'était pas juste de traiter Mary de « laideron » car, à cet instant, son visage rayonnait de plaisir.

– Tu vas voir, commentait Colin en montrant une planche en couleurs, ces fleurs bleues à longue tige, nous en planterons plein ! On les appelle des delphiniums.

– Il y en a déjà, disait-elle. Celles-ci sont plus grosses et plus hautes, mais il y en a, Dickon les appelle des pieds-d'alouette.

Apercevant le docteur Craven, ils se turent soudain. Mary rentra dans sa coquille et Colin s'agita.

– J'apprends avec peine, mon garçon, que tu as passé une mauvaise nuit, dit le docteur avec une certaine nervosité.

– Je vais mieux, maintenant, beaucoup mieux, répondit Colin aussitôt en prenant ses airs de rajah. Je sortirai dans mon fauteuil roulant dans un jour ou deux, si toutefois le temps le permet. J'ai envie de prendre un peu l'air.

Le docteur Craven vint s'asseoir à côté de lui sur le divan et lui prit le pouls en le regardant longuement d'un air intrigué.

– Si le temps est vraiment beau, alors... Et tu devras faire bien attention à ne pas trop te fatiguer.

– Le bon air ne fatigue pas, lui répondit le jeune rajah.

Le jeune monsieur avait maintes et maintes fois

hurlé, en proie à l'une de ses crises de nerfs, qu'il risquait de s'enrhumer au grand air, et que cela le tuerait sûrement. Le docteur avait donc des raisons de manifester une certaine surprise.

– Je croyais que tu n'aimais pas sortir au grand air, lui dit-il.

– Je n'aimais pas cela, avant, parce que j'étais tout seul, répondit Colin. Ma cousine m'accompagnera.

– Et l'infirmière aussi, bien sûr, suggéra le docteur Craven.

– L'infirmière ? C'est hors de question ! rétorqua-t-il.

Le ton était si impérieux que Mary ne put s'empêcher de revoir le jeune rajah couvert de pierreries quand, d'un geste de sa main étincelante de rubis, il ordonnait à ses serviteurs de satisfaire ses moindres désirs.

– Ma cousine, poursuivit Colin, peut parfaitement s'occuper de moi. Je me sens mieux quand elle est là. Cette nuit, c'est elle qui a réussi à me calmer. Et je connais un garçon qui pourra pousser mon fauteuil.

Le visage du docteur Craven trahit une certaine inquiétude. Si la santé de cet insupportable hystérique venait à s'améliorer, c'en était fini de ses espoirs d'héritage. Au demeurant, ce n'était pas un homme dénué de scrupules, malgré ses faiblesses ; il n'avait pas l'intention de laisser Colin courir le moindre risque.

– Costaud, il faudra qu'il le soit pour pousser ton fauteuil roulant. Peut-on avoir entière confiance en lui ? Je ne peux pas donner mon accord sans avoir pris tous les renseignements nécessaires. Qui est ce garçon ? demanda-t-il. Quel est son nom ?

– C'est Dickon, intervint Mary.

Elle ne se trompait pas en pensant que tout le monde, sur la lande, connaissait Dickon. Le visage sourcilleux du docteur Craven se détendit en un sourire de soulagement.

– Ah ! Dickon ! Oui, si c'est Dickon, tu ne risques rien. Il a le pied aussi sûr qu'un poney de la lande !

– Et c'est un gars sûr, aussi ! ajouta Mary.

Elle oubliait qu'elle n'était plus seule avec Colin et se remettait à parler patois.

– Ah ! ah ! C'est Dickon qui t'apprends à parler ainsi ? demanda en riant le docteur Craven.

– J'apprends le patois comme d'autres apprennent le français, dit Mary d'un air détaché. Aux Indes, il y a de nombreux dialectes indigènes, et des gens savants passent des heures à les étudier. J'y prends plaisir, et Colin aussi.

– Fort bien, dit le docteur Craven. Tant que ça vous amuse, je n'y vois aucun mal. Dis-moi, Colin, avais-tu pris ton bromure la nuit dernière ?

– Non, dit Colin, j'ai d'abord refusé de le prendre, et ensuite Mary m'a calmé en me racontant d'une voix très douce comment le printemps métamorphose un jardin.

– Ma foi, constata le docteur Craven, c'est un sédatif comme un autre...

Il jeta un coup d'œil oblique vers Mary, qui baissa les yeux et fixa les fleurs du tapis.

– Il y a un mieux, c'est certain, reprit-il en regardant Colin, mais attention, n'oublie jamais...

– Je veux oublier justement ! le coupa Colin aussitôt de son ton de rajah. Quand je suis seul, si je réfléchis trop, je sens des douleurs dans tout mon corps, et je pense à des choses qui me font hurler. S'il existait quelque part dans le monde un docteur capable de me faire oublier que je suis malade, je l'appellerais au contraire immédiatement.

Il balaya l'air de la main, comme s'il voulait chasser une mouche.

– C'est parce que ma cousine a su me le faire oublier que je me sens mieux aujourd'hui.

C'était la première fois que le docteur quittait si vite le manoir après une crise. D'ordinaire, il était contraint de prolonger sa visite et il avait fort à faire. Cette fois, il prit congé sans avoir prescrit aucun médicament et sans laisser d'instructions à l'infirmière. Il n'eut à subir aucune scène pénible. En descendant l'escalier, il semblait songeur, et ce fut un homme au comble de la perplexité qui rejoignit Mme Medlock dans la bibliothèque.

– Eh bien, docteur, qu'en pensez-vous ? se risqua-t-elle à lui demander. Il faut le voir pour le croire, n'est-ce pas ?

– L'affaire a pris un tour nouveau, admit le docteur, et on ne peut nier que cela vaut mieux...

– M'est avis que Susan Sowerby a raison, lui dit alors Mme Medlock. Hier, je me suis arrêtée au cottage en allant à Thwaite, et j'ai bavardé un moment avec elle. Savez-vous ce qu'elle m'a dit ? « Ce n'est peut-être pas une bonne enfant, ce n'est peut-être pas une belle enfant mais, en tout cas, c'est une enfant, et ce qui compte pour les enfants, c'est de se retrouver entre eux. » Nous étions à l'école ensemble, Susan Sowerby et moi.

– C'est la meilleure garde-malade que je connaisse, acquiesça le docteur Craven. Quand je la trouve dans un cottage de la lande, je sais que j'ai toutes les chances de sauver mon patient.

A ces paroles, le visage de Mme Medlock s'épanouit, car elle avait de l'amitié pour Susan Sowerby.

– C'est très vrai ! Elle a la manière, voyez-vous, poursuivit-elle d'un ton volubile. Toute la matinée, j'ai pensé à ce qu'elle m'a dit hier. Elle m'a rappelé un petit sermon qu'elle avait fait à ses enfants un jour qu'ils se chamaillaient. Elle leur avait dit que, dans son jeune âge, on lui avait appris à l'école que la terre était ronde comme une orange. « Avant d'avoir atteint mes dix ans, disait-elle, je savais déjà que personne ne peut la posséder tout entière. On en a tous un petit quartier, et le plus souvent, il n'y en a pas assez pour tout le monde... Alors, s'il y en a un parmi vous pour penser que toute l'orange est à lui, il risque de s'en mordre les doigts. C'est cela qu'apprennent les enfants a-t-elle ajouté, sitôt qu'ils se retrouvent entre eux : ils comprennent que vouloir pour soi toute l'orange avec la peau n'a pas de sens, car on peut rester avec les pépins, et ils sont trop amers pour être mangés. »

– C'est une fine mouche, renchérit le docteur Craven en enfilant son pardessus.

– Et elle a une façon de le raconter, il faut l'entendre, dit Mme Medlock, assez contente de son effet. Je lui ai souvent dit : « Ah, Susan, si tu vivais dans un autre milieu, si tu parlais une langue châtiée au lieu de ton patois du vieux temps, je ne serais vraiment pas loin de penser que tu es une femme intelligente ! »

Cette nuit-là, Colin dormit parfaitement, sans se réveiller une seule fois. Le lendemain matin, quand il ouvrit les yeux, il resta tranquillement allongé sur le dos, souriant sans le savoir... Il souriait parce qu'il se sentait envahi d'un étrange bien-être. Pour une fois il avait plaisir à s'éveiller. Il se retourna dans son lit en s'étirant avec délice. C'était un peu comme si les liens qui l'emprisonnaient jusqu'alors s'étaient soudain dénoués. Le docteur aurait pu lui expliquer que ses nerfs, détendus et reposés, lui procuraient cette sensation. Au lieu de rester couché et de fixer le mur en regrettant d'être déjà éveillé, il pensait aux projets que Mary et lui avaient formés la veille. Sa tête était pleine de merveilleuses visions : le jardin... Dickon et ses animaux... C'était si bon d'avoir enfin l'esprit occupé !

Il était réveillé depuis dix minutes à peine quand il entendit quelqu'un courir dans le couloir. L'instant d'après, Mary ouvrit la porte, apportant une fraîche bouffée d'air matinal.

– Tu es sortie, s'écria-t-il. Je sens la bonne odeur des feuilles.

Elle avait couru dans le parc ; ses cheveux flottaient sur ses épaules, et ses joues étaient empourprées, mais dans la pénombre de la chambre Colin ne pouvait pas le voir.

– Oh ! c'est si beau ! s'exclama-t-elle, encore essouf-flée par la course. Tu n'as jamais rien vu d'aussi beau ! Le printemps est là ! Il est là ! Hier matin, j'ai cru qu'il était là mais il se préparait seulement. Cette fois, c'est sûr, il est bien là. Dickon me l'a dit.

– C'est bien vrai ? dit Colin, le cœur étreint d'une émotion indéfinissable.

Il se redressa sur son lit.

– Ouvre la fenêtre ! lança-t-il en riant, tout vibrant d'excitation joyeuse. Peut-être entendrons-nous au loin retentir les trompettes d'or !

Il plaisantait, mais Mary, le prenant au mot, s'avan-çait déjà vers la fenêtre. Elle l'ouvrit, poussa les volets, et le matin entra dans la chambre, avec sa fraîcheur, sa douceur, ses parfums et ses chants d'oiseaux.

– Je sens déjà l'air frais, dit-elle. Allonge-toi sur le dos, et respire bien à fond ! C'est ce que fait Dickon quand il se couche dans l'herbe, sur la lande : il dit que l'air pur court dans ses veines, et que cela lui donne tant de force qu'il a l'impression de pouvoir vivre pen-dant des siècles et des siècles. Il faut respirer bien à fond !

Elle ne faisait que répéter ce que lui avait dit Dickon, mais ces mots frappèrent l'imagination de Colin.

– Pendant des siècles ? répéta-t-il. Est-ce vraiment ce qu'il ressent ?

Il inspira profondément plusieurs fois de suite, jusqu'au moment où il éprouva une sensation agréable et totalement nouvelle.

Mary vint s'asseoir près du lit.

– Une foule de plantes se pressent pour sortir de terre ! dit-elle d'une voix précipitée. Les fleurs s'ouvrent, les bourgeons éclatent. Le voile vert recouvre déjà presque complètement le mur gris. Les oiseaux se dépêchent tellement pour terminer leur nid avant que la saison ne soit trop avancée que certains se disputent une place dans le jardin secret. Les rosiers sont « druts » ; les allées et le bois sont envahis de primevères, et les graines que nous avons plantées ont germé et donné des pousses. Aujourd'hui, Dickon est venu avec le renard, le corbeau et les deux petits écureuils... et aussi avec un agneau nouveau-né !

Elle dut s'interrompre, le temps de reprendre son souffle. Trois jours plus tôt, Dickon avait trouvé l'agneau couché dans les ajoncs auprès de sa mère morte. C'était un tout petit agneau qui venait à peine de naître, mais ce n'était pas la première fois que Dickon en recueillait un ; il savait ce qu'il fallait faire pour le nourrir et pour l'élever. Il l'avait rapporté au cottage, enveloppé dans sa veste, et l'avait installé près du feu. Il le nourrissait au biberon. C'était une gentille bête, avec des pattes encore trop longues et une adorable tête de bébé. Dickon avait traversé la lande en le tenant dans ses bras, un biberon de lait dans la poche de sa veste, où logeait aussi l'un des écureuils. Quand Mary s'était assise sous leur arbre, le petit corps tendre et chaud reposant sur ses genoux, elle avait ressenti une telle joie qu'elle en était restée interdite. Un agnelet... un agnelet vivant, blotti contre elle comme un bébé !

Toute joyeuse, elle décrivait la scène à Colin, qui inspirait à pleins poumons l'air frais du matin, quand l'infirmière entra. Elle parut surprise à la vue de la fenêtre grande ouverte. Elle qui avait passé des journées entières à souffrir du manque d'air et de la chaleur de cette chambre, parce que son malade prétendait qu'il risquait d'attraper un rhume !

– Vous n'avez pas peur d'avoir froid, monsieur Colin ? demanda-t-elle.

– Non ! Je respire l'air pur. Cela me donne des forces. Je vais me lever et m'asseoir sur le divan pour prendre le petit déjeuner. Ma cousine déjeunera avec moi !

L'infirmière sortit, dissimulant un sourire, et descendit à la cuisine pour demander deux petits déjeuners. L'office était pour elle un lieu beaucoup plus distrayant que la chambre de son malade. Tout le monde y était curieux d'entendre les dernières nouvelles. Les plaisanteries allaient bon train sur le petit despote en chambre qui, comme disait la cuisinière, « avait enfin trouvé son maître et n'avait plus qu'à bien se tenir », en ajoutant : « Bien fait pour lui ! » Les domestiques étaient las de devoir subir ses crises de nerfs, et le majordome, qui était lui-même père de famille, avait plus d'une fois déclaré que seule une bonne raclée pouvait encore lui faire du bien !

Quand Colin fut installé sur son divan, devant le plateau du petit déjeuner, il adopta son ton princier pour annoncer à l'infirmière :

– Un garçon, suivi d'un renard, d'un corbeau, de deux écureuils et d'un agneau nouveau-né, doit venir me voir ce matin. Je tiens à ce qu'il soit introduit aussitôt dans ma chambre. Pas question que les domestiques le retiennent à l'office pour jouer avec les animaux ! Il doit venir ici directement !

L'infirmière toussota, une main sur sa gorge, comme si elle avait avalé de travers.

– Très bien, monsieur, dit-elle, pressée de se retirer.

– Attendez, encore un instant ! Voilà ce que vous devez faire. Vous direz à Martha de les accompagner ici. Le garçon qui vient est son frère, Dickon, un charmeur d'animaux.

– J'espère que ces animaux ne mordent pas, monsieur Colin.

– Je viens de dire qu'ils sont apprivoisés, lança Colin d'une voix sévère. Les animaux apprivoisés ne mordent jamais.

– J'ai vu des charmeurs de serpents aux Indes, continua Mary. Ils peuvent prendre des serpents dans leur bouche.

– Grand Dieu ! fit l'infirmière avec un frisson d'horreur.

Ils prirent leur petit déjeuner, heureux de humer l'air frais qui entrait à flots par la fenêtre. En dévorant à belles dents les friandises savoureuses, Mary considérait Colin avec un intérêt amusé.

– Tu vas prendre du poids, comme moi, dit-elle. Aux Indes, je n'avais jamais faim ; ici, j'ai meilleur appétit.

– J'ai envie de déjeuner, ce matin. C'est peut-être ce bon air. Quand Dickon va-t-il venir ?

Ils n'attendirent pas longtemps. Dix minutes plus tard, Mary leva la main.

– Écoute ! Tu entends ce croassement ?

Colin prêta l'oreille et entendit le bruit le plus étrange qu'on puisse entendre dans une maison : le croassement d'un corbeau.

– Oui, cette fois, je l'entends, dit-il.

– C'est Suie. Écoute bien, maintenant ! Tu n'entends pas un petit bêlement... un petit bêlement assez faible ?

– Si, je l'entends ! dit Colin, ému.

– C'est l'agneau. Voilà Dickon !

Dickon portait de grosses chaussures et, malgré tous

ses efforts pour marcher doucement, ses pas résonnaient dans le couloir. Mary et Colin suivirent sa progression, jusqu'à ce qu'il atteignît la porte sous la tapisserie.

Martha ouvrit la porte et dit d'une voix solennelle :

– Monsieur Colin, je vous annonce Dickon et sa suite d'animaux !

Dickon pénétra dans la chambre, tout sourire, l'agneau dans les bras, et le renardeau trottinant sur ses talons, Noisette juché sur son épaule gauche, Suie sur la droite, la tête et les pattes de Coquille dépassant de la poche de sa veste.

Colin se redressa lentement, ouvrant de grands yeux, comme la nuit où il avait vu Mary pour la première fois. Aujourd'hui, pourtant, ses yeux exprimaient le plaisir et l'émerveillement. Malgré tout ce qu'on lui en avait dit, il n'avait pu se faire une idée précise de Dickon. Il n'imaginait pas à quel point ses animaux étaient familiers et proches de lui, au point qu'ils semblaient faire partie de sa personne. Colin n'avait encore jamais bavardé avec un garçon ; il était tellement subjugué qu'il en oubliait de parler.

Dickon, de son côté, n'éprouvait aucun embarras. Le jour où il avait découvert son corbeau, Suie, celui-ci ignorait son langage ; il l'avait regardé en silence. Les animaux se conduisent tous ainsi quand ils ne vous connaissent pas encore.

En quelques enjambées, Dickon s'approcha du divan et posa l'agneau sur les genoux de Colin. La petite bête fourra son museau dans les replis moelleux de la robe de chambre en donnant de petits coups de tête impatients. Pas un garçon n'aurait pu résister !

– Qu'est-ce qu'il fait ? s'écria Colin. Qu'est-ce qu'il cherche ?

– Sa mère, dit Dickon en riant. Je ne lui ai presque

rien donné à manger avant de venir ; je m'étais dit que ça te plairait de voir comment je le nourris.

Il s'agenouilla près du divan et sortit le biberon de sa poche.

– Tiens, fit-il en saisissant délicatement la petite tête blanche dans sa main brune. Par ici, petit, voilà ce que tu cherches ! C'est tout de même meilleur que le velours d'une robe de chambre !

Il glissa la tétine dans la bouche de l'agneau, qui se mit aussitôt à boire goulûment, d'un air satisfait.

Cette fois, la glace était rompue. L'agneau n'était pas endormi que la conversation allait déjà bon train. Dickon avait réponse à tout. Il leur raconta comment il avait trouvé l'agneau. Cela s'était passé trois jours plus tôt, au lever du soleil. Il marchait à travers la lande et venait de s'arrêter pour écouter le chant d'une alouette. Il la regardait monter de plus en plus haut dans l'azur.

– Je l'avais presque perdue de vue, mais j'entendais encore son chant. Je ne comprenais pas bien pourquoi ; elle était tellement, tellement haut ! C'est alors que j'ai entendu un bruit dans les ajoncs. C'était un bêlement très faible ; un nouveau-né ! Il appelait parce qu'il avait faim, il avait perdu sa mère... Alors, je suis parti à sa recherche. Ah ! il m'en a fallu du temps ! J'ai fait des tours et des tours dans les ajoncs, et j'avais toujours l'impression que je m'étais trompé de côté. Mais, pour finir, j'ai aperçu une petite tache blanche sur une butte. Je l'ai escaladée et j'ai trouvé ce p'tiot-là, transi et presque mort de faim.

Pendant que Dickon parlait, Suie voletait dans la pièce, filait par la fenêtre, puis revenait en croassant leur faire part de ses impressions. Noisette et Coquille faisaient également de petites escapades dans les arbres voisins du parc, escaladant les troncs, puis explorant les branches. Cap'taine s'était sagement roulé en boule à coté de Dickon, qui avait choisi de s'asseoir sur le tapis de cheminée. Ils regardèrent ensemble les planches illustrées des grands livres sur les jardins. Ils voulaient regarder les fleurs et Dickon les leur nommait toutes, une à une, par leur nom commun. Il les connaissait presque toutes et savait bien celles qui poussaient déjà dans le jardin secret.

— Ce nom-là, je ne le connais pas et je ne saurais pas le prononcer, dit-il en désignant une fleur sous laquelle était inscrit le nom savant d'*Aquilegia*. Pour nous autres, c'est une ancolie. Et celle-là, c'est une gueule-de-loup. Toutes les deux sont des fleurs sauvages, on les voit pousser sur les haies. Ah ! celle-là en revanche, c'est une fleur qu'on ne peut cultiver qu'en jardin ! On en voit de plus belles que ça. Il y en a dans le jardin secret. Celles-là, quand elles se seront ouvertes, elles vont faire comme une nappe de papillons bleus et blancs en train de voltiger sur l'herbe...

— Et je vais les voir ! dit Colin. Quand je pense que je vais les voir !

— Naturellement que tu vas les voir ! ajouta Mary d'une voix grave. Et avec nous ! Tous les trois ! Il n'y a pas un instant à perdre !

20
Je vais vivre pendant des siècles!

Pourtant, ils durent attendre encore plus d'une semaine, car le vent souffla en tempête au cours des jours suivants. Puis Colin faillit s'enrhumer. En temps ordinaire, ces deux menaces auraient suffi à provoquer une crise de nerfs, mais celle-ci fut évitée grâce aux plans mystérieux à mettre soigneusement au point ; de plus, Dickon venait presque chaque jour au manoir. Il leur apportait des nouvelles de la lande, des nouvelles des chemins, des haies ou des rivières. Tout ce qu'il racontait sur les huttes des castors, les souterrains des campagnols, les terriers des blaireaux, et même les simples nids d'oiseaux, était si vivant qu'ils avaient parfois le frisson en pensant à l'activité incessante du monde animal.

– Ils sont comme nous, disait Dickon, sauf que chaque année, il faut qu'ils remettent leur maison à neuf. Ils sont toujours à l'œuvre.

Mais il leur fallait échafauder un plan pour transporter discrètement Colin dans le jardin, et ces préparatifs occupaient la plus grande partie de leur temps. Personne ne devait voir ni Dickon, ni Mary, ni le fauteuil, au moment où ils quitteraient la pépinière pour se faufiler dans l'allée qui bordait le mur couvert de lierre. Colin était maintenant convaincu que le grand charme du jardin résidait avant tout dans le mystère qui l'entourait. Ce charme, il fallait à tout prix que rien ne vienne le rompre. Nul ne devait nourrir le moindre soupçon. Tous devaient penser que Colin se promenait simplement avec Mary et Dickon parce qu'il les aimait bien. Ils eurent, pour convenir du chemin à prendre, d'importantes discussions qui renforcèrent leur complicité : ils prendraient cette allée, puis reviendraient en sens inverse en empruntant cette autre ; ils contourneraient lentement la fontaine, en faisant mine d'admirer les fleurs fraîchement transplantées par M. Roach, le chef jardinier. Rien de plus naturel. Ensuite, ils traverseraient la pépinière et disparaîtraient derrière la haie pour rejoindre l'allée qui menait au mur bordant les potagers. Ils établissaient leur plan de marche avec un art et un sérieux de généraux à la veille d'une bataille décisive.

Les changements survenus dans la chambre du jeune infirme donnaient lieu à bien des rumeurs. Nées à l'office, elles avaient gagné les écuries et de là, s'étaient répandues chez les jardiniers. Cependant, grande fut la surprise de M. Roach quand, un beau matin, il reçut l'ordre de se rendre dans l'appartement du jeune maître, où nul étranger n'était admis.

– Voilà autre chose ! s'étonna-t-il en passant pour la circonstance sa tenue de chef jardinier. Jusqu'ici Son Altesse royale ne supportait pas que des inconnus La regardent et voilà qu'Elle convoque un homme qu'Elle n'a même jamais vu de sa vie.

Il n'était pas sans éprouver une certaine curiosité car, s'il n'avait jamais rencontré Colin, il avait entendu des dizaines d'histoires extravagantes sur son aspect, ses manières et ses affreuses crises d'hystérie. On le disait bossu ou débile, et menacé à chaque instant de passer de vie à trépas.

– Certaines choses sont en train de changer dans cette maison, monsieur Roach, lui annonça

Mme Medlock en le conduisant par les couloirs vers la chambre mystérieuse.

– Souhaitons qu'elles changent en mieux, madame Medlock, répondit-il.

– Elles ne pouvaient empirer davantage, soupira l'intendante. C'est étrange, mais notre service à l'étage en est grandement facilité. Cela devient presque supportable. Quand je vous ouvrirai la porte, ne soyez pas trop étonné si vous avez l'impression d'arriver dans une ménagerie, ou s'il vous semble que Dickon, le frère de Martha Sowerby, est plus à l'aise dans cette maison que nous ne le serons jamais, vous et moi.

Il devait y avoir quelque chose de vraiment magique chez Dickon – ce dont Mary était d'ailleurs intimement persuadée – car dès que Mme Medlock eut prononcé son nom, M. Roach eut un sourire indulgent.

– Ce garçon se sentirait chez lui aussi bien au palais de Buckingham qu'au fond d'une mine ! observa le chef jardinier. Et ce n'est pas par insolence... c'est un brave garçon.

Il valait sans doute mieux que M. Roach ait été prévenu car, non préparé, il aurait pu être victime d'une commotion. Quand Mme Medlock ouvrit la porte, un gros corbeau, juché sur le dossier d'une chaise, annonça le visiteur d'un croassement retentissant. M. Roach dut faire appel à tout son sang-froid pour ne pas battre en retraite. Le jeune rajah, malgré les racontars, n'était pas alité, ni étendu sur son divan. Il attendait le visiteur, bien installé dans un fauteuil. A ses pieds, un jeune agneau remuait la queue en têtant un biberon que tenait Dickon, lequel avait sur le dos un petit écureuil occupé à décortiquer une noisette. La petite fille venue des Indes regardait tranquillement cette scène, assise sur un grand tabouret.

– Monsieur Colin, je vous présente monsieur Roach, le chef jardinier, annonça Mme Medlock.

– Ah ! monsieur Roach, vous voilà ! dit Colin. Je vous ai fait venir ici pour vous donner des instructions de toute première importance.

– Bien, monsieur, à votre service, dit M. Roach, qui se demandait déjà s'il allait lui falloir raser un à un tous les chênes du parc, ou transformer les vergers en pièces d'eau.

– Je vais sortir dans mon fauteuil roulant cet après-midi, continua Colin. Si je m'accoutume au grand air, je sortirai chaque jour. Je ne veux voir personne près du mur qui borde les potagers. Pas un seul jardinier, compris ! Je sortirai vers deux heures, et vos gens devront se tenir à l'écart tant que je n'aurai pas donné l'autorisation de reprendre le travail.

– Compris, monsieur, dit M. Roach fort soulagé d'apprendre que ses chênes et ses vergers seraient épargnés.

– Bien ! Au fait, Mary, poursuivit Colin, que dit-on aux Indes pour donner congé à ses gens quand on a fini de leur parler ?

– Vous avez l'autorisation de vous retirer à présent.

– Monsieur Roach, vous avez l'autorisation de vous retirer à présent. Mais, attention, ne négligez pas mes ordres ! C'est de la plus haute importance.

– Croa-croa, fit le corbeau en manière de salut, un salut un peu rauque, mais sans malveillance.

– Très bien, monsieur, merci monsieur ! dit M. Roach en gagnant la porte sur les pas de Mme Medlock.

Une fois dans le couloir, M. Roach, qui n'avait rien d'un méchant homme, se prit tout d'abord à sourire, puis s'esclaffa franchement.

– Ma parole ! Ce gamin a vraiment des manières de grand seigneur ! Je me croyais en présence de la famille royale tout entière – prince consort et tout !

– Si vous saviez, mon bon monsieur ! lui répondit

Mme Medlock. Depuis le temps qu'il nous a à sa botte – et d'ailleurs, quand je dis « à sa botte », c'est une simple façon de parler, il n'en a jamais eu l'usage –, le jeune monsieur pense que les gens ne sont bons qu'à lui obéir !

– L'âge aidant, il verra peut-être que tout n'est pas si simple... S'il vit... suggéra M. Roach.

– En tout cas, s'il vit, lui dit Mme Medlock, et si cette petite fille des Indes continue de vivre au manoir, une chose est sûre, il comprendra que toute l'orange n'est pas à lui, comme dirait Susan Sowerby. Et il aura tout intérêt à bien savoir quelle est la taille du quartier d'orange qui lui revient !

Dans sa chambre, Colin, détendu, était adossé à ses coussins de brocart.

– Il n'y a plus de danger, disait-il. Encore quelques heures, et je le verrai ! Encore quelques heures, et j'entrerai dans le jardin !

Dickon rappela ses animaux et sortit. Mary demeura avec Colin qui ne semblait pas fatigué et resta très calme jusqu'à l'heure du déjeuner et pendant tout le repas. Ce silence intriguait Mary qui finit par lui demander :

– A quoi penses-tu, en ce moment ? Tu as les yeux comme des soucoupes !

– Je me demande sans arrêt à quoi il ressemble. Je n'arrive pas à m'en empêcher...

– Le jardin ? demanda Mary.

– Le printemps, répondit Colin. Je ne l'ai encore jamais vu. Je ne suis presque jamais sorti et, quand je sortais, je ne faisais attention à rien. Je n'y pensais même pas.

– Je ne l'avais jamais vu, aux Indes, dit Mary ; il n'y en avait pas.

A force de vivre alité, confiné entre ses quatre murs, Colin avait, plus que Mary, développé son imagination. Il avait passé des heures et des heures à lire et à regarder des images.

– Quand tu es entrée ce matin, et quand tu m'as dit « le printemps est là », j'ai eu comme un éblouissement. Je voyais venir un cortège dans le lointain, et j'entendais des flots de musique éclatante. J'ai vu dans un livre une image semblable. On y voit une foule de femmes très belles et d'enfants qui portent des branches en fleurs et des guirlandes. Ils s'embrassent et dansent en jouant de la flûte. C'est pour cela que je t'ai dit, ce matin, qu'on allait peut-être entendre les trompettes d'or.

– C'est drôle ! s'étonna Mary. Ce qu'on voit dehors est exactement comme tu le racontes. Ah ! si toutes les feuilles, et les oiseaux, et les fleurs, et les animaux formaient aussi un cortège, comme ce serait beau ! Je suis sûre qu'il y aurait des danses et des chants, et des bouffées de musique portées par le vent !

Cette évocation les fit rire, non parce qu'elle leur paraissait comique ou ridicule, mais parce qu'elle les enchantait.

L'infirmière arriva peu après. Tandis qu'elle habillait Colin pour la promenade, elle constata qu'au lieu de rester passif comme il en avait l'habitude, il s'efforçait de l'aider, sans cesser un instant de parler et de rire avec Mary.

– Il est dans un de ses bons jours, confia-t-elle au docteur Craven venu examiner son malade. Cette belle humeur lui donne des forces.

– Je repasserai le voir à son retour, précisa le docteur Craven. Il faut que je sache si la promenade lui a été bénéfique... Je serais tout de même plus rassuré si vous pouviez l'accompagner... ajouta-t-il à voix basse.

– Docteur, répondit avec fermeté l'infirmière, j'aimerais mieux donner ma démission tout de suite, plutôt que d'assister à la scène qu'il fera si vous lui suggérez cela.

– Je n'avais pas vraiment pris de décision à ce sujet, dit le docteur avec sa nervosité habituelle. Nous allons tenter l'expérience. Avec Dickon, je suis tranquille. Je n'hésiterais pas à lui confier un nouveau-né.

Un robuste valet de pied porta Colin jusqu'au rez-de-chaussée et l'installa dans son fauteuil. Dickon attendait à côté et, dès que le domestique eut arrangé les coussins et tiré les couvertures, le rajah le congédia, ainsi que l'infirmière :

– Vous avez l'autorisation de vous retirer à présent !

Tous deux s'éclipsèrent et, dès qu'ils furent à l'abri des regards, ils éclatèrent de rire.

Le fauteuil roulant s'ébranla, guidé d'une main ferme par Dickon qui le poussait avec lenteur mais d'un pas régulier. Mary marchait près de Colin, qui s'adossa à ses coussins et leva la tête vers le ciel où, très haut, de petits nuages blancs flottaient, pareils à des oiseaux, dans l'azur cristallin. De la lande descendaient de longues vagues de brise, douces, délicatement parfumées de la senteur des fleurs sauvages. Colin gonflait son maigre torse et respirait, les yeux écarquillés, comme s'il voulait absorber la lumière et les couleurs.

– L'air est plein de chants, de cris, de bourdonnements, d'appels. Qu'est-ce qu'on sent dans le vent ?

– C'est le parfum des ajoncs qui s'ouvrent sur la lande, précisa Dickon. En ce moment, crois-moi, les abeilles s'en donnent à cœur joie.

Les allées étaient désertes. Les jardiniers semblaient avoir disparu comme par enchantement. Pourtant, ils prirent des détours par les allées, la pépinière, s'attardant devant les parterres et le bassin, pour le plaisir de respecter le plan établi. Mais, quand ils tournèrent enfin dans la longue allée qui menait au mur couvert de lierre, ils se mirent à chuchoter, la gorge serrée par l'émotion.

— Nous sommes dans l'allée, dit Mary. Dans l'allée où je me promenais en me posant sans cesse de nouvelles questions.

— Ici ? demanda Colin qui scrutait le lierre avec une intense curiosité. Je ne vois rien, je ne vois pas la porte.

— Moi non plus, je n'avais rien vu la première fois.

La petite troupe marqua une pause. Il y eut un moment de silence... Puis le fauteuil se remit en marche.

— Voilà le jardin potager où travaille Ben Weatherstaff.

— Celui-là ? murmura Colin.

La voiture parcourut encore quelques mètres.

— C'est ici que le rouge-gorge a survolé le mur.

— Ah, ici ? interrogea Colin. J'espère que je vais le voir !

— Et là, maintenant, dit Mary d'un air ravi et solennel en montrant un lilas touffu, c'est la motte de terre sur laquelle il s'est posé pour me montrer la clef !

A ces mots, Colin se redressa.

— Où ? Où ? demanda-t-il en ouvrant des yeux aussi grands que ceux du fameux grand méchant loup du *Petit Chaperon rouge*.

Dickon arrêta le fauteuil.

D'un bond, Mary s'approcha du rideau de lierre :

— J'étais là quand il s'est mis à siffler et à gazouiller. Et voilà la branche que le vent a soulevée !

Elle écarta le feuillage.

— C'est ici, dit Colin dans un souffle.

— Voilà la poignée ! Voilà la porte ! Fais-le entrer, Dickon ! Vite !

Et Dickon, d'une poussée ferme, forte, splendide, fit rouler le fauteuil dans le jardin !

Mais Colin s'était renfoncé dans ses coussins, le souffle coupé. Il avait porté instinctivement les deux mains à ses yeux et les pressait sur ses paupières. Le fauteuil roulant s'arrêta, comme par magie, à l'instant même où la porte se refermait. A ce moment seulement ses mains quittèrent ses paupières, et il regarda autour de lui, encore et encore, comme Dickon et Mary l'avaient fait naguère.

Le long des murs, sur le sol, sur les vrilles oscillant au vent, le long des troncs, le long des branches, le merveilleux voile de verdure s'était couvert d'une myriade de minuscules feuilles naissantes. Partout, dans l'herbe, dans les charmilles, éclataient des touches de blancheur, mêlées d'or et de pourpre. Les arbres s'étaient parés de fleurs rose pâle, et il régnait un tel silence qu'on aurait pu entendre un frémissement d'ailes... Puis les chants flûtés recommencèrent, mille bourdonnements d'abeilles résonnèrent. Colin sentait le soleil caresser sa joue, avec la douceur d'une main maternelle.

Émerveillés, Mary et Dickon regardaient Colin, fasciné. Il était transformé. La lumière douce teintait de rose sa peau ivoire ; elle enveloppait son visage, son cou, ses mains et tout son corps...

– Je vais guérir ! s'écria-t-il. Je vais guérir ! Mary ! Dickon ! Je vais guérir et je vais vivre ! Je vais vivre pendant des siècles !

21
Ben Weatherstaff

Le sentiment d'être éternel est l'un des plus étranges, des plus troublants, que l'homme puisse éprouver au cours de sa vie.

Parfois, à l'heure douce et grave où le ciel pâlit et s'éclaire, un homme se tient sur son seuil, les yeux levés vers cette merveilleuse alchimie de tons roses et rouges, prêt à crier de bonheur, suspendu à l'éclat du premier rayon, dans l'étrange, dans la quotidienne majesté du lever du jour, toujours nouvelle, toujours semblable, depuis des milliers et des milliers d'années... Il peut alors éprouver cette impression, même si elle ne dure qu'un instant.

Il l'éprouve aussi parfois quand, seul dans une forêt, il voit le soleil se coucher et ses rayons obliques répandre une lumière frisante sous les branches, une lumière d'or, douce et profonde, porteuse d'un message indéchiffrable.

Parfois, c'est dans la paix d'un ciel immense, par une nuit bleue étoilée, que vient à l'homme ce sentiment d'éternité. Parfois, aussi, il passe fugitivement dans l'écho d'une musique lointaine. Parfois dans un regard.

Il en fut ainsi pour Colin quand il vit, sentit, entendit le printemps pour la première fois, dans ce jardin clos. Car, ce jour-là, le monde entier semblait atteindre à une beauté radieuse, pour lui seul... Comme si, par pure bonté du ciel, le printemps avait rassemblé dans le jardin secret toute sa magnificence.

Dickon s'interrompit bien des fois dans son travail pour contempler, émerveillé, ce spectacle.

– C'est le fin du fin ! disait-il en hochant la tête. J'ai douze ans et je vais sur treize, ça en fait des après-midi en treize ans, mais je crois que c'est le plus beau de tous !

– Pardi ! ajoutait Mary avec un soupir de bonheur.

– Est-ce que ça se peut, lançait Colin en regardant d'un air songeur les cimes des arbres autour de lui, est-ce que ça se peut que l'après-midi soit tellement beau, rien que pour moi ?

– Ah ! saperlotte ! s'écriait Mary. V'là Colin qui se met au patois comme un jardinier du bon vieux temps !

Ils jubilaient.

Le fauteuil fut placé sous le prunier couvert de fleurs blanches, bruissantes d'abeilles. Ses branches formaient un dais digne d'un prince de conte de fées. Il y avait, tout près, des cerisiers en fleur, des pommiers parsemés de boutons rose et blanc, parmi lesquels on discernait déjà quelques grandes fleurs écloses. A travers ce toit de feuilles et de fleurs, les enfants apercevaient des lambeaux de ciel bleu.

Mary et Dickon se mirent à jardiner et Colin les regardait faire. Ils lui apportaient leurs trouvailles : des bourgeons à peine éclos, d'autres encore complètement fermés, des rameaux verts, une plume perdue par un pic-vert, une coquille d'œuf qu'un oisillon venait de briser. Puis Dickon poussa le fauteuil lentement à travers le jardin... Il s'arrêtait à chaque instant pour laisser Colin observer les mille prodiges du printemps. Cette lente promenade avait quelque chose de magique et de solennel à la fois, comme si Colin était mené en grand équipage à travers un vaste royaume féerique par un roi et une reine heureux de lui en montrer les richesses.

– Je me demande si nous verrons le rouge-gorge, dit Colin.

– Bientôt tu ne verras plus que lui ! assura Dickon. Quand ses petits sortiront de l'œuf, il ne saura plus où donner de la tête ! Tu le verras aller et venir en portant des vers aussi gros que lui, et quel vacarme quand il se posera au bord du nid ! Tous ces becs qui s'ouvrent et claquent en même temps ! Il en est tout bouleversé et ne sait pas où fourrer le premier morceau. Ma mère dit que, quand elle voit tout le travail qu'a un rouge-gorge pour nourrir tous ces petits affamés, elle se sent presque comme une grande dame qui passerait sa vie à se prélasser. Il se démène tant, le pauvre, on croirait qu'il sue à grosses gouttes ! Il n'y a pas beaucoup de gens qui le savent.

L'image de ce pauvre rouge-gorge suant à grosses gouttes les fit tellement rire qu'ils durent mettre la main devant leur bouche pour ne pas être entendus. Colin avait été initié à la règle plusieurs jours auparavant : parler à voix très basse, murmurer. Il aimait ce climat de mystère et s'appliquait de son mieux, mais dans le feu de l'action, il était difficile de se retenir.

Chaque heure leur apportait de nouvelles découvertes. Les rayons du soleil devenaient de plus en plus dorés. Dickon ramena le fauteuil roulant de Colin sous le feuillage. Il s'assit sur l'herbe et portait son pipeau à ses lèvres, lorsque Colin remarqua :

– Cet arbre a l'air très vieux.

Dickon et Mary levèrent les yeux. Il y eut un instant de silence.

– Oui, très vieux, confirma Dickon avec douceur.

Mary regardait l'arbre et paraissait pensive.

– Ses branches sont grises et sans feuilles, dit Colin. Il est mort, n'est-ce pas ?

– Oui, il est mort, admit Dickon. Mais tu vois les rosiers qui s'enroulent autour des branches ? Ils cacheront presque tout le bois mort quand ils se seront couverts de feuilles et de fleurs. L'arbre n'aura plus l'air mort du tout et ce sera même le plus beau de tous.

– On dirait qu'une grosse branche a été cassée net, fit encore observer Colin. Je me demande comment c'est arrivé.

– Ça remonte à plusieurs années, dit Dickon. Oh ! regarde !

Il se redressa, soulagé, et posa la main sur le bras de Colin.

– Regarde-le, notre sacré rouge-gorge ! Il était au ravitaillement ! Il apporte à manger à sa petite amie !

Colin tourna vivement la tête et eut juste le temps de voir, en un éclair, un petit oiseau rouge, tenant quelque chose dans son bec, filer à travers la verdure, s'y enfoncer et disparaître dans un épais fouillis de branches... Il se laissa retomber sur ses coussins en riant.

– Il lui apporte le goûter, dit-il. Il doit être cinq heures. Si nous goûtions, nous aussi ?

Le danger était passé.

Plus tard, Mary confia à Dickon :

– Le rouge-gorge est apparu par magie, juste quand nous avions besoin de lui. Je sais que c'était de la magie.

Ils avaient eu peur que Colin leur posât des questions sur cette branche brisée, et en avaient longuement discuté quelques jours auparavant. Dickon, troublé, avait dit en fourrageant dans ses cheveux roux :

– Il faudra faire comme si cet arbre n'était pas différent des autres. On ne pourra jamais lui dire com-

ment cette branche s'est cassée. Pauv' gars ! S'il demande quelque chose, on prendra un air joyeux.

Et Mary avait répondu :

– Oui, c'est ce qu'il faudra faire.

Mais elle n'avait pas réussi à garder un air enjoué, quand Colin les avait questionnés. Elle fixait l'arbre et se demandait s'il pouvait y avoir du vrai dans ce que Dickon avait dit ensuite. Il fourrageait toujours dans ses cheveux lorsqu'elle avait vu son visage se rasséréner et une lueur soudaine passer dans ses yeux bleus... il avait alors ajouté :

– Mme Craven était une jeune dame adorable. Ma mère pense qu'elle erre parfois dans les parages de Misselthwaite, pour veiller sur M. Colin, comme le font toutes les mères qui ne sont plus de ce monde. Elles ont besoin de revenir, tu comprends ? Alors, si ça se trouve, elle est peut-être bien dans le jardin et, qui sait, peut-être que c'est elle qui nous fait travailler ici, peut-être que c'est elle qui nous souffle d'amener Colin avec nous.

Mary avait alors pensé que Dickon parlait de magie. Elle croyait ferme à la magie. Elle avait l'intime conviction que Dickon était un enchanteur, et que son pouvoir bénéfique opérait sur tout ce qu'il approchait. C'était grâce à cette magie que tout le monde l'aimait et que les animaux des bois l'acceptaient pour ami. Peut-être était-ce grâce à ce don que le rouge-gorge était passé au moment précis où Colin posait cette dangereuse question ? Elle était sûre que, tout l'après-midi, les pouvoirs magiques de Dickon s'étaient exercés sur Colin, au point de le transformer complètement. Elle ne voyait aucun rapport entre le Colin du jardin et le jeune dément qui hurlait dans sa chambre, au milieu de la nuit, en martelant ses oreillers. Même sa pâleur d'ivoire s'était atténuée. La lumière douce qui baignait son cou, son visage et ses mains, à son

entrée dans le jardin, ne s'était pas retirée. Il ne ressemblait plus à une statue de cire ou d'ivoire, mais à un être en chair et en os.

Deux ou trois fois encore, ils virent le rouge-gorge repartir en quête de vivres pour ses petits, et Colin réclama de nouveau son goûter.

– Va demander à un domestique de l'apporter dans un panier, dans l'allée des rhododendrons, dit-il à Mary. Ensuite, tu pourras aller le chercher avec Dickon.

C'était une idée agréable et facile à réaliser. Quand la nappe fut parée sur l'herbe avec la théière bouillante, les galettes et le pain grillé, les trois gourmands se régalèrent. Les oiseaux qui passaient par là furent conviés à faire provision de miettes pour leur petite famille. En trois bonds, Noisette et Coquille gagnèrent un arbre pour y déguster une petite part de gâteau. Suie s'envola dans un coin avec la moitié d'une galette qu'il retourna dans tous les sens en faisant de petits bruits rauques, avant de l'avaler d'un seul coup.

L'après-midi tirait à sa fin ; c'était l'heure la plus douce de la journée, quand les rayons du soleil tombent à l'oblique sur le sol : les abeilles regagnent leur ruche et les oiseaux se font plus rares dans le ciel. Le panier du goûter fut soigneusement rangé. Dickon était assis dans l'herbe à côté de Mary, Colin à demi étendu sur les coussins de son fauteuil, les cheveux relevés sur le front et le teint doucement coloré.

– Je voudrais que le temps s'arrête. J'aimerais que cet après-midi ne finisse jamais, dit-il. Mais je vais revenir... demain, et après-demain, et le jour suivant.

– Tu vas prendre l'air tous les jours, n'est-ce-pas ? lui demanda Mary.

– Je ne ferai plus que ça ! J'ai vu le printemps, maintenant je veux connaître l'été et voir pousser toutes les plantes de ce jardin. Et moi aussi, je veux y grandir.

– Pour sûr ! fit Dickon. Avant peu, on va te voir marcher, bêcher la terre, tout comme nous !

Colin rougit.

– Marcher ! dit-il. Bêcher ! Tu crois ?

Dickon lui lança un coup d'œil prudent. Jamais ils ne lui avaient demandé s'il souffrait des jambes.

– Bien sûr que tu vas y arriver ! lança-t-il avec conviction. Tu as des jambes, c'est pour t'en servir... Tu n'es pas fait autrement que les autres !

Mary attendait anxieusement la réponse de Colin.

– Mes jambes ne me font pas vraiment mal, mais elles sont si faibles et si maigres... Je ne crois pas qu'elles me soutiendraient. Et j'ai très peur d'essayer.

Mary et Dickon poussèrent un soupir de soulagement.

– Quand tu auras surmonté ta peur, elles te soutiendront, affirma Dickon avec confiance. Et bientôt tu n'auras plus peur !

– Tu crois ? dit Colin.

Il se tut, songeur. Pendant un long moment, les enfants gardèrent le silence. Le soleil commençait à décliner. C'était l'heure où tout s'apaise. L'après-midi avait été riche en émotions et en occupations de toute sorte. Colin semblait apprécier cette quiétude. Même les animaux de Dickon s'étaient rassemblés près de lui pour se reposer. Perché sur une branche basse, Suie avait replié une de ses pattes, et ses paupières membraneuses retombaient doucement sur ses yeux. Mary avait l'impression qu'il allait se mettre à ronfler d'une minute à l'autre.

Au plus profond de cette sérénité, ils sursautèrent quand Colin, levant les yeux, s'écria d'une voix inquiète :

– Qui est cet homme ?

Dickon et Mary bondirent sur leurs pieds.

– Quel homme ? s'écrièrent-ils d'une seule voix.

Colin leur désignait le faîte du mur, en face de lui.

– Regardez ! dit-il. Regardez !

Le visage courroucé de Ben Weatherstaff apparaissait entre les montants d'une échelle. Furieux, il brandissait un poing menaçant en direction de Mary.

– Si je n'étais pas vieux garçon, cria-t-il, et si j'étais ton père, je te flanquerais une bonne raclée !

Il monta un échelon de plus, emporté par la colère,

comme s'il voulait exécuter sa menace sur-le-champ. Mais il se ravisa et, comme Mary s'avançait vers lui, il continua à la menacer du poing.

– Je n'ai jamais eu très bonne opinion de toi ! Dès le premier jour, je n'ai pas pu te souffrir ! Une petite morveuse, jaune comme un coing, toujours à poser des questions et à fourrer son nez partout. Je me demande bien comment tu as pu m'emberlificoter comme ça ! C'est à cause de ce damné rouge-gorge ! Ah ! je le retiens ce brigand-là !

– Ben Weatherstaff ! appela Mary, retrouvant l'usage de la parole. Ben Weatherstaff ! C'est le rouge-gorge qui m'a indiqué le chemin !

Cela mit Ben Weatherstaff tellement en colère qu'il sembla sur le point de sauter par-dessus le mur.

– Tu n'es qu'une sale gamine ! cria-t-il. Tu mets ton infamie sur le dos du rouge-gorge, parce que tu ne sais pas quoi dire ! Je sais bien qu'il ne manque pas de toupet, mais de là à te montrer le chemin ! Comment as-tu fait pour entrer, espèce de propre à rien ?

– C'est le rouge-gorge, Ben Weatherstaff, s'obstina Mary. Il ne savait peut-être pas ce qu'il faisait, mais puisque je vous le dis, il faut me croire. Mais je ne peux pas vous l'expliquer si vous continuez à me montrer le poing ainsi !

A cet instant précis, le poing de Ben retomba. Sans plus rien dire, il regardait, derrière Mary, quelque chose s'avancer vers lui.

Subjugué par ce torrent d'imprécations, Colin était d'abord resté sous l'arbre, assis dans son fauteuil roulant... Mais il n'avait pas tardé à recouvrer ses esprits et, d'un geste vif, avait appelé Dickon à son aide :

– Pousse-moi jusque-là ! Aussi près que possible du mur ! Tu m'arrêteras juste en face de lui !

Ben en restait pantois. Il voyait un fauteuil roulant garni de coussins somptueux s'avancer majestueusement, tel un carrosse royal. Dans ce fauteuil, le buste très droit, le port hautain, un jeune et fragile personnage aux yeux frangés de longs cils noirs tendait vers lui sa main blanche. L'équipage s'arrêta devant Ben, juste sous son nez.

– Savez-vous seulement qui je suis ? lui demanda le jeune rajah.

Ben Weatherstaff regardait le jeune garçon comme s'il avait vu un fantôme. Il essaya de ravaler sa salive pour parler, mais sa gorge s'était nouée et il fut incapable de prononcer un mot.

– Savez-vous seulement qui je suis ? J'attends ! Répondez !

Ben Weatherstaff porta à son front sa main noueuse et la passa devant ses yeux, avant de répondre d'une voix éraillée :

– Qui tu es ? Oui, ma foi, ça, je peux le dire ! Quand je vois tes yeux posés sur moi, je revois ceux de ta mère... Dieu sait comment tu es venu dans ce jardin, moi, ce que je sais, c'est que tu es le pauvre infirme !

Colin devint écarlate et se redressa sur son siège, oubliant son dos faible, humilié et piqué au vif.

– Il n'est pas infirme ! intervint Mary, indignée. Il n'a même pas l'ombre d'une bosse ! J'ai regardé ! Il n'a rien au dos ! Pas même une tête d'épingle !

Ben Weatherstaff passa de nouveau sa main sur son front. Ses lèvres et ses doigts tremblaient. En vieil ignorant qu'il était, dépourvu du moindre tact, il ne pouvait que répéter ce qu'on lui avait toujours dit :

– Comment ? Tu n'es pas bossu ? lança-t-il d'une voix rauque.

– Non !

– Tu n'as donc pas les jambes torses ?

Cette fois, il dépassait les bornes ! L'énergie que Colin déversait habituellement dans ses crises d'hystérie lui revint sous une forme nouvelle. Jamais personne n'avait osé insinuer en sa présence, même à voix basse, qu'il avait les jambes torses. Le simple fait qu'on pût le croire infirme dépassait toutes les insultes qu'un jeune rajah pouvait subir. Son orgueil bafoué lui insuffla une force presque surnaturelle.

– Approche ! cria-t-il à Dickon.

Il arrachait les couvertures qui lui recouvraient les jambes.

– Vite !

Dickon accourut. Mary suivait la scène, toute pâle et tremblante : « Tu peux le faire ! Tu peux le faire ! » répétait-elle intérieurement.

Il y eut un moment de confusion, et toutes les couvertures furent projetées sur le sol. Dickon saisit le bras de Colin d'une main ferme. Deux jambes frêles, mais droites, apparurent, deux pieds malingres touchèrent le sol, et Colin fut debout, aussi droit qu'un mât de navire, le buste raidi ; il semblait étrangement grand, la tête rejetée en arrière, le regard étincelant.

– Regardez-moi, maintenant ! Regardez-moi !

– Il se tient aussi droit que moi ! s'écria Dickon. Aussi droit que n'importe quel garçon du Yorkshire !

La réaction de Ben Weatherstaff surprit Mary au-delà de toute mesure. Il s'étouffa, sa gorge se serra et, soudain, deux larmes roulèrent sur ses joues sillonnées de rides tandis qu'il joignait les mains.

– Vrai ! C'est pas croyable, gronda-t-il, ce que les gens peuvent dire comme menteries ! Tu es maigre comme un clou, tu as une tête comme une prune sucée, et tu n'es pas plus bossu que moi ! Tu seras un homme ! Que Dieu te bénisse !

Dickon maintenait toujours Colin d'une main ferme, mais le jeune garçon ne fléchissait pas. Il se dressait, bien au contraire, de toute sa hauteur, sans quitter le vieil homme des yeux.

– Quand mon père n'est pas au manoir, je suis

votre maître, lança-t-il. Vous me devez obéissance. Je suis dans mon jardin. Ne vous avisez surtout pas d'aller raconter ce que vous avez vu ici ! Descendez, maintenant ! Mlle Mary vous attendra dans la grande allée et vous conduira jusqu'à nous. J'ai à vous parler sérieusement. Nous n'avions vraiment pas besoin de vous, mais maintenant, vous êtes dans le secret. Je vous attends ! Dépêchez-vous !

La vieille figure bourrue de Ben était encore mouillée de larmes. Il ne pouvait pas détourner les yeux de la frêle silhouette fièrement dressée.

– Ben mon gars ! dit-il dans un souffle. Ben mon gars !

Puis, reprenant ses esprits, il porta respectueusement la main à son chapeau.

– A votre service, monsieur, j'arrive !

Et la tête de Ben Weatherstaff disparut derrière le mur.

22
Avant le coucher du soleil

Aussitôt que Ben fut hors de vue, Colin se tourna vers Mary :

– Va à sa rencontre.

Mary fila à toutes jambes jusqu'à la porte cachée sous le lierre.

Dickon observait Colin d'un œil vigilant. Il avait les joues rouges et une expression extraordinaire, mais ne donnait aucun signe de défaillance.

– J'y arrive ! Je me tiens debout ! dit-il.

– Je t'avais dit que tu y arriverais, quand tu aurais surmonté ta peur, expliqua Dickon. Tu l'as surmontée !

– Oui, je l'ai surmontée !

Ce que Mary avait dit lui revint à l'esprit.

– Tu es un magicien, n'est-ce pas ?

Sur les joues de Dickon, deux fossettes se creusèrent.

– Pas plus que toi, répondit-il en lui montrant avec la pointe de sa chaussure une touffe de crocus : m'est avis que la magie qui a fait pousser ces fleurs, c'est celle qui te fait tenir debout.

Colin baissa les yeux vers les fleurs, pensif.

– Tu as raison, dit-il. La vraie magie est là !

Il se redressa de nouveau :

– Je vais marcher jusqu'à cet arbre... S'il le faut, je

m'y adosserai le temps de reprendre des forces. Je veux pouvoir tenir debout devant le vieux Ben Weatherstaff. Je m'assiérai quand je l'aurai décidé, pas avant. Apporte-moi une couverture.

Colin marcha vers l'arbre. Dickon lui tenait le bras, mais il s'avançait avec une assurance étonnante. Il se tenait si droit qu'il paraissait très grand. Quand le jardinier poussa la porte sous le lierre, Mary se mit à murmurer des paroles inintelligibles.

– Qu'est-ce que tu marmonnes ? lui dit-il, sans quitter des yeux la silhouette raide et élancée de Colin.

Mais Mary ne répondit pas. Elle répétait : « Tu peux le faire ! Tu peux le faire ! Tu *peux* ! » Elle le répétait pour Colin. Elle se sentait un peu magicienne, elle aussi. Elle ne voulait pas qu'il faiblisse devant le vieux Ben. Mais il tint bon, et elle se sentit émue de le voir ainsi, presque beau en dépit de son effrayante maigreur. Colin fixait le pauvre Ben d'un regard impérieux.

– Regardez-moi bien ! lui dit-il. Alors ! Suis-je estropié ? Mes jambes sont-elles tordues ?

Ben n'était pas encore revenu de ses émotions, mais il s'était ressaisi et retrouva un peu de sa verve coutumière.

– Rien de tout ça ! dit-il. J'ai bien vu que c'étaient des menteries ! Mais qu'est-ce que tu faisais, bon sang ? Pourquoi restais-tu enfermé comme cela à laisser croire aux gens que tu étais à demi fou ?

– A demi fou ? dit Colin. Expliquez-moi ! Qui a dit cela ?

– Bah ! des imbéciles ! En ce monde, c'est pas les gens qui manquent pour colporter des médisances. Mais pourquoi, aussi, restais-tu claquemuré tout le temps ?

– Tout le monde croyait que j'allais mourir, répondit brièvement Colin. Mais ce n'est pas vrai !

Il avait mis dans ces paroles une telle conviction que Ben Weatherstaff le regarda de la tête aux pieds.

– Mourir ? Toi ? Ce qu'il ne faut pas entendre ! lança-t-il avec une lueur de malice dans les yeux. Tu as le cœur bien trop trempé ! Ça n'a pas fait ni une ni deux, quand je t'ai vu mettre les pieds à terre, j'ai compris que tu étais de la bonne graine ! C'est pas tout ça, mon petit maître, assieds-toi sur ta couverture, j'vais écouter tes instructions.

Il y avait dans la voix de Ben un curieux mélange de tendresse bourrue et d'indulgence. Pendant qu'ils remontaient l'allée, Mary lui avait expliqué en quelques mots la situation : « Il n'y a qu'une chose à savoir, lui avait-elle dit rapidement, il va mieux, il va vraiment mieux, et c'est le jardin qui a fait ça. Il ne faut pas le laisser penser à la maladie ou à la mort... »

Le jeune rajah daigna s'asseoir.

– Quel travail faites-vous dans les jardins ? demanda-t-il.

– Bah ! je fais ce qu'on me dit de faire ! répondit le vieux Ben. Si on me garde, c'est un peu par faveur... parce qu'elle m'aimait bien, jadis.

– Qui vous aimait bien ? dit Colin.

– Mme Craven... Ta mère... lui répondit Ben.

Colin se tut et regarda calmement autour de lui.

– C'est son jardin, ici, n'est-ce pas ?

– Ah ! pour ça oui ! C'est son jardin !

Le vieux jardinier, à son tour, parcourut le jardin des yeux.

– Elle l'aimait plus qu'on ne saurait croire !

– Alors, c'est mon jardin aussi. Je l'aime bien. J'y viendrai chaque jour, assura Colin. Mais c'est un secret. Écoutez bien mes instructions : personne, vous m'entendez, personne, à aucun prix, ne doit savoir que nous venons ici. Ma cousine Mary et Dickon ont déjà beaucoup travaillé pour faire revivre le jardin. Je

247

vous enverrai chercher quand nous aurons besoin de votre aide. Mais il faudra veiller à ce que personne ne vous voie.

Le vieux Ben Weatherstaff sourit, l'air malicieux.

– Je suis déjà venu ici, mon petit maître. Et personne ne m'a jamais vu.

– Ici ? dit Colin. Et quand donc ?

Ben se frotta le menton.

– La dernière fois, c'était il y a deux ans.

– Mais personne n'est entré ici pendant dix ans ! Puisqu'il n'y avait pas de porte !

– Vous savez, moi ou personne, mon maître, dit Ben avec un sourire froid, c'est un peu du pareil au même. Et je ne passais pas par la porte, je passais par-dessus le mur. Jusqu'à l'année dernière... Depuis, je ne peux plus, parce que j'ai trop de rhumatismes.

– Alors, c'est vous qui veniez tailler les rosiers ! dit Dickon. Je me demandais comment c'était possible.

– Elle aimait tant son jardin ! Et c'était une si gentille jeune femme ! Un jour, « Ben », qu'elle me dit en riant, « Ben, s'il m'arrivait quelque chose, si jamais il fallait que je m'en aille, il faudrait prendre soin de mes rosiers ». Après, oui... elle s'en est allée... Tout le monde a reçu l'ordre de ne plus approcher de ce jardin. Je ne l'ai pas entendu de cette oreille ! Je suis venu, moi. Je passais par le mur et, chaque année, je travaillais un peu dans le jardin, jusqu'à l'an dernier ; j'avais trop de rhumatismes. Je lui obéissais, à elle. Elle m'avait donné ses ordres en premier !

– Si vous n'étiez pas venu les tailler, ils n'auraient pas poussé si dru, remarqua Dickon. Je m'en suis posé des questions !

– Vous avez bien fait de venir, Ben Weatherstaff, dit Colin. Et qui plus est, cela nous prouve que vous saurez garder le secret.

– Aucun souci à se faire pour ça, mon jeune mon-

sieur. Et ce me sera tout de même plus commode, per-
clus de rhumatismes comme je suis, d'entrer tout bonnement par la porte.

Mary avait abandonné son déplantoir au pied de
l'arbre. Colin tendit le bras et le saisit. Le visage
crispé, il commença à gratter la terre. Sa main fine
manquait de force, mais, sous le regard de Mary qui
osait à peine respirer, il réussit à l'enfoncer dans la
terre et à en retourner quelques mottes. « Tu peux le
faire ! Tu peux le faire ! lui disait Mary secrètement. Je
te dis que tu peux le faire ! »

Dickon, avec ses grands yeux ronds pleins d'une
intense curiosité, et le vieux jardinier, le visage
enpreint de satisfaction, suivaient la scène sans dire
un mot.

Colin poursuivait son effort. Quand il eut retourné
quelques pelletées de terre, il posa sur Dickon un
regard triomphant et dit avec l'accent du Yorkshire :

– Tu me l'avais dit que j'allais marcher et bêcher
comme tout le monde ! C'est seulement le premier
jour, et j'ai déjà fait un peu des deux !

Ben Weatherstaff, encore une fois, en resta la
mâchoire pendante.

– Eh ! Mais c'est que tu ne manques pas d'esprit.
Tu ne te sers pas seulement de tes dix doigts, tu sais
aussi parler patois, comme un vrai petit gars du Yorkshire ! Ça te dirait de planter quelque chose ? Je pourrais t'apporter un rosier.

– Allez le chercher ! Faites vite ! dit Colin en se
remettant à l'ouvrage.

Ils n'attendirent pas longtemps. Ben Weatherstaff,
oubliant ses rhumatismes, s'éloigna à la hâte ; Dickon
prit sa bêche et aida Colin à élargir le trou. Mary
s'éclipsa pour aller chercher un arrosoir dans l'allée...
Lorsque le trou fut assez profond, Colin continua à

remuer la terre meuble. Il leva les yeux vers le ciel, le visage empourpré et radieux.

– Je veux le planter avant que le soleil se couche, avant qu'il disparaisse derrière le mur, dit-il.

Mary se dit que le soleil, compte tenu des circonstances, freinerait peut-être sa course... Ben revenait de la serre, un rosier dans les bras, clopinant sur l'herbe aussi vite que ses vieilles jambes le lui permettaient. Dans l'enthousiasme général, il s'agenouilla près du trou, et, brisant le pot de terre cuite, en dégagea le petit arbre.

– Tiens, mon gars, dit-il à Colin. Plante-moi cet arbre de tes mains, comme font les rois en terre nouvelle !

Les mains frêles de Colin tremblaient légèrement quand il mit le rosier en terre. Il le maintint par la tige, pendant que Ben tassait la terre tout autour du pied. Mary, le menton dans les mains, les coudes posés sur les genoux, se penchait en avant pour mieux voir. Suie s'était posé tout près du petit groupe et ne perdait rien de la scène. Noisette et Coquille, juchés en haut du cerisier, échangeaient des commentaires.

– Voilà, je l'ai planté ! Et le soleil commence seulement à glisser derrière le mur. Aide-moi à me relever, Dickon. Je veux être debout quand il disparaîtra. Ça fait partie de la magie.

Dickon l'aida, et la magie – s'il s'agissait bien de cela – insuffla à Colin tant de force que, lorsque le soleil disparut à l'horizon, mettant fin à cet étrange et merveilleux après-midi, il était encore debout, et riait.

23
Magie

Depuis longtemps déjà le docteur Craven attendait le retour des trois enfants. Au moment où le valet de pied ramena Colin dans sa chambre, il commençait à se demander s'il ne fallait pas envoyer quelques domestiques à leur recherche dans les allées. Inquiet, il jeta un regard plein de gravité sur son patient.

– Tu n'aurais pas dû rester dehors si longtemps. Tu ne dois pas te surmener.

– Je ne suis pas fatigué, affirma Colin. Cette promenade m'a fait du bien. Demain je sortirai toute la journée, le matin et l'après-midi.

– Je ne sais pas si je peux le permettre, répondit le docteur Craven. Je crains que ce ne soit pas prudent.

– Ce qui ne serait pas prudent, répliqua Colin, impassible, ce serait de m'en empêcher. Je sortirai demain ! C'est décidé !

Mary elle-même se rendait compte que l'un des traits de caractère les plus singuliers de Colin résidait dans le fait qu'il n'avait pas conscience de sa brutalité, ni de sa grossièreté, quand il donnait ainsi des ordres. Roi dans un royaume sans sujets, il avait vécu toute sa vie sur une sorte d'île déserte et s'était forgé ses propres règles de conduite. Mary avait eu naguère le même comportement mais, depuis qu'elle vivait à Misselthwaite, elle avait compris que personne n'appréciait ces manières. Ayant fait cette découverte, il était bien naturel qu'elle veuille la faire partager à Colin. Après le départ du docteur, elle s'assit sur le tabouret et regarda son cousin avec insistance. Elle s'attendait à ce qu'il lui demande pourquoi elle se comportait ainsi. Ce qui ne tarda pas ...

– Pourquoi me regardes-tu de cette façon ?

– Je pensais au docteur Craven... Je le plains...

– Moi aussi je le plains, dit froidement Colin, mais son visage exprimait la satisfaction. Il n'aura jamais Misselthwaite. Je ne vais plus mourir, maintenant.

– Oui, bien sûr, continua Mary, mais je pensais surtout que ce devait être terrible de s'être montré, pendant dix ans, toujours aimable et poli avec un garçon mal élevé. Moi, je ne l'aurais pas supporté !

– Comment ? dit candidement Colin. Je suis un garçon mal élevé ?

– Si tu avais été son fils, pour peu qu'il ait la main leste, tu aurais reçu quelques bonnes corrections !

– Mais il n'oserait pas, s'indigna Colin.

– Non, il n'oserait pas, dit Mary s'efforçant d'être impartiale. Personne n'a jamais osé faire la moindre chose qui te déplaise... Tu allais mourir ! Tu étais tellement à plaindre !

– Maintenant, dit Colin, décidé, c'est fini. Je ne veux plus être plaint ! J'ai tenu sur mes pieds cet après-midi !

– On t'a toujours laissé faire tout ce que tu voulais ; c'est sans doute pour cela que tu es si bizarre, dit Mary en réfléchissant.

– Comment cela ? Je suis bizarre ?

– Oh ! oui, très ! répondit Mary. Mais ne prends pas la mouche ! ajouta-t-elle malicieusement, moi aussi je suis bizarre, tout comme Ben Weatherstaff. Mais j'ai commencé à aimer les gens, et j'ai découvert le jardin secret : je ne suis plus la même, maintenant.

— Je ne veux plus être bizarre. Je changerai, lança résolument Colin.

C'était un jeune garçon orgueilleux. Il resta plongé dans ses réflexions quelque temps... Puis Mary vit un beau sourire apparaître sur son visage.

— Si je vais chaque jour dans le jardin, je cesserai d'être bizarre. Il y a de la magie dans le jardin. Et c'est une bonne magie, je crois.

— J'en suis sûre aussi, dit Mary.

— Même si ce n'est pas vraiment un enchantement comme ceux des livres de contes, continua Colin, on peut faire semblant d'y croire. Il y a quelque chose là-bas... Je ne sais pas très bien ce que c'est, mais je sais qu'il y a quelque chose.

— C'est de la magie, expliqua Mary, mais de la magie blanche, pas de la noire. Celle-là est blanche comme de la neige.

Ils répétèrent souvent ce mot par la suite, et, en vérité, aucun n'aurait été mieux approprié pour qualifier les mois radieux, les merveilleux mois qui suivirent. Ah ! que de miracles s'accomplirent dans ce jardin ! Si vous n'avez jamais eu de jardin, vous aurez de la peine à comprendre. Si vous avez la chance d'en posséder un, vous savez qu'un livre ne suffirait pas à décrire tout ce qui s'y passe. Au début, il leur semblait que les petites pousses vertes allaient envahir l'herbe, les parterres et même les lézardes des murs. Puis, apparurent de minuscules boutons qui ouvrirent lentement leurs pétales aux mille nuances de bleu, de pourpre, d'or et de carmin. Jadis, aux jours heureux, des fleurs avaient été plantées dans les recoins les plus cachés du jardin. Ben Weatherstaff s'en souvenait bien qui, de ses mains, avait gratté le mortier entre les pierres des murs, et l'avait remplacé par de la terre où poussaient des plantes grimpantes. Ils virent jaillir de hautes gerbes d'iris en fleur et de lys blancs. Dans les charmilles de verdure, des delphiniums, des ancolies et des campanules se levaient en procession et dressaient leurs tiges comme autant de lances vers le ciel.

– C'était ses fleurs préférées, disait Ben Weatherstaff. Elle aimait ce qui montait vers le ciel. Mais n'allez surtout pas croire qu'elle méprisait la terre, ah ! non ! Ce n'était pas son genre ! Elle l'aimait, mais elle disait que « voir le ciel bleu lui emplissait le cœur de joie ».

Les graines apportées par Dickon avaient levé comme si des fées avaient soufflé sur elles. Des centaines de coquelicots dansaient légèrement dans le vent, défiant de leurs pétales rouges et satinés les habituées du jardin qui avaient sans doute des raisons de se demander comment ces intruses étaient arrivées là. Et les roses ! Elles jaillissaient des herbes folles, enlaçaient le cadran solaire, festonnaient le tronc des arbres, s'accrochaient aux branches, escaladaient les murs, retombaient en longues guirlandes ou en cascades. Elles s'étaient mises à revivre, jour après jour. Toutes, elles s'étaient épanouies et leur parfum embaumait l'air.

Colin, attentif au moindre changement, fut le témoin émerveillé de cette transformation. Chaque matin, il sortait dans son fauteuil roulant, accompagné de Dickon et de Mary et, quand il ne pleuvait pas, il passait toute la journée au jardin. Allongé sur l'herbe, il regardait pousser les plantes. A l'en croire, si on les regardait assez longtemps, on pouvait voir s'ouvrir les bourgeons. On apprenait aussi à connaître d'étranges insectes qui s'activaient en tous sens, accomplissant des tâches mystérieuses mais certainement très utiles, transportant parfois de minuscules fragments de paille, ou de plume, ou de nourriture, ou bien escaladant un brin d'herbe pour s'orienter et explorer toute la région.

Il passa toute une matinée à observer une taupe qui, à l'aide de ses pattes griffues semblables à des mains d'elfe, creusait une galerie et rejetait de la terre qui formait alors un monticule. Les mœurs des abeilles, des fourmis, des scarabées ou des grenouilles, la façon dont poussaient les arbres, tout cela constituait pour lui autant de mondes à explorer. Dickon lui parlait des loutres, des furets, des rats d'eau, des truites et des blaireaux ; il y avait là matière à d'interminables discussions.

Là ne s'arrêtait pas la magie du jardin. Colin avait réussi à tenir sur ses jambes, ce qui l'avait fait réfléchir. Quand Mary lui répéta sa « formule magique », il fut enthousiasmé et il en parlait sans cesse.

– Le monde est plein de magie, dit-il un jour. Mais les gens ne savent pas la reconnaître, ni comment la faire agir. Il suffit peut-être, pour commencer, de croire que des choses merveilleuses vont arriver pour qu'elles se produisent réellement. Je vais expérimenter cela.

Le lendemain matin, quand ils arrivèrent au jardin, Colin envoya chercher le vieux jardinier qui les rejoignit et trouva le jeune rajah debout sous un arbre, noble et souriant.

– Bonjour, Ben Weatherstaff, dit-il. Allez vous placer à côté de Dickon et de Mlle Mary et écoutez-moi bien. J'ai une chose importante à vous dire.

– Ho-Yé-Yo ! capitaine ! lança Ben en portant la main à son front.

Quand il était tout jeune garçon, Ben Weatherstaff s'était enfui de chez lui pour prendre la mer. Il avait pas mal bourlingué et pouvait s'exprimer comme un vieux loup de mer.

– Je vais tenter une expérience, commença le rajah. Quand je serai grand, je ferai des découvertes scientifiques de toute première importance ; je vais d'ailleurs commencer dès maintenant.

– Ho-Yé-Yo ! capitaine ! reprit Ben, bien que ce fût la première fois qu'il entendait parler de telles choses.

Mary non plus n'en avait jamais entendu parler, mais elle avait déjà compris que Colin, qui avait beaucoup lu, possédait un grand pouvoir de persuasion. Quand il levait la tête et posait ses grands yeux gris sur vous, vous ne pouviez pas vous empêcher de le croire et pourtant il n'avait pas encore onze ans. Ce jour-là, dans le jardin, il était particulièrement éloquent ; prononcer un véritable discours devant un auditoire, comme aurait pu le faire un adulte, le grisait.

– La grande découverte scientifique que je vais faire, poursuivit-il, concerne la magie. C'est une chose extraordinaire, mais personne n'y a jamais rien compris. Quelques auteurs en parlent dans des livres très anciens : Mary en a entendu parler, parce qu'elle a vécu aux Indes, qui est le pays des fakirs. A mon avis, Dickon est un peu magicien, mais il ne s'en doute peut-être pas. Il apprivoise les animaux et les gens. Je ne l'aurais jamais laissé venir me voir s'il n'avait pas été un charmeur d'animaux – de garçons également. Dans tout garçon de mon âge, il y a aussi un animal. Je crois que la magie existe, seulement, nous ne sommes pas assez intelligents pour la maîtriser et la mettre à l'œuvre pour nous, comme l'électricité, les chevaux, ou les machines à vapeur.

Ce discours était si impressionnant que Ben Weatherstaff ne tenait plus en place.

– Ho-Yé-Yo ! capitaine ! lança-t-il en se mettant au garde-à-vous.

– Ce jardin, continua l'orateur, semblait définitivement mort le jour où Mary l'a découvert, puis une force, du jour au lendemain, a fait sortir les fleurs de terre. Je n'avais encore jamais remarqué ces choses et cela a éveillé ma curiosité. Les savants sont toujours curieux, et je veux devenir un grand savant. Je ne cesse de me poser des questions : « Qu'est-ce que c'est ? Il y a quelque chose. Qu'est-ce que c'est que cette chose ? » Ça ne peut pas être rien, pourtant je ne sais pas quel nom lui donner, alors je l'appelle magie. Je n'ai encore jamais vu le lever du soleil mais, d'après ce que Mary et Dickon m'en ont dit, je suis sûr que c'est magique. Le soleil et les astres sont mus par une force extraordinaire... Depuis que je suis entré dans ce jardin, j'ai souvent regardé le bleu du ciel à travers les branches et j'ai ressenti alors un sentiment de bonheur presque trop fort, comme si tout le bon air de la lande remplissait mes poumons et accélérait les battements de mon cœur. La magie est la force qui nous anime, qui fait apparaître, là où il n'y avait rien, les feuilles, les arbres, les fleurs et les oiseaux, les blaireaux, les renards, les écureuils... Il y en a partout, dans ce jardin, et tout autour de nous. Grâce à la magie du jardin, j'ai pu me mettre debout et je sais à présent que je vais vivre, grandir et devenir un homme. L'expérience que je veux tenter sera la suivante : je vais essayer de faire entrer en moi un peu de ce miracle, pour qu'il m'aide à grandir et à devenir fort. La première fois que j'ai tenté de me mettre debout, Mary se répétait sans cesse, le plus vite possible : « Tu peux le faire ! Tu peux le faire ! » Et cela m'a aidé. A partir de maintenant, chaque matin et chaque soir, à chaque moment de la journée, je me répéterai ces mots : « La magie est en moi ! La magie est en moi ! Je vais devenir aussi solide que Dickon ! » M'aiderez-vous, Ben Weatherstaff ?

– Ho-Yé-Yo ! Tope là, capitaine !

– Si nous répétons cette expérience chaque jour,

aussi régulièrement que des soldats à l'entraînement, nous verrons bien ce qui se passera, et si cela peut réussir. On apprend les choses en se les répétant encore et encore, jusqu'à ce qu'elles se fixent dans votre mémoire et je pense qu'il en va de même pour la magie. Si vous l'appelez avec persévérance, elle finira par faire partie de vous.

– Aux Indes, dit Mary, j'ai entendu un jour un officier raconter à ma mère que les fakirs peuvent répéter les mêmes mots des milliers et des milliers de fois.

– Moi, intervint le jardinier d'un ton narquois, c'est la femme de Jem Fettleworth que j'ai entendue répéter des milliers et des milliers de fois : « Jem, tu sais ce que t'es ? Un vieil ivrogne ! » Et c'est vrai qu'il en sort quelque chose ; Jem flanque une bonne raclée à sa femme, et il repart prendre une bonne cuite au *Lion bleu* !

Colin regarda Ben en fronçant les sourcils. Il réfléchit quelques minutes et poursuivit sans se démonter :

– Vous voyez qu'elle obtient un résultat ! Mais elle use d'une mauvaise magie, et c'est pourquoi son mari la bat. Si elle avait choisi une meilleure formule magique, si elle lui avait répété quelque chose de gentil, il ne serait pas retourné au cabaret, et peut-être même lui aurait-il offert un chapeau tout neuf.

– Hé ! Hé ! gloussa Ben Weatherstaff, une lueur d'admiration dans ses yeux fatigués. Je vois que tu as la tête aussi bien faite que les jambes ! La prochaine fois que je verrai Bess, je lui toucherai un mot de ce que ta magie peut faire pour elle. Elle serait heureuse comme une reine si ton « expérience scientifique » pouvait réussir sur son homme. Et c'est pas Jem qui s'en plaindrait.

Dickon avait écouté sans rien dire l'exposé de Colin, les yeux brillant de plaisir et de curiosité. Noisette et Coquille étaient juchés sur ses épaules, et il caressait doucement un gros lapin blanc qui se blottissait dans ses bras.

– Crois-tu que mon expérience va réussir ? l'interrogea Colin.

Colin se demandait souvent ce que Dickon avait en tête quand il le regardait ainsi, lui ou l'un de ses animaux favoris, avec le même sourire heureux.

– Eh pardi ! s'exclama Dickon. Je pense bien qu'elle va réussir. Les graines, ça leur réussit bien que le soleil vienne briller sur elles : c'est pareil. Elle va réussir. Tu devrais même commencer tout de suite.

Colin et Mary étaient aux anges. Dans son enthousiasme, Colin se souvint avoir vu des images qui représentaient des fakirs entourés de leurs adeptes, il suggéra alors à ses compagnons de s'asseoir en tailleur sous le prunier.

– Nous y serons comme dans un temple, leur dit-il, et je serai heureux de m'asseoir, je suis fatigué.

– Eh là ! interrompit Dickon. Tu ne dois pas commencer par dire que tu te sens fatigué ! Ça gâcherait toute la magie !

Colin se tourna vers Dickon, mais celui-ci souriait sans malice.

– C'est juste, finit-il par dire. Je dois me concentrer sur la magie.

Ils prirent place sous l'arbre avec solennité. Ben avait l'impression d'être contraint de participer à une assemblée religieuse. En temps ordinaire, il s'y serait opposé avec fermeté. Cependant, comme l'initiative venait du jeune rajah, il s'y prêtait sans réticence et se sentait même flatté d'être admis dans ce cercle juvénile. Mary était fascinée. Dickon tenait toujours le lapin dans ses bras. Peut-être avait-il fait usage, à leur insu, de l'un de ses pouvoirs secrets car, dès qu'il fut assis, le corbeau, le renard, l'agneau et les écureuils rejoignirent le cercle, s'installant chacun à la place qui lui convenait le mieux.

– Les animaux nous ont rejoints ! s'exclama Colin avec gravité. Ils veulent nous aider !

Colin était vraiment très beau à cet instant, pensait Mary. Il se tenait droit, la tête haute, tel le grand prêtre d'un culte mystérieux, et ses étranges yeux gris brillaient d'un éclat extraordinaire. La lumière du matin, filtrée par le dais du feuillage, auréolait son visage étroit.

– Nous pouvons commencer, dit-il. Mary, devons-nous nous balancer d'avant en arrière, comme font les derviches ?

– Moi, je ne pourrai jamais, intervint Ben. Faut penser à mes rhumatismes !

– La magie guérira vos rhumatismes ! répondit Colin avec sa voix de grand prêtre. Mais, en attendant, nous éviterons de nous balancer. Nous nous contenterons de chanter.

– Je ne sais pas chanter non plus ! dit Ben qui commençait à s'impatienter. La seule fois que j'ai essayé, je me suis fait renvoyer du chœur de la paroisse !

Personne ne sourit. Le visage de Colin n'exprima aucune irritation. Il ne pensait qu'à la magie.

– Alors je chanterai seul, dit-il.

Et il entonna, en psalmodiant, de mystérieuses incantations.

Le soleil brille dans le ciel !
Le soleil brille !
C'est la magie !

Les racines s'étendent sous la terre !
Les fleurs s'ouvrent !
C'est la magie !

Je suis vivant ! C'est par magie !

Je deviens fort ! C'est par magie !
La magie est en moi ! La magie est en moi !
Je sais qu'elle est là ! Je la sens !
La magie est en chacun de nous !
Elle est là, aussi, dans le dos et les jambes de Ben
Weatherstaff !

Magie ! Magie ! Viens ! Aide-nous !

Et il répéta ces paroles, si ce n'est un millier, du moins un bon nombre de fois. Mary écoutait, captivée. Elle trouvait cela étrange et beau et ne s'en lassait pas. Ben Weatherstaff, quant à lui, se sentait lentement glisser dans une agréable rêverie. Le bourdonnement des abeilles butinant les fleurs alentour se mêlait aux incantations, créant l'atmosphère propice à une paisible somnolence. Dickon était assis en tailleur, la main posée sur le dos de l'agneau, le lapin blanc à présent endormi sur ses genoux. Suie, sur son épaule, s'était fait un peu de place en écartant un écureuil ; il se nichait contre son cou, et ses paupières retombaient doucement sur ses yeux comme deux imperceptibles rideaux gris.

Colin se tut.

— Je vais faire le tour du jardin, et sur mes deux jambes ! annonça-t-il après un instant de silence.

Ben Weatherstaff commençait à piquer du nez. Il sursauta.

— Vous vous endormiez, remarqua Colin.

— Jamais de la vie ! marmonna Ben. J'ai tenu le coup pendant tout le sermon. Je me disais qu'il allait être temps que je m'esquive avant la quête !

— Vous n'êtes pas à l'église ! dit Colin.

— Non, dit Ben en secouant la tête. Qu'est-ce qui te fait croire une chose pareille ? J'ai entendu tout ce que tu as dit, je n'en ai pas perdu une miette. Paraît que j'ai de la magie dans le dos et dans les jambes ; mais le docteur, lui, il appelle ça des rhumatismes.

Le rajah leva la main.

– Il ne connaît pas la bonne magie. Vous irez mieux, vous verrez. Vous avez l'autorisation de vous retirer maintenant, allez reprendre votre travail, mais revenez demain matin.

– A tout prendre, j'aimerais autant être là quand tu feras ton tour de jardin, grogna Ben.

C'était un grognement sans méchanceté, mais un grognement quand même. A vrai dire, Ben Weatherstaff, ce vieux têtu, ne croyait pas réellement à la magie. S'il devait sortir, pensait-il, il remonterait sur son échelle pour surveiller du haut du mur pour pouvoir accourir aussitôt, si le jeune garçon trébuchait.

Le rajah l'autorisa à rester, et le cortège se mit en route : Colin en tête, Dickon à droite, Mary à gauche, Ben fermant la marche, suivi de tous les animaux. L'agneau et le renard trottinaient sur les pas de Dickon ; le lapin blanc s'arrêtait de temps en temps pour brouter, puis les rattrapait par petits bonds ; Suie, quant à lui, cheminait à petits pas, l'air responsable et solennel.

Le cortège ainsi formé avançait lentement, mais avec une grande dignité. Tous les dix mètres, Colin s'accordait une pause, puis il repartait doucement, appuyé au bras de Dickon. Le vieux Ben le regardait à la dérobée ; Colin, de temps à autre, faisait quelques pas seul : son maintien était superbe.

– La magie est en moi ! Je la sens ! Je la sens ! C'est elle qui me donne ce qu'il faut de force ! répétait-il.

Et un pouvoir semblait réellement agir en lui, une force qui le soulevait et le soutenait à la fois. Il faisait halte sur les bancs de pierre disposés çà et là dans le jardin. Par deux fois, il se reposa sur l'herbe et dut souvent s'appuyer sur Dickon pour reprendre son souffle, mais rien ne le fit renoncer. Il acheva son tour de jardin, et quand ils furent revenus tous les quatre sous le dais de feuillage, ses joues étaient empourprées et il souriait, triomphant.

– Voilà ! Je l'ai fait ! cria-t-il. La magie a opéré. Ma première expérience scientifique est concluante.

– Quand je pense au docteur Craven, lança Mary en exultant, il ne va pas en revenir !

– Il n'aura pas à en revenir, car il n'en saura rien, dit Colin. C'est notre plus grand secret. Il faudra qu'il soit le mieux gardé ! Personne ne doit rien savoir jusqu'à ce que je sois assez fort pour marcher et courir tout seul, comme les autres garçons de mon âge. Je continuerai chaque matin à utiliser mon fauteuil, vous me conduirez jusqu'ici et vous me ramènerez le soir. Je ne veux pas de rumeurs à ce sujet. Je ne tiens pas à ce que mon père apprenne quoi que ce soit tant que nous ne sommes pas certains du succès. Le jour de son retour, j'entrerai tout naturellement dans son bureau en marchant bien droit. Je veux lui dire moi-même : « Regarde ! Je suis comme les autres garçons, maintenant ! Je vais vivre et devenir un homme ! Cela vient de ce que j'ai réussi une expérience scientifique. »

– Il n'en croira pas ses yeux. Il pensera que c'est un rêve ! dit Mary.

Colin exultait. Il devint rouge d'émotion et de fierté. Il s'était convaincu qu'il allait guérir et avait ainsi remporté, sans s'en douter, le plus dur de la bataille. Et rien ne pouvait le stimuler davantage que d'imaginer la joie de son père le jour où il verrait son fils aussi droit sur ses jambes que n'importe quel garçon de son âge. Ce dont Colin avait le plus souffert, au cours de toutes ces années sombres et misérables, avait été de savoir que son père avait peur de poser les yeux sur son enfant souffreteux et peut-être infirme.

– Il sera bien obligé de le croire, dit Colin. La première chose que je ferai, avant de me consacrer aux découvertes scientifiques, ce sera de devenir un athlète.

– Tu vas voir, dit Ben en riant, laisse-nous une semaine ou deux et on fera de toi un vrai boxeur. Je parierais que tu finiras champion d'Angleterre des poids coq !

Colin le regarda, l'air sévère.

– Ben Weatherstaff, répondit-il, vous me manquez de respect. Vous êtes dans le secret, c'est d'accord, mais cela ne vous autorise pas à prendre de telles libertés. Quel que puisse être l'effet de la magie, je ne deviendrai jamais champion de boxe ; je deviendrai un savant.

– Je vous demande bien pardon, mon jeune maître, dit Ben en touchant son front. J'aurais dû me rendre compte par moi-même qu'on ne plaisante pas avec ces choses-là !

Mais ses yeux pétillaient. Le garçon l'avait rabroué, mais cela ne le vexait pas et prouvait au contraire que chaque jour son corps et son esprit se fortifiaient – et rien ne pouvait réjouir davantage le vieux Ben.

24
Laissons-les s'amuser !

Dickon ne travaillait pas seulement dans le jardin secret. Non loin du cottage, sur la lande, il cultivait une petite parcelle de terre, close par un muret de pierres sèches. Il s'y rendait dès qu'il avait un moment de loisir. Ses talents y faisaient merveille et, tout en bêchant, en binant, ou en arrachant les mauvaises herbes, il fredonnait souvent des chansons du Yorkshire et entretenait de sérieuses conversations avec Suie ou Cap'taine. Ses frères et sœurs venaient parfois l'aider.

– Sans le jardin de Dickon, répétait Mme Sowerby, il y a des jours où on aurait du mal à remplir la marmite. Ce garçon fait pousser ce qu'il veut. Il n'y a qu'à regarder ses pommes de terre et ses choux, ils sont deux fois plus gros que les autres, et ils ont un goût délicieux !

Quand elle avait un peu de répit, elle aimait venir au jardin pour bavarder avec son fils. Après le dîner, qu'ils prenaient tôt, Dickon occupait les dernières heures du jour à jardiner. C'était pour elle un moment béni : elle venait prendre le frais, assise sur le bord du muret, et l'écoutait lui raconter les nouvelles du jour.

Ce jardin n'était pas un simple potager. Dickon achetait de temps à autre de petits sachets de graines. Il avait, au fil des saisons, semé de fleurs odorantes les groseilliers et les carrés de choux. Toutes les allées étaient bordées de pensées, de résédas et de quantité d'autres fleurs. Le muret qui entourait ce jardin comptait parmi les plus fleuris et les plus beaux du Yorkshire. Dans chaque anfractuosité poussaient des fougères, des digitales, des capillaires et toutes sortes de fleurs de haie, si bien qu'on ne voyait presque plus les pierres.

– Tu sais, pour qu'elles poussent bien, expliquait Dickon à sa mère, il faut les aimer. C'est comme pour les animaux, il faut leur donner à manger quand elles ont faim, et leur donner à boire quand elles ont soif ! Les fleurs, elles sont comme nous, elles ne demandent qu'à vivre. Si elles mouraient, j'aurais l'impression de m'être mal conduit, de manquer de cœur...

C'est pendant ces heures passées au jardin, à la tombée du jour, que Mme Sowerby apprit ce qui se passait au manoir. Tout d'abord, Dickon se contenta de lui dire que M. Colin s'était mis en tête de sortir avec Mlle Mary et que cela lui faisait grand bien. Mais bientôt, les deux enfants décidèrent que la mère de Dickon pouvait être mise dans le secret. Car, à n'en pas douter, c'était une personne de confiance.

Par un beau soir, Dickon lui confia donc toute l'histoire, sans oublier l'épisode palpitant de la clef enfouie, ni le rôle joué par le rouge-gorge ; décrivant le voile gris tendu sur le mur comme un voile de deuil... parlant de sa rencontre avec Mary dans le bois du parc, et de leurs doutes au sujet de Colin. Il raconta enfin comment Colin était entré pour la première fois dans le jardin, et comment Ben Weatherstaff avait surgi derrière le mur, insufflant à Colin, atteint dans son orgueil, la force de se tenir debout. Ce récit bouleversa la bonne Mme Sowerby, dont le visage avenant changea plusieurs fois de couleur.

– Ma parole ! s'exclama-t-elle. Quel bonheur que cette petite soit venue habiter au manoir ! Elle s'est transformée, et lui, c'est ce qui l'a sauvé ! Droit sur ses jambes, ce pauvre garçon qu'on croyait infirme et à moitié idiot !

Elle posa de nombreuses questions ; ses yeux bleus reflétaient sa perplexité et son amusement.

– Quelle est leur réaction, au manoir ?

– Ils ne savent pas quoi penser. Il change de jour en jour, il s'étoffe, il n'est plus aussi pâle, mais il continue à se plaindre de temps en temps, dit Dickon en souriant.

– Et pourquoi donc, grand Dieu ? s'enquit Mme Sowerby.

Dickon éclata de rire.

– Pour qu'ils ne se doutent de rien. Si le docteur Craven découvrait que M. Colin arrive à tenir sur ses jambes, il écrirait sûrement à M. Craven. M. Colin veut garder son secret, il veut être le premier à apprendre la bonne nouvelle à son père. Chaque jour, il continue à faire opérer la magie, pour fortifier ses jambes et, quand son père reviendra, il veut entrer dans son bureau en marchant sans l'aide de personne, pour qu'il voie qu'il est aussi droit que n'importe quel gars du Yorkshire. En attendant, pour donner le change, il continue de ronchonner. Mlle Mary et lui disent que c'est plus prudent.

Dickon n'avait pas fini ses explications que déjà Mme Sowerby riait de bon cœur.

– Dis donc, ils m'ont l'air de s'amuser, ces deux-là ! Ils doivent s'en donner à cœur joie. Tous les enfants adorent jouer la comédie.

Dickon s'accroupit, les yeux pétillants de plaisir. Il ne pouvait pas travailler et raconter en même temps.

– Chaque fois qu'il sort, M. Colin se fait porter dans son fauteuil roulant. Il peste contre John, le valet de pied, parce qu'il ne prend pas assez de précautions pour le descendre. Il prend un air malheureux au possible, et ne relève pas la tête avant d'être hors de vue. Quand l'infirmière l'installe dans sa chaise, il pleurniche sans arrêt. Et Mlle Mary lui donne la réplique : « Oh ! mon pauvre Colin ! As-tu si mal ? Comme tu es faible, mon pauvre, pauvre Colin ! » Mais ils doivent faire attention, car ils ont parfois un mal fou à ne pas éclater de rire. Dès qu'on arrive dans le jardin, ils rient à en perdre le souffle. Ils se fourrent le nez dans les coussins pour que les jardiniers ne puissent pas les entendre.

– Qu'ils rient, c'est ce qu'il y a de meilleur pour eux ! s'exclama Mme Sowerby. Ça vaut toutes les médecines. J'ai idée que ces deux oiseaux-là ne vont pas tarder à se remplumer.

– Ils ont déjà grossi, dit Dickon. Ils ont faim tout le temps, et ne savent plus quoi faire pour avoir assez à manger. M'sieur Colin dit que s'il réclame des portions plus grosses, cela risque d'éveiller les soupçons. Mam'zelle Mary dit qu'elle veut bien lui laisser sa part, mais dans ce cas, c'est elle qui va maigrir. Il faut qu'ils prennent du poids tous les deux !

Mme Sowerby, en songeant à cette difficulté inattendue, éclata d'un rire joyeux qui la secoua tout entière. Dickon riait avec elle.

– Attends un peu, mon garçon, dit-elle en relevant la tête, je crois que j'ai trouvé un moyen de les aider. Quand tu les rejoindras, le matin, tu emporteras un pot de lait frais et un bon pain croustillant que j'aurai fait cuire, ou des brioches aux raisins comme vous les aimez, vous autres. Quand on a faim, il n'y a rien de meilleur que du pain frais avec un verre de lait. Ça les calera. Et les bons petits plats de la cuisinière serviront à boucher les creux.

– Oh ! maman ! Ça, c'est une idée ! lança Dickon,

admiratif. Tu sais toujours comment arranger les choses ! Hier, ils se demandaient comment ils allaient pouvoir se débrouiller sans réclamer, tellement ils avaient le ventre creux.

– Eh ! C'est qu'ils sont en pleine croissance, et en plus la santé leur revient... ils deviennent voraces comme des petits renards, c'est bien naturel ! ajouta Mme Sowerby.

Elle eut le même sourire que Dickon, un sourire qui illumina son visage.

– En tout cas une chose est certaine, ces deux-là s'en donnent à cœur joie !

Elle ne croyait pas si bien dire, cette mère remarquable ; les deux enfants prenaient grand plaisir à jouer la comédie. C'était pour Colin et Mary une distraction passionnante. L'idée qu'il fallait donner le change leur était venue en remarquant la perplexité de l'infirmière et du docteur Craven.

– Décidément, monsieur Colin, vous avez bien meilleur appétit, lui avait dit un jour l'infirmière. Vous qui mangiez comme un oiseau, et qui n'aimiez rien !...

– Oui, maintenant tout me plaît, avait répondu Colin.

Pourtant, en voyant qu'elle le regardait curieusement, il s'était rappelé qu'il ne devait pas donner l'impression d'aller trop bien.

– Ou du moins, la nourriture ne me dégoûte plus autant qu'avant. C'est peut-être grâce au bon air...

– Peut-être... avait dit l'infirmière en continuant à le fixer d'un air perplexe.

– As-tu vu comme elle te regardait ? s'inquiéta Mary quand elle fut sortie. Elle doit se douter de quelque chose...

– Il ne faut surtout pas qu'elle découvre notre

secret, avait dit Colin. Personne ne doit se douter de rien.

Ce matin-là, le docteur, lui aussi, paraissait intrigué. Il posa à Colin toute une série de questions qui le mirent au supplice.

– Tu passes beaucoup de temps dehors. Où vas-tu ?

Colin retrouva aussitôt ses airs de rajah :

– Ça ne regarde personne ! Quand je sors, je vais où il me plaît ! Tout le monde a reçu l'ordre de rester à l'écart. Je n'aime pas que des gens me regardent. Vous le savez parfaitement.

– Tu passes toutes tes journées dehors, mais je ne pense pas que cela te fasse du mal, loin de là : l'infirmière m'a dit que tu mangeais de meilleur appétit ces temps-ci.

– Peut-être, dit Colin, pris d'une soudaine inspiration, est-ce un appétit anormal...

– Pourquoi ? répondit le docteur Craven. Cela semble te réussir. Tu t'es étoffé rapidement et tu as meilleure mine.

– Oui, sans doute, continua Colin en prenant un air découragé, mais je suis sûrement bouffi de mauvaise graisse et c'est la fièvre qui me donne des couleurs. Les gens qui doivent mourir jeunes ne réagissent pas comme les autres.

Le docteur secoua la tête, vint s'asseoir auprès de Colin et lui prit le pouls d'un air grave.

– Tu ne sembles pas avoir de fièvre, lui dit-il, songeur ; tu as pris des forces on ne peut plus naturellement. Continue, mon garçon, et bientôt il ne sera plus question de mourir. Ton père va être très heureux. Il y a un mieux, un grand mieux !

– J'interdis qu'on lui en parle ! lança Colin d'une voix farouche. Il serait tellement déçu si je faisais une rechute ! Et cela pourrait bien se produire dès ce soir ! Je sens déjà monter la fièvre. Je vous interdis formellement d'envoyer une lettre à mon père. Vous me mettez en colère et ce n'est pas bon pour moi. Je me sens déjà brûlant. J'ai horreur qu'on parle de moi, que l'on écrive des lettres à mon sujet, tout autant que je déteste que l'on me regarde !

– Allons, calme-toi, mon garçon, personne n'écrira à ton père sans ta permission, assura le docteur, conciliant. Tu es beaucoup trop susceptible. Il y a un mieux, un vrai mieux, il ne s'agirait pas de le gâcher.

Par la suite, le docteur ne parla plus d'écrire à M. Craven ; il conseilla même à l'infirmière d'éviter d'aborder ce sujet en présence de son jeune malade.

– Il y a un mieux extraordinaire. Cela semble presque surnaturel, lui expliqua-t-il. Il est vrai qu'il fait, de bon gré, ce que nous cherchions à lui faire accepter auparavant sans résultat. Malgré tout, il s'énerve encore trop facilement, et il ne faut surtout pas le contrarier.

Cette visite eut pour effet d'alerter Colin et Mary. Ils décidèrent, après en avoir discuté, de commencer à jouer leur petite comédie.

– Je vais sans doute être obligé de « leur » faire une petite crise d'hystérie, disait Colin avec regret. Pourtant, je n'en ai pas envie ! Je ne me sens pas assez mal pour une grosse crise... Même une petite de rien du tout, je ne sais pas si j'y arriverai. Je ne sens plus cette boule dans la gorge, et je pense tout le temps à des choses agréables, plus jamais à des choses tristes. Mais, s'il est encore question d'écrire à mon père, il faudra que je décide quelque chose.

Colin décida de manger moins, mais cette idée, quoique lumineuse, se révéla irréalisable. Chaque matin, il s'éveillait avec une faim grandissante et dès qu'il voyait arriver le bon pain frais cuit au manoir, le beurre, les œufs blancs comme la neige, la gelée de framboise et la crème caillebottée, son courage l'abandonnait. Mary déjeunait avec lui et, sitôt attablés, quand du couvre-plat en argent s'exhalait un appétissant fumet de tranches de bacon frit, ils se regardaient tous les deux, désespérés.

– Mary, je crois que nous allons encore tout manger ce matin, finissait toujours par dire Colin. Il sera toujours temps de renvoyer une petite partie du déjeuner, et une grande partie du dîner.

Mais, bien sûr, ils ne renvoyaient jamais quoi que ce fût ; si bien que, quand les plats revenaient vides à l'office, les commentaires allaient bon train.

– Quel dommage, maugréait Colin, que ces tranches de bacon ne soient pas un peu plus épaisses ! Et un muffin chacun, ce n'est vraiment pas assez.

– C'est bien suffisant pour une personne qui va mourir, répondit Mary la première fois qu'il lui fit cette remarque, mais pour quelqu'un qui a envie de vivre, c'est un peu maigre. J'en mangerais bien trois à moi toute seule, surtout quand je sens ce parfum de genêt entrer par la fenêtre ouverte !

Aussi, ce fut une explosion de joie quand Dickon, un matin, alors que les trois enfants avaient déjà travaillé deux bonnes heures dans le jardin secret, disparut derrière un rosier et revint avec deux grands pots d'étain, l'un rempli de bon lait tout frais, et l'autre de pains aux raisins encore chauds, serrés dans une jolie serviette de toile à carreaux bleus et blancs. Quelle idée merveilleuse ! Comme Mme Sowerby était gentille, et intelligente ! Qu'ils étaient bons, ses petits pains ! Quel délice, ce lait tout frais, mousseux, avec sa couche de crème !

– Il faut qu'elle soit un peu magicienne, comme Dickon ! s'exclama Colin. C'est succulent ! Tu lui diras que nous lui sommes reconnaissants, extrêmement reconnaissants !

Colin aimait employer à l'occasion des formules

d'adultes, mais celle-ci lui paraissait encore trop faible.

– Mieux : dis-lui que nous lui vouons une gratitude infinie !

Et, oubliant ses grands airs, il engloutit vaillamment les pains aux raisins, buvant le lait à longues goulées, comme l'aurait fait n'importe quel garçon de son âge quand l'exercice et le grand air lui ont ouvert l'appétit.

Ce petit repas improvisé fut la première d'une longue série d'agréables surprises du même genre. Mais ils se rendirent compte rapidement qu'avec quatorze bouches à nourrir, Mme Sowerby aurait peine à satisfaire quotidiennement deux appétits supplémentaires. Ils lui demandèrent d'accepter une partie de leur argent de poche pour ses achats.

Dans le petit bois où Mary l'avait entendu jouer du pipeau pour la première fois, Dickon fit une découverte providentielle : un renfoncement idéal pour l'aménagement d'un petit four, aux parois tapissées de pierres. Des pommes de terre en robe des champs, ou des œufs frais cuits dans la cendre, avec une pincée de sel et une bonne noix de beurre tout frais, c'était un luxe inconnu pour eux, un festin de roi en forêt, délicieux, et très substantiel. En outre, ils pouvaient acheter tous les œufs et les pommes de terre dont ils avaient besoin, sans avoir la désagréable impression d'affamer une famille de quatorze personnes.

Chaque matin, quand il faisait beau, le petit cercle mystique invoquait la magie sous le prunier. Sa courte floraison passée, il les couvrait d'un dais de feuillage plus fourni de jour en jour. Ensuite, Colin accomplissait rituellement son tour de jardin et, tout au long de la journée, il mettait ses forces à l'épreuve, avec une assurance croissante. Chaque jour qui passait le voyait gagner en équilibre, parcourir des distances plus grandes. Chaque jour qui passait augmentait sa confiance en la magie. Il tentait une expérience après l'autre et là encore, ce fut Dickon qui lui montra le meilleur exercice.

— Hier, je suis allé à Thwaite faire une course pour ma mère, dit-il en revenant un matin après toute une journée d'absence. Devant l'auberge du *Lion bleu*, je suis tombé sur Bob Haworth ; c'est un vieil ami et, en plus, c'est le gars le plus costaud de la lande. Il est champion de saut en hauteur, il est même allé en Écosse disputer une compétition ! Il me connaît depuis que je suis tout petit et, comme c'est un brave gars, je lui ai posé un tas de questions. Les gens disent que c'est un athlète, alors j'ai pensé à toi, Colin, et je lui ai dit : « Bob, comment tu fais pour avoir des muscles pareils ? Faut-il faire quelque chose de spécial pour devenir aussi fort que toi ? » – Eh, pour sûr, qu'il m'a répondu. Un lutteur de foire qui passait un jour à Thwaite m'a montré des exercices pour fortifier les jambes, les bras et tous les muscles. » Je lui ai alors demandé si un garçon un peu fragile pouvait, lui aussi, développer ses muscles. Il a ri et il m'a demandé : « C'est toi le garçon un peu fragile ? » Alors moi je lui ai répondu : « C'est un jeune monsieur que je connais, il a été malade longtemps, mais il commence à aller mieux ; si tu me montrais ce qu'il faut faire, je pourrais lui expliquer. » Je ne lui ai pas dit ton nom, et il ne m'a rien demandé. Comme tu vois, il est très gentil ; il s'est levé aussitôt et m'a tout montré de bon cœur, et j'ai imité les exercices jusqu'à ce que je sache les faire comme lui.

Colin l'avait écouté avec un intérêt croissant.

— Peux-tu me faire une démonstration ? s'écria-t-il. Tu veux bien ?

— Pardi ! fit Dickon, tout content. Mais il a dit qu'il fallait commencer très doucement, se reposer entre les exercices et respirer bien à fond. Il ne faut jamais forcer.

– Je ne forcerai pas, promit Colin. Montre-moi ! Montre-moi ! Ah ! Dickon, tu es vraiment le plus grand magicien du monde !

Dickon alla se placer un peu plus loin sur l'herbe et accomplit au ralenti une série d'exercices simples et bien adaptés. Colin le regardait faire en ouvrant de grands yeux. Certains exercices pouvaient être exécutés assis. Il commença par ceux qu'il fallait faire debout, pour tirer parti de l'aplomb nouveau que lui donnaient ses jambes. Au bout d'un petit moment, Mary fit de même. Suie, qui du haut de son arbre assistait à la gymnastique, avait l'air de s'interroger. Il finit par quitter sa branche et vint sautiller autour d'eux, sans doute déconcerté de ne pas pouvoir les imiter.

Ils inscrivirent désormais les exercices de gymnastique au programme de leurs journées, au même titre que la magie. Colin et Mary progressaient, et chaque jour la séance durait plus longtemps, si bien qu'ils eurent de terribles fringales ; sans le panier que Dickon déposait le matin derrière le rosier, ils n'auraient jamais pu poursuivre leur entraînement.

En plus des gentillesses de Mme Sowerby, les mets sortant du four de fortune eurent un effet si bénéfique que l'infirmière, Mme Medlock et le docteur Craven lui-même sombrèrent dans une profonde perplexité : gavés d'œufs durs, de pommes de terre, de bon lait frais, de galettes et de petits pains, de miel de bruyère et de crème, ils purent sans trop de mal refuser les repas qu'on leur servait au manoir.

– Ils ne mangent presque plus rien, se lamentait l'infirmière. Ces enfants doivent pourtant se nourrir un minimum, sinon ils vont dépérir ! Et en même temps, voyez, ils ont des mines superbes !

– De vrais jeunes démons, ces deux-là ! répétait Mme Medlock d'un air indigné. Ils finiront par me faire mourir ! Quand je pense qu'il y a trois jours à peine ils dévoraient jusqu'à éclater ! Voilà qu'ils font la fine bouche, maintenant, et que l'excellente cuisine qu'on leur prépare ne les tente même plus. Pas un morceau, vous m'entendez, ils n'ont pas mangé un seul morceau de ce régal de faisandeau en sauce que la cuisinière leur a mijoté hier. Je crois qu'ils n'ont même pas daigné en prendre une seule bouchée ! La pauvre femme avait pourtant inventé un dessert spé-

cialement pour eux, auquel ils n'ont pas touché et qui est revenu en cuisine. J'ai bien cru qu'elle allait éclater en sanglots. Elle a peur maintenant qu'on aille raconter que c'est de sa faute s'ils viennent à mourir de faim !

Le docteur Craven arriva et observa Colin très attentivement. Au cours de la conversation avec l'infirmière, il prit un air extrêmement préoccupé quand elle lui présenta le plateau du petit déjeuner resté intact et qu'elle avait mis de côté ; de plus en plus perplexe, il vint s'asseoir près de Colin et l'examina. Les affaires l'avaient retenu à Londres et il y avait près de deux semaines qu'il ne l'avait pas vu. Lorsqu'un enfant recouvre la santé, les choses vont singulièrement vite. Les joues de Colin s'étaient teintées d'un joli rose, il avait le regard plus clair, et les angles saillants de ses pommettes et de ses tempes s'étaient estompés. Ses boucles de cheveux, lourdes et ternes autrefois, frisaient joliment sur son front, soyeuses et souples. Ses lèvres, enfin, étaient plus pleines, plus charnues et plus rouges qu'avant. En fait, ce rôle d'infirme à vie qu'il tentait encore de jouer commençait à jurer avec sa mine. Le menton dans une main, le docteur regardait Colin d'un air songeur :

— On m'apprend, et j'en suis fâché, que tu ne manges presque plus rien. Cela ne peut pas continuer ; tu vas perdre le bénéfice de tous les progrès accomplis, qui sont d'ailleurs spectaculaires. Tu avais si bon appétit, il y a quelques jours à peine.

— Je l'avais bien dit, cet appétit n'avait rien de naturel, répondit Colin.

A ce moment, Mary, qui était assise à côté d'eux, émit un son très curieux ; elle voulut s'empêcher de rire, si bien qu'elle faillit s'étouffer.

— Quelque chose ne va pas ? dit le docteur Craven en se tournant vers elle.

Mary afficha un petit air guindé et pincé au possible.

– J'ai eu envie d'éternuer et de tousser en même temps et c'est resté coincé dans ma gorge, dit-elle très dignement.

Le docteur parti, elle expliqua à Colin :

– J'ai bien failli éclater de rire, tu sais. Je ne pouvais m'empêcher de penser à la tête que tu faisais ce matin en avalant la dernière pomme de terre et en mordant dans cette délicieuse tartine de confiture et de crème !

Le docteur Craven interrogea alors Mme Medlock :

– Selon vous, ces enfants auraient-ils trouvé le moyen de se procurer de la nourriture en cachette ?

– A moins de déterrer des racines, ou de cueillir des fruits sur les arbres, je ne vois pas comment ils feraient, lui répondit l'intendante du manoir. De plus, ils passent toute la journée dans le parc et restent toujours entre eux. Et puis, s'ils voulaient d'autres plats que ceux qu'on leur prépare, ils n'auraient qu'à nous le demander.

– Dans ce cas, dit le docteur Craven, si le jeûne leur réussit aussi bien, nous n'avons pas à nous tracasser. D'ailleurs, le petit m'a l'air complètement transformé.

– Et la petite aussi, vous savez, continua Mme Medlock. Elle devient jolie à regarder depuis qu'elle a pris un peu de poids et qu'elle n'a plus son petit air revêche. Ses cheveux ont pris de la vigueur et elle a un teint éclatant. Quand je pense à l'enfant maussade et renfrognée qu'elle était il n'y a pas si longtemps ! Et maintenant, dès qu'on les laisse ensemble, ils s'amusent et rient comme des petits fous. Peut-être est-ce le secret de leur bonne mine !

– Peut-être bien... répondit le docteur. Alors laissons-les s'amuser !

25
Le rideau

Le jardin secret n'en finissait pas de fleurir, et réservait chaque matin de nouveaux miracles aux enfants. Des œufs étaient apparus dans le nid du rouge-gorge, et la femelle avait soin de les maintenir bien au chaud sous son ventre en repliant délicatement ses ailes. Elle était nerveuse dans les premiers temps, et son compagnon montait une garde attentive. Même Dickon évitait de s'approcher du buisson ces jours-là. Il attendait que, comme par enchantement, les deux oiseaux sentent bien que le jardin tout entier s'accordait avec eux et que rien ne viendrait perturber ce merveilleux moment, attendrissant et solennel de la couvée. Si la moindre menace avait pesé sur ces œufs, la terre elle-même aurait cessé de tourner et l'univers entier se serait anéanti ; et si d'aventure une seule personne n'avait pas compris cela et avait osé rompre cette harmonie, tout bonheur aurait abandonné le jardin lumineux et printanier. Mais tous le savaient bien, chacun à sa façon, et les deux rouges-gorges le comprirent à leur tour.

Au début, le rouge-gorge se méfiait surtout de Mary et de Colin alors qu'un mystérieux instinct lui disait qu'il n'avait rien à craindre de Dickon. Il lui avait suffi de poser son petit œil brillant sur le garçon pour sentir que ce n'était pas un inconnu, mais une espèce de rouge-gorge, dépourvu de bec et de plumes. Il savait même parler la langue des rouges-gorges, une langue très particulière qui ne ressemble à aucune autre. Parler rouge-gorge à un rouge-gorge, c'est un peu comme parler anglais à un Anglais. Dickon s'adressait donc ainsi au rouge-gorge à qui le charabia que l'enfant parlait avec les deux autres paraissait bien futile. Il avait même la conviction que, si Dickon leur parlait ainsi, c'était parce qu'il avait affaire à des êtres peu évolués, pas assez doués pour comprendre le langage des oiseaux. Ses mouvements eux-mêmes étaient ceux d'un rouge-gorge : ils n'étaient jamais brusques ni menaçants. N'importe quel rouge-gorge aurait remarqué cela, et sa présence dans les environs n'avait donc rien de dérangeant.

En revanche, au début, il se méfiait beaucoup plus des deux autres ; le garçon, en particulier, n'entrait jamais dans le jardin sur ses jambes, comme le faisaient les autres, mais avec une étrange machine à deux roues et des peaux de bête sauvage sur les genoux. Cela suffisait à inquiéter un rouge-gorge. De plus, lorsqu'il essayait de se lever, il marchait d'une bien curieuse manière et avait toujours besoin d'aide. Le rouge-gorge, dissimulé dans un buisson, l'air assez inquiet, observait le phénomène en penchant la tête d'un côté puis de l'autre. Il se disait que ces gestes lents et hésitants ressemblaient à ceux d'un chat prêt à bondir ; avant d'attaquer, en effet, les chats se mettent à ramper extrêmement lentement. Le rouge-gorge fit part de ses craintes deux ou trois fois à sa compagne, mais il décida rapidement de ne plus aborder le sujet : elle était terrifiée et ce n'était pas bon pour les œufs.

Quand le garçon commença à se déplacer tout seul et plus rapidement, ce fut un réel soulagement pour le couple d'oiseaux. Il est vrai qu'il avait encore des manières assez excentriques ! Il semblait adorer la marche mais, très bizarrement, il avait pour habitude de s'asseoir ou de s'allonger par terre avant de se remettre en route.

Un jour, pourtant, le rouge-gorge se rappela qu'il s'était comporté de la sorte quand ses parents lui avaient appris à voler. Il voletait sur quelques mètres, puis se reposait. Il comprit alors que ce garçon était, lui aussi, en train d'apprendre à voler – ou du moins à marcher. Il fit part de sa découverte à sa compagne. Et, lui expliquant qu'après l'éclosion les oisillons se comporteraient ainsi, celle-ci fut tout à fait rassurée et commença à sortir la tête de son nid pour observer Colin et suivre ses progrès. Bien sûr ses petits seraient plus dégourdis et apprendraient beaucoup plus vite, mais elle admettait que les humains étaient plus lourds et plus lents. Aucun d'entre eux, d'ailleurs, ne parvenait à voler et il était bien rare qu'on en rencontrât dans les airs ou au sommet des arbres !

Après quelque temps, le garçon se mit à marcher comme les autres. Mais tous trois se livrèrent alors à des exercices très singuliers. Plusieurs fois par jour, ils s'allongeaient dans l'herbe, sous les arbres, et gesticulaient dans tous les sens en remuant les bras, les jambes et la tête. Si le rouge-gorge ne put jamais éclairer sa compagne à ce sujet, il parvint à la rassurer et lui affirma que leurs oisillons, eux, ne feraient jamais ça ! Du reste, puisque le garçon qui parlait couramment rouge-gorge le faisait aussi, ils n'avaient pas à s'inquiéter. Évidemment, les rouges-gorges n'avaient jamais entendu parler du champion de saut en hauteur, Bob Haworth, et de ses exercices pour muscler le corps. Les oiseaux ne ressemblent pas aux humains, et leurs muscles, formés dès le départ, se développent naturellement. Quand un oiseau bat la campagne chaque jour en quête de nourriture, ses muscles ne risquent pas de s'atrophier.

Lorsque Colin fut enfin capable de marcher et de courir, bêchant et binant le jardin comme les autres, le nid devint plus paisible et les craintes que les deux rouges-gorges avaient éprouvées pour leurs œufs appartenaient désormais au passé. Puisque les œufs étaient en sécurité, à l'abri de toute cette agitation, la couvaison devenait des plus divertissantes. La femelle se sentait même un peu triste quand, les jours de pluie, les enfants ne venaient pas au jardin. Colin et Mary, quant à eux, ne s'ennuyaient pas ces jours-là. Un matin, alors qu'il pleuvait à verse, Colin commença à s'agiter sur le divan, parce qu'il fallait bien qu'il y reste de crainte qu'on ne le surprît debout.

— Je ne tiens plus en place, dit enfin Colin. Maintenant que la magie a agi sur mes jambes et mes bras, je suis comme tous les autres enfants et j'ai sans cesse envie de bouger ! Tu sais, Mary, je me réveille très tôt le matin et je peux alors écouter les premiers chants des oiseaux ; la nature tout entière semble exploser et crier de bonheur : les arbres, les plantes, et même les choses qu'on ne peut pas percevoir. C'est comme un appel qui me donne envie de sauter du lit et de me mettre à crier moi aussi ! Tu imagines ce qui se passerait si on m'entendait ?

Mary fut prise d'un fou rire.

— L'infirmière viendrait en courant, suivie de Mme Medlock. Je vois déjà la tête qu'elles feraient. Elles diraient que tu es devenu fou et elles feraient appeler le docteur Craven.

Colin ne put s'empêcher de rire à son tour, imaginant leur stupeur et leur panique si elles le trouvaient debout.

— J'aimerais bien que mon père revienne, dit-il. Je veux que ce soit moi qui le lui dise. Je n'arrête pas d'y penser, et de toute façon, on ne pourra pas continuer ce petit jeu longtemps. Je me sens tellement transformé que je supporte mal de rester au lit pour faire semblant d'être malade.

Les derniers mots de Colin inspirèrent à Mary une idée extraordinaire :

— A ton avis, lui demanda-t-elle, combien y a-t-il de pièces au total dans cette maison ?

— Je ne sais pas exactement, mille peut-être...

— Il y en a au moins une centaine où personne n'entre plus jamais. Un jour qu'il pleuvait comme aujourd'hui, je suis allée les explorer toutes, et si personne d'autre n'en a jamais rien su, Mme Medlock, elle, a bien failli me découvrir. En revenant, je m'étais égarée dans un couloir, tout près de ta chambre, et pour la deuxième fois, je t'ai entendu pleurer.

Captivé, Colin se redressa.

— Cent pièces où on n'entre jamais ! C'est un peu comme le jardin secret, dit-il. Si nous allions les visiter ensemble ? Tu pousseras mon fauteuil roulant et personne ne saura où nous sommes.

— C'est justement à cela que je pensais, continua Mary. Personne n'aura l'idée de nous suivre. Il y a de longs couloirs où tu pourras courir et nous y ferons même nos exercices de gymnastique. J'ai découvert aussi une pièce meublée à l'indienne dans laquelle sont exposés des éléphants en ivoire ! Il y a toutes sortes de pièces.

— Sonne tout de suite l'infirmière ! dit Colin.

Elle arriva et écouta les instructions du jeune malade.

— Je voudrais que l'on m'apporte mon fauteuil. Mlle Mary et moi, nous allons dans la partie inhabitée de la maison. Il faudra donc que John me porte jusqu'à la galerie où sont accrochés les tableaux à cause des escaliers, mais ensuite, il devra nous laisser tous les deux. Je le ferai rappeler plus tard.

A partir de ce matin-là, les jours de pluie ne furent

plus moroses du tout. Respectant les ordres du malade, le valet les accompagna jusqu'à la galerie de tableaux, puis se retira, au grand ravissement des enfants. Dès que Mary eut soigneusement vérifié que John avait bien regagné le rez-de-chaussée, Colin put enfin sortir de son fauteuil.

– Je vais faire des allers et retours en courant dans le couloir, dit-il aussitôt à Mary. Et puis je sauterai et nous commencerons nos exercices.

Ils firent bien d'autres choses encore. Ils contemplèrent la série de portraits et s'attardèrent sur celui de la fillette au visage ingrat, vêtue d'une robe de brocart vert et tenant un perroquet à la main.

– Tous ces gens doivent être des parents à moi qui vivaient ici. Celle-ci, avec le perroquet, est sans doute une de mes arrière-arrière-arrière-grand-tante. D'ailleurs, je trouve qu'elle te ressemble un peu ; pas à celle que tu es devenue, mais à celle que tu étais en arrivant ici. Depuis que tu as grossi, tu as bien meilleure mine.

– Toi aussi, lui dit Mary, et ils se mirent à rire.

Ils se rendirent ensuite dans le salon indien et s'amusèrent avec les éléphants en ivoire. Ils trouvèrent aussi le boudoir aux tentures de velours rose et un coussin troué dans lequel une souris avait niché mais, les petits ayant grandi, ils avaient quitté les lieux et laissé le trou vide. Ils visitèrent bien d'autres pièces encore et découvrirent plus de choses que Mary n'avait pu faire lors de sa première exploration : de nouveaux couloirs, encore des escaliers, des réduits remplis de tableaux et de vieux objets bizarres, dont ils ignoraient à quoi ils servaient autrefois. La matinée fut riche en surprises et très excitante. Comme c'était fascinant de partir à la découverte de sa propre maison, au milieu de personnages si inhabituels, que Colin avait le sentiment d'être à des milliers de kilomètres de là.

286

– Quelle bonne idée d'être venus ici, dit-il à Mary. Je ne savais pas que je vivais dans une vieille maison si bizarre et si vaste. Cela me plaît beaucoup. On pourra recommencer chaque fois qu'il pleuvra. C'est si grand qu'il y aura toujours de nouveaux trésors à dénicher !

Toutes ces découvertes leur avaient ouvert l'appétit et, de retour dans la chambre, renvoyer le déjeuner sans y toucher fut au-dessus de leurs forces. Lorsque l'infirmière rapporta le plateau à l'office, elle le posa bruyamment sur la desserte afin que la cuisinière remarquât les plats et les assiettes vides.

– Regardez-moi ça ! s'exclama-t-elle. C'est la maison de tous les mystères ! Et le plus troublant de tous, c'est ce qui se passe dans la tête de ces enfants !

– S'ils mangeaient comme ça tous les jours, renchérit John, qui était un solide jeune homme, je serais tout de même moins étonné que le petit monsieur pèse deux fois plus lourd que le mois dernier ! Je devrais peut-être quitter cette maison, avant de me démettre quelque chose en le portant.

Cet après-midi-là, Mary remarqua un changement dans la chambre de Colin. A vrai dire, elle l'avait déjà vu la veille mais, convaincue que c'était un pur hasard, n'avait rien osé dire. Cette fois non plus, elle ne dit rien. Elle se contenta de s'asseoir et fixa attentivement le tableau au-dessus de la cheminée. Il attirait désormais son attention car le rideau qui le dissimulait jusqu'à présent avait été tiré.

– Je sais que tu as envie que je t'en parle, dit Colin au bout d'un moment. Je devine toujours quand tu veux me faire dire quelque chose. Tu aimerais bien savoir pourquoi le rideau est tiré... Eh bien, à partir de maintenant, il restera comme ça.

– Et pourquoi ? demanda Mary.

– A présent, regarder maman sourire ne me met

plus en colère. Avant-hier, je me suis réveillé en pleine nuit ; il y avait un clair de lune magnifique et c'était comme si la magie pénétrait dans ma chambre. Tout devenait soudain si merveilleux que je me suis levé pour regarder par la fenêtre. La chambre était tout éclairée et un rayon de lune tombait juste sur le rideau ; alors, sans savoir vraiment pourquoi, je m'en suis approché et j'ai tiré le cordon. Elle avait posé ses yeux sur moi et j'ai eu l'impression qu'elle me souriait, heureuse de me voir là, debout devant elle. Voilà pourquoi j'aime la regarder maintenant et je veux toujours la voir rire ainsi. Je crois qu'elle aussi devait avoir quelque chose de magique.

— Tu lui ressembles tellement que j'en arrive parfois à penser que tu es sa réincarnation en garçon.

Cette idée semblait impressionner Colin. Il réfléchit longuement, puis dit en hésitant :

— Si c'était le cas, mon père m'aimerait, je crois.

— Tu voudrais qu'il t'aime, dit Mary.

— Autrefois, je détestais le portrait simplement parce que mon père ne m'aimait pas. S'il pouvait m'aimer à présent, je lui parlerais certainement de la magie. Peut-être retrouverait-il ainsi sa joie de vivre.

26
C'est ma mère !

Les enfants croyaient à présent dur comme fer à la magie. Ses incantations matinales accomplies, Colin soumettait aux autres ses propres réflexions.

– J'aime prendre ainsi la parole, expliquait-il, car plus tard, lorsque j'aurai fait de grandes découvertes scientifiques, je devrai les exposer au public. Je considère donc cela comme un entraînement. Étant donné mon âge, mes allocutions sont encore assez courtes et, de plus, si je parlais trop longtemps, Ben Weatherstaff aurait l'impression d'être à l'église et ne tarderait pas à s'endormir.

– Moi, ce que j'aime dans les conférences, dit Ben, c'est que n'importe qui peut se lever, prendre la parole et raconter tout ce qui lui passe par la tête, sans qu'on puisse lui répondre. Moi aussi, je vous ferais bien un petit laïus un de ces jours...

Chaque fois que Colin improvisait un discours sous le prunier, Ben, même s'il n'était pas toujours convaincu, n'avait d'yeux que pour lui. En fait, ce n'était pas tant le discours du jeune orateur qui l'intéressait, que ses jambes, chaque jour plus solides. L'enfant redressait fièrement la tête, ses joues si creuses autrefois et son menton si anguleux s'étoffaient et s'arrondissaient. Son regard aussi avait changé, et il y distinguait une lueur qu'il avait déjà vu briller dans d'autres yeux. Lorsque Colin surprenait Ben dans ces moments-là, il était certain de l'effet de son discours.

– Qu'en pensez-vous, Ben Weatherstaff ? lui demanda-t-il un jour, sentant le jardinier particulièrement transporté.

– Ce que j'en pense ? répondit Ben. J'en pense que je suis prêt à parier que tu as pris trois ou quatre kilos cette semaine ! Quand je regarde les mollets et les épaules que tu as aujourd'hui, je me dis que je serais drôlement curieux d'être fixé sur ton poids.

– C'est grâce à la magie ! dit Colin... Et peut-être au lait frais, aux galettes et à toutes les bonnes choses que nous prépare Mme Sowerby. Vous voyez, l'expérience scientifique a réussi.

Ce matin-là, Dickon n'arriva qu'à la fin de la conférence. Il était rouge d'avoir couru, et son visage était encore plus rayonnant qu'à l'accoutumée. Ils se mirent immédiatement à désherber car, après une bonne pluie tiède de printemps, le travail ne manque pas. L'eau se révèle aussi bénéfique pour les plantations que pour les mauvaises herbes. Ainsi valait-il mieux les arracher avant qu'elles ne prennent racine. Tout en continuant ses discours, Colin accomplissait cette tâche aussi aisement que les autres.

– La magie donne de meilleurs résultats quand on travaille soi-même, expliquait-il. On peut la sentir passer dans les os et les muscles. Je ferai quelques lectures sur ce sujet mais, plus tard, c'est sur la magie proprement dite, que j'écrirai. J'y réfléchis déjà et je découvre des tas de choses !

A cet instant, Colin lâcha son déplantoir et se redressa tout à coup. Comme il ne disait plus un mot depuis plusieurs minutes, les autres s'étaient dit qu'il devait encore penser à son prochain discours... Cependant, sa façon brusque de se redresser et de lâcher son outil attira l'attention de Mary et Dickon, qui comprirent qu'une idée soudaine avait traversé son esprit. Puis il s'étira de tout son long et écarta largement les bras d'un air de triomphe. Les yeux grands ouverts et le visage resplendissant de bonheur, il semblait avoir fait une découverte essentielle.

– Mary, Dickon ! s'écria-t-il. Regardez-moi ! Regardez-moi !

Ils s'arrêtèrent de travailler et se tournèrent vers lui, intrigués.

– Vous souvenez-vous, demanda-t-il, du jour où vous m'avez amené dans le jardin pour la première fois ?

Dickon le fixa droit dans les yeux. Même s'il n'en parlait jamais, il était capable de percevoir chez autrui ce qui, d'habitude, échappait à la plupart des gens. Il devinait ce que ressentait Colin à cet instant.

– Pour sûr qu'on s'en souvient, répondit-il.

Mary le fixait également, mais ne disait pas un mot.

– Cela m'est revenu subitement à l'esprit, continua Colin, en regardant ma main tenir ce déplantoir ! Alors, il a fallu que je me redresse et que je sente mes jambes pour être sûr que je ne rêvais pas. C'est à ce moment-là que j'ai réalisé que j'étais guéri : je vais bien maintenant ! Je suis guéri !

– Sûr que tu vas bien ! dit Dickon.

– Je suis guéri ! Je suis guéri ! répétait Colin, rouge de bonheur.

Il l'avait espérée, sa guérison, il y avait pensé, il l'avait sentie venir... Et pourtant, à cet instant précis, il touchait à cette certitude qui le submergeait comme une vague, et l'impression était si forte qu'il ne pouvait la contenir.

– Je vais vivre maintenant ! Je vais vivre ! s'exclamait-il, magnifique. Et je vais découvrir mille et mille choses ! Sur les gens, les animaux, sur la terre tout entière... Comme Dickon... jamais je n'abandonnerai la magie. Je suis guéri ! Je ne peux m'empêcher de le crier haut et fort pour dire au monde ma joie et ma reconnaissance.

Ben Weatherstaff, qui pendant ce temps travaillait au pied d'un rosier, jeta un coup d'œil vers lui.

– Tu n'as qu'à nous chanter le *Gloria*, lança-t-il de sa voix bourrue.

Il n'y avait pas de ferveur particulière dans la suggestion du vieux Ben, et entendre le *Gloria* lui importait peu. Colin, lui, toujours en quête de savoir, demanda :

– Qu'est-ce que c'est ?

– Dickon peut sûrement te le chanter, répondit Ben.

Dickon, qui suivait la conversation, afficha son sourire ensorcelant.

– On le chante à l'église, expliqua-t-il, et d'après ma mère, les alouettes aussi le sifflent à leur réveil.

– Alors ce doit être un chant magnifique, dit Colin. Mais moi qui étais toujours malade, jamais je ne suis allé à l'église. Chante, Dickon. J'aimerais l'entendre !

Dickon ne fit pas de manières. Il comprenait peut-être mieux que Colin lui-même ce que le petit garçon pouvait ressentir. Mais ce sixième sens lui paraissait si naturel qu'il ne le considérait même pas comme de l'intelligence. Continuant à sourire, il ôta son chapeau et regarda l'auditoire.

– Tout d'abord, vous devez enlever votre chapeau, dit-il à Ben et à Colin, et ensuite il faut vous lever.

Colin obéit et sentit le soleil chauffer son épaisse chevelure. Il ne quittait pas Dickon des yeux. Ben Weatherstaff se releva bon gré mal gré et se découvrit également, avec une moue dubitative, ne comprenant pas vraiment pourquoi il exécutait ce geste singulier.

Puis, parmi les arbres et les rosiers, Dickon se mit à

chanter le plus simplement du monde, d'une voix claire et masculine :

Gloire à Dieu dans les cieux
Paix pour nous sur la terre
Paix aux hommes de bonne volonté
Nous chantons Ta louange
Nous chantons notre joie
Nous T'adorons pour Ton amour
Et nous savons Te rendre grâce pour Ta gloire
infinie
Amen

Quand il eut terminé, Ben, imperturbable, ne desserra pas les dents. Il ne pouvait détacher les yeux de Colin qui restait songeur et admiratif.

– Je trouve ce chant très beau, dit-il enfin. Il exprime parfaitement ce que j'avais envie de crier tout à l'heure...

Il s'interrompit et, un peu décontenancé, réfléchit un instant.

– C'est aussi un hymne au bonheur. Recommence encore une fois, Dickon. Essayons nous aussi, Mary. J'ai envie de chanter. Ce cantique est le mien. Comment commence-t-il, déjà ? « Gloire à Dieu dans les cieux... » C'est cela ?

Ils reprirent tous ensemble, Colin et Mary s'efforçant d'accorder harmonieusement leur voix à celle de Dickon qui retentit soudain. Dès le deuxième vers, Ben s'éclaircit la gorge pour se joindre au chœur des enfants d'une voix si puissante qu'elle semblait presque sauvage. Au moment de dire « Amen », Mary remarqua qu'il avait la même expression que l'après-midi où, du haut du mur et juché sur son échelle, il avait compris que Colin n'était plus infirme. La gorge nouée et le regard immobile, il cligna discrètement des yeux afin de chasser les larmes qui roulaient le long de ses joues.

– Je n'avais jamais saisi le sens de ce chant, avoua-t-il finalement. Mais il n'est jamais trop tard pour apprendre ! Tu as bien pris deux ou trois kilos cette semaine, mon bonhomme !

Mais Colin ne l'écoutait déjà plus. Les yeux rivés sur la porte du jardin, il demanda brusquement :

– Qui est là ? Qui êtes-vous ?

Envahie par le lierre, la porte s'entrouvrit doucement et une femme entra dans le jardin. Elle était arrivée à la fin du cantique et était restée là, à les écouter chanter. Le soleil filtrait à travers le feuillage et jouait sur sa robe bleue qui se détachait sur le fond de lierre. Son joli visage frais et souriant leur apparut dans la verdure, telle une aquarelle délicatement colorée, tout droit sortie d'un livre de Colin. De son regard doux et généreux, elle semblait tout embrasser : les fleurs, les arbres, les animaux, les enfants, et même Ben Weatherstaff, lui inspiraient la même tendresse. Ainsi était-elle entrée dans le jardin secret sans qu'aucun d'eux n'ait vu en elle une intruse.

– C'est ma mère ! cria soudain Dickon. Voilà qui c'est !

Il courut à sa rencontre, suivi de Colin et de Mary qui sentaient leur cœur battre à tout rompre.

– C'est ma mère ! dit de nouveau Dickon quand ils se furent tous retrouvés. Je savais que vous vouliez la rencontrer, et je lui ai dit où était la porte.

Colin lui tendit une main timide en la dévorant des yeux.

– Même quand j'étais malade, dit-il, j'avais très envie de vous connaître, vous, Dickon, et le jardin... Jamais encore je n'avais désiré connaître quelque chose ou quelqu'un.

A la vue de ce jeune visage levé vers elle, Susan

Sowerby se troubla ; elle rougit et ses lèvres trem-
blèrent, tandis que ses yeux se voilaient.

– Mon cher petit ! laissa-t-elle échapper d'une voix
tremblante et émue. Mon cher petit ! ne pouvait-elle
s'empêcher de répéter.

Elle ne disait pas « monsieur Colin », mais « cher
petit » comme elle l'aurait dit à son propre fils. Colin y
fut extrêmement sensible.

– Vous devez être surprise de me voir rétabli,
n'est-ce pas ?

Elle lui mit la main sur l'épaule et un sourire effaça
le trouble de ses yeux.

– C'est si merveilleux ! dit-elle. Tu ressembles tellement à ta mère que j'en suis toute bouleversée...

– Si je lui ressemble, poursuivit Colin d'un ton un
peu embarrassé, croyez-vous que mon père m'aimera,
maintenant ?

– Oui, j'en suis sûre ! répondit-elle en lui tapotant
légèrement l'épaule. Il faudrait qu'il rentre, à présent.
Oh ! oui, il faudrait qu'il revienne !

– Vous avez vu ça, Susan, lança Ben Weatherstaff
en s'approchant. Vous avez vu les jambes qu'il a !
C'est pas croyable ! Y a pas deux mois, on aurait dit
des baguettes de tambour... Tout le monde disait qu'il
avait les jambes arquées ou cagneuses, si ce n'était pas
les deux à la fois !

Susan Sowerby rit de bon cœur.

– Au train où vont les choses, dit-elle, ce petit aura
bientôt de solides jambes. Et si, Dieu merci, il continue à courir, à jardiner et à boire beaucoup de lait, ce
seront les meilleures jambes de la région !

Elle prit Mary par les épaules et lui dit affectueuse-
ment :

– Toi aussi, tu as bien changé. Te voilà presque
aussi grande que ma Lizbeth Ellen. Je suis sûre que tu
ressembles à ta mère également. Martha m'a dit que,

selon Mme Medlock, c'était une très jolie femme. Tu seras jolie comme une rose, ma petite fille. Et que Dieu te bénisse !

Elle se garda bien de mentionner les remarques que Martha avait faites lorsqu'elle était venue passer une journée au cottage. Elle avait alors parlé d'une petite fille au visage ingrat et au teint jaunâtre. Elle ne pouvait se résoudre à croire ce que racontait Mme Medlock qui avait même déclaré : « Je me demande comment une jolie femme a pu mettre au monde un laideron pareil. »

Mary ne s'était même pas aperçue de sa propre transformation. Elle avait seulement remarqué qu'elle avait l'air « différent » et que ses cheveux étaient plus épais qu'autrefois. Mais, se rappelant le visage tant adoré de sa mère et le plaisir qu'elle éprouvait encore, elle fut heureuse d'entendre qu'elle lui ressemblerait un jour.

Les enfants firent découvrir le jardin secret à Mme Sowerby ; ils lui en racontèrent toute l'histoire en lui montrant chaque arbre, chaque rosier. Colin marchait à sa droite, Mary à sa gauche. Tous deux ne pouvaient détourner leurs yeux de ce visage avenant au teint de rose qui les réconfortait. Elle paraissait les comprendre de la même façon que Dickon comprenait les animaux. Elle se penchait sur les fleurs et leur parlait comme à des enfants. Le corbeau la suivait aussi ; il poussa deux petits croassements en voletant autour d'elle, comme il faisait avec Dickon. Quand ils lui parlèrent du rouge-gorge et des premières envolées des petits, elle eut un rire enjoué et tendre.

– Ce doit être un peu comme quand nos enfants commencent à marcher. Mais je m'inquiéterais davantage s'ils avaient des ailes ! ajouta-t-elle.

Elle avait l'air d'une femme si merveilleuse, et d'une

telle simplicité, que le petit groupe décida de lui parler de la magie.

– Vous croyez aux pouvoirs de la magie ? lui demanda Colin après lui avoir parlé des fakirs.

– Bien sûr que j'y crois, mon garçon, même si je ne lui donne pas ce nom-là. Mais ça n'a aucune importance car, d'un pays à l'autre, les mots changent. Pourtant, ils expriment la même chose. En tout cas, c'est bien la même chose qui fait pousser les plantes, briller le soleil, et qui t'a remis sur tes jambes, mon petit. Le nom qu'on lui donne importe peu, mais je sais que c'est une force très bénéfique à laquelle nous devons toujours faire confiance, sachant que le monde entier et notre vie à tous en dépendent. Tu peux l'appeler comme bon te semble mais, en entrant dans le jardin, j'ai su immédiatement que vous chantiez en son honneur.

– J'étais si heureux, dit Colin en levant vers elle ses grands yeux étranges et magnifiques. Tout à coup j'ai vraiment compris que j'étais devenu quelqu'un d'autre, que mes jambes et mes bras étaient à moi, que je tenais debout... Et, soudain, il a fallu que je me redresse pour crier au monde entier le bonheur qui me submergeait !

Il la regardait tout en parlant, et il ouvrait des yeux immenses.

– La magie vous a entendu chanter le *Gloria*. Il aurait très bien pu s'agir d'un autre chant, car seule votre joie comptait ; finalement, mon petit, peu importe le nom de celui qui vous l'a inspirée !

Et elle lui tapota l'épaule à nouveau.

Ce matin-là, Mme Sowerby leur avait préparé un vrai festin, et, lorsque les appétits se réveillèrent, Dickon alla chercher le panier à l'endroit habituel. Elle s'assit avec eux sous l'arbre et, ravie, les regarda dévorer leur pique-nique. Elle était drôle et les fit rire en leur contant toutes sortes d'histoires du pays en patois du Yorkshire dont ils apprirent même quelques mots. Quand les enfants lui énumérèrent les difficultés qu'ils rencontraient pour faire croire à tous que Colin était resté un pauvre infirme, elle ne put s'empêcher de rire à son tour.

– Ce n'est pas compliqué, expliqua Colin, dès que nous sommes ensemble, nous ne pouvons pas nous arrêter de rire ! Ce ne sont pas vraiment les réactions d'un malade ; on a beau essayer de se retenir, on finit par exploser et c'est encore pis !

– Une image me revient toujours au moment où je m'y attends le moins, dit Mary, et j'éclate de rire. Je m'imagine Colin avec un visage rond comme un ballon ! D'ailleurs, s'il continue à grossir, ça risque de lui arriver... Je me demande ce que nous ferons ce jour-là !

– Je vois que vous n'êtes pas à court d'idées, s'exclama Susan Sowerby. Mais bientôt, vous n'aurez plus à utiliser toutes ces ruses. M. Craven va revenir...

– Vraiment ? Vous croyez ? dit Colin. Qu'est-ce qui vous le fait croire ?

– Si quelqu'un lui annonçait la merveilleuse nouvelle avant que tu aies pu le faire toi-même, j'imagine que tu en aurais le cœur brisé. Tu as dû souvent y penser, la nuit.

– Je ne pourrais pas supporter que quelqu'un d'autre lui en parle, déclara Colin. Tous les jours j'invente une nouvelle façon de le lui dire. Mais aujourd'hui, j'ai décidé que j'entrerai tout simplement dans sa chambre en courant.

– Quelle surprise tu vas lui faire, mon garçon ! s'exclama Mme Sowerby. Comme j'aimerais le voir à ce moment-là ! Il faut qu'il rentre maintenant. Oui, il faut qu'il revienne !

Puis ils parlèrent de la journée qu'ils passeraient tous ensemble au cottage. Ils étudièrent la question dans ses moindres détails : traverser la lande en voiture, pique-niquer dans la bruyère... Et puis, ils feraient la connaissance des dix frères et sœurs de Dickon et découvriraient son jardin ! Enfin, morts de fatigue, ils rentreraient au manoir.

Mme Sowerby finit par se lever car elle voulait passer voir Mme Medlock. Cela signifiait aussi qu'il était temps pour Colin de rentrer et de retourner à son fauteuil. Mais, auparavant, il s'approcha de la mère de Dickon, la regarda dans les yeux et, dans un élan d'affection, saisit un pan de sa robe bleue pour la retenir un instant.

– Vous êtes exactement comme je vous imaginais, lui dit-il. Si seulement vous pouviez être ma mère et Dickon, mon frère !

Mme Sowerby se baissa, prit Colin dans ses bras et le serra contre son cœur, comme s'il avait été son propre fils. Ses yeux, encore une fois, se voilèrent de larmes.

– Mon cher petit ! dit-elle. Ta mère, la tienne, est dans ce jardin, j'en suis persuadée. Elle ne le quittait jamais, autrefois, tant elle l'aimait. Maintenant, il faut que ton père revienne, il le faut absolument !

27
Dans le jardin

Au fil des siècles, les hommes ont fait de prodigieuses découvertes. Le siècle dernier en fut particulièrement riche, et notre époque ne manquera pas d'en révéler des centaines, plus surprenantes les unes que les autres. Mais toute nouveauté suscite bien des réticences et une extrême méfiance. Les hommes refusent d'emblée le progrès alors que, dès qu'ils sont habitués à quelque chose, ils ne comprennent pas pourquoi personne n'y avait pensé plus tôt.

Le siècle précédent a vu naître l'idée que nos pensées recèlent de réels pouvoirs et une énergie aussi active que celle d'une pile ou d'une batterie. Toutefois, pour l'homme, cette énergie peut se révéler aussi bénéfique que le soleil, ou aussi néfaste qu'un poison. Une mauvaise pensée peut être aussi dangereuse pour l'esprit qu'une mauvaise fièvre pour le corps et, si vous ne la chassez pas, elle vous poursuivra toute votre vie.

Aussi longtemps que Mary eut à l'esprit de sombres pensées, qu'elle considéra les autres avec rancœur et aversion, ne se sentant jamais séduite ni intéressée par quoi que ce soit, elle fut une fillette déprimée, maladive et très triste. Pourtant, les événements prirent une tournure plus favorable et, sans qu'elle s'en aperçoive, ils commencèrent à la transformer. Petit à petit, elle ne pensa qu'aux rouges-gorges, au cottage sur la lande avec les enfants, à son vieux jardinier bougon et à sa jeune servante du Yorkshire, sans oublier le jardin secret qui renaissait au printemps et Dickon, l'ami des animaux. Comme par enchantement, la morosité qui l'affaiblissait et affectait sa santé finit par disparaître.

Colin, de son côté, avait vécu enfermé dans sa chambre, torturé par ses craintes et ses faiblesses, détestant le regard des autres. L'idée de devenir bossu ou de mourir bientôt lui avait été si insupportable, qu'il était resté un petit garçon hystérique, dépressif et presque fou, ne connaissant ni le soleil ni la douceur du printemps. Jamais Colin n'avait imaginé qu'un jour il guérirait ni qu'il réussirait à marcher. Pourtant, à mesure qu'il s'ouvrait au monde, Colin abandonna ses idées noires et prit soudain goût à la vie. Il sentit une force rédemptrice l'envahir peu à peu et un sang neuf afflua dans ses veines. Son expérience scientifique n'avait, en fait, rien d'extraordinaire quand on pense à tout ce qui peut arriver si nous nous efforçons de chasser nos pensées les plus déplaisantes. Comme dit le dicton : « Là où tu plantes une rose, mon fils, jamais le chardon ne repousse. »

Alors que le jardin secret et les enfants ressuscitaient, un homme parcourait de belles et lointaines régions depuis les fjords norvégiens jusqu'aux montagnes suisses... Il n'avait jamais eu la force de chasser les sombres pensées qui lui brisaient le cœur depuis déjà dix ans. D'ailleurs, il n'avait jamais essayé, et son désespoir l'accompagnait jusqu'au bord des eaux bleues des lacs ou le long des prairies couvertes de gentiane. Frappé en plein bonheur, il s'était enfermé dans une extrême tristesse, fuyant sa maison et ses devoirs de père. Lorsqu'il voyageait, son malheur était si apparent qu'il n'échappait à personne, comme si l'atmosphère s'était tout à coup assombrie. Les étrangers qui le voyaient le prenaient pour un fou, ou encore le soupçonnaient d'avoir un crime sur la conscience. C'était un homme de haute taille, au visage émacié et aux épaules voûtées ; sur le registre des hôtels il avait pour habitude de signer : Archibald Craven, manoir de Misselthwaite, Yorkshire, Angleterre.

Il avait traversé de nombreux pays depuis le jour où il avait reçu Mary dans son bureau et qu'il lui avait permis de posséder un petit lopin de terre dans le parc. Préférant l'isolement des lieux les plus retirés, et ne restant jamais plus de deux jours au même endroit, il avait vu les plus beaux sites d'Europe. Il avait atteint les cimes les plus hautes et admiré les plaines et les montagnes alentour baignées par une lumière originelle. Mais rien de tout cela n'avait pu le tirer de son désespoir.

Un jour, pourtant, le premier depuis dix ans, il sentit une chose étrange se produire.

Au cœur du Tyrol autrichien, il arpentait une vallée si magnifique qu'aucune âme ne pouvait y être insensible. Il marchait depuis longtemps déjà, quand, à bout de force, il s'allongea sur un tapis de mousse au bord d'un ruisseau. A travers les herbes flottantes, l'eau claire et chantante courait de pierre en pierre. Des oiseaux s'y arrêtaient pour boire, avant de filer à tire-d'aile. La vie et le chant du cours d'eau ne parvenaient pas, cependant, à troubler le silence de la vallée.

Le regard plongé dans l'eau vive et transparente, Archibald Craven sentit le calme de la vallée gagner peu à peu son corps et son esprit. Il crut d'abord qu'il s'endormait, mais le sommeil ne venait pas. Alors, il s'assit, regardant le soleil miroiter sur l'eau, et il aperçut sur la rive une myriade de myosotis tout éclaboussés par l'eau du ruisseau. Il ne se rappelait pas avoir contemplé un tel spectacle depuis des années. Il s'émerveilla soudain devant des milliers de petites fleurs bleues. Il ne se doutait pas qu'à cet instant précis ses tristes pensées l'abandonnaient ; c'était comme si une source vive et limpide avait surgi des eaux noires et immobiles. A force de contempler le bleu des fleurs il avait senti que, tout, autour de lui, s'était apaisé.

Ayant perdu toute notion du temps, il ne comprenait pas ce qui lui arrivait. Puis, comme s'il sortait d'un profond sommeil, il se releva doucement et respira profondément. Il ne se sentait plus le même homme. Quelque chose d'indéfinissable s'était détaché de lui, comme une délivrance...

– Qu'est-ce qui m'arrive ? murmura-t-il, en se passant la main sur le front. J'ai l'impression de vivre à nouveau...

Nous ne savons toujours pas expliquer un tel phénomène. Il ne pouvait lui-même l'interpréter ; ce n'est que plusieurs mois plus tard que, de retour au manoir, il découvrit que ce même jour Colin s'était écrié en pénétrant dans le jardin : « Je vais vivre, maintenant ! Je vais vivre ! »

Cette étrange sensation de calme ne quitta pas M. Craven jusqu'au soir et il put profiter d'une nuit paisible. Mais il ignorait qu'il pouvait conserver cette tranquillité d'esprit et, dès la nuit suivante, ses idées noires l'assaillirent de nouveau. Il quitta la vallée et reprit son voyage. Pourtant – et il ne pouvait se l'expliquer –, il lui arrivait d'éprouver pour quelques instants seulement un profond soulagement, comme si les sombres pensées qui l'accablaient avaient disparu. Au moment où le jardin renaissait, M. Craven reprenait goût à la vie.

Les ors de l'été firent place aux ocres de l'automne.

Le père de Colin se rendit alors au lac de Côme où il vécut comme dans un rêve. Il passait de longues journées à contempler le bleu cristallin du lac, faisait d'interminables promenades dans les épais sous-bois dans le seul but de pouvoir s'endormir le soir bien que, désormais, son sommeil se fît plus paisible et que ses horribles rêves ne l'eussent plus tourmenté. «Commencerais-je à reprendre des forces?» se demanda-t-il intérieurement...

Son corps s'était non seulement fortifié, mais, grâce aux quelques heures de sérénité durant lesquelles son esprit parvenait à s'apaiser, son âme aussi s'était revigorée. Il recommença à penser au manoir de Misselthwaite et envisagea son retour. De temps en temps, il lui arrivait de penser à Colin. Il se demandait alors ce qu'il éprouverait quand, devant le lit à colonnes, il reverrait ce mince et pâle visage aux yeux clos bordés de longs cils noirs... Cette seule vision le fit frissonner.

Par une magnifique journée, sa promenade l'avait entraîné si loin qu'il ne rentra qu'à la nuit. La lune inondait le paysage d'une lumière bleue argentée. La paix du lac et de ses rives, la sérénité des sous-bois lui parurent si exceptionnelles qu'au lieu de regagner la villa où il logeait, Craven s'installa sur une terrasse au bord de l'eau et s'enivra des délicieux parfums de la nuit. Une étrange quiétude l'envahit jusqu'au plus profond de lui-même et il sombra dans le sommeil...

Il ne se sentit pas s'endormir et fit un rêve si intense et si réel qu'il n'eut jamais le sentiment d'avoir rêvé. Il eut l'impression plus tard d'avoir gardé l'esprit parfaitement en éveil et perçu chaque détail avec une extrême acuité. Tandis qu'il était assis, bercé par le clapotement des vagues sur les rives du lac et respirant l'air parfumé de cette heure tardive, il crut entendre une voix qui l'appelait au loin... C'était une voix claire, heureuse et d'une extrême douceur ; elle semblait venir de si loin, et pourtant il la percevait très distinctement.

– Archie, Archie, Archie ! disait-elle.

Puis la voix se tut un instant pour se faire plus distincte et plus douce encore.

– Archie, Archie, reprit-elle.

Bien que plongé dans son rêve, il eut soudain l'impression de se relever.

La voix lui semblait maintenant aussi réelle que naturelle.

– Lilia ! Lilia ! répondit-il, tu es là ? Où es-tu Lilia ?

– Dans le jardin... avait répondu la voix, aussi pure que le son d'une flûte. Dans le jardin !

Et le rêve cessa, mais il ne se réveilla pas ; il goûta un sommeil profond et paisible toute la nuit. Le lendemain matin, le soleil brillait déjà haut dans le ciel lorsqu'il s'éveilla. Auprès de lui, un domestique italien patientait. Comme tous les autres domestiques de la villa, il s'était habitué aux extravagances de l'étranger. Nul ne savait quand il sortait, quand il rentrait, s'il préférerait errer toute la nuit au jardin, ou dormir seul sur le lac au fond d'une barque. L'homme apportait quelques lettres sur un plateau et attendait en silence que l'hôte anglais se décidât à les prendre. Quand l'homme se fut éloigné, M. Craven garda un moment ses lettres à la main et contempla le lac. Il se sentait toujours aussi calme, mais quelque chose d'autre avait changé ; un soulagement intérieur lui faisait oublier son malheur. Seul le rêve de la veille occupait son esprit et lui paraissait réel.

– Dans le jardin ! répéta-t-il, étonné. Dans le jardin ! Mais la porte est fermée et la clef enterrée...

Reprenant ses esprits, il jeta un rapide coup d'œil sur les lettres et vit que la première venait du Yorkshire. Bien qu'il ne connût pas cette écriture, l'adresse avait apparemment été libellée par une main de femme. Il ouvrit la lettre assez distraitement, mais les premiers mots attirèrent son attention.

> *Cher monsieur,*
> *Je m'appelle Susan Sowerby, la femme qui s'est un jour permis de vous parler sur la lande. C'était à propos de Mlle Mary.*
> *J'aurai l'audace, cette fois, de vous prier de rentrer à la maison. Je crois que vous seriez heureux de revenir et – si vous me le permettez, monsieur – je crois que votre propre femme, si elle était encore parmi nous, vous le demanderait aussi.*
> *Votre servante dévouée,*
> *Susan Sowerby*

M. Craven relut la lettre, puis la remit dans son enveloppe. Son rêve l'obsédait toujours.

– Je vais rentrer à Misselthwaite, dit-il. Et je pars aujourd'hui même !

Il retourna à la villa par le jardin et ordonna à Pitcher de préparer ses bagages.

Quelques jours plus tard, il atteignait le Yorkshire et ce long voyage en train lui permit de penser à son fils comme jamais il ne l'avait fait depuis dix ans. Pendant tout ce temps il avait souhaité l'oublier, alors que, aujourd'hui, les souvenirs lui revenaient sans cesse. Il se rappelait le jour du drame où il avait cru devenir fou quand on lui avait appris que l'enfant avait survécu mais que la mère était morte. Il avait refusé de voir le bébé, puis s'y était enfin résolu pour découvrir un enfant chétif et souffrant, dont chacun s'accordait à penser qu'il ne survivrait pas. Puis, à la surprise générale, l'enfant resta en vie et grandit ; chacun pensa alors qu'il ne serait jamais qu'un être difforme et infirme.

Il n'avait pas voulu être un mauvais père ; c'était

plutôt comme s'il n'avait jamais été père. L'enfant avait grandi dans le luxe, entouré d'infirmières et de médecins, mais M. Craven frémissait d'horreur à la seule pensée de cet enfant et retombait dans un désespoir toujours plus profond. Après une année d'absence, il était revenu à Misselthwaite et n'avait pas supporté la vue de cette pauvre créature aux grands yeux gris bordés de longs cils noirs à la fois si semblables et tristement différents de ceux qu'il avait jadis adorés. Ce jour-là, il avait détourné son regard, plus pâle que la mort. Ensuite, il n'avait plus voulu voir Colin, sauf quand il dormait. L'image qu'il avait désormais de lui était celle d'un infirme à vie, à l'esprit sournois et aliéné, en proie à de terribles crises d'hystérie que son entourage tentait d'éviter en lui passant ses moindres caprices.

Remuer tous ces souvenirs n'avait rien de très réjouissant. Pourtant, dans ce train qui filait au rythme des montagnes et des plaines dorées par le soleil d'automne, cet homme, qu'une voix douce et lointaine ramenait lentement à la vie, commençait à envisager la réalité et à réfléchir plus longuement sur lui-même.

« Et si durant toutes ces longues années je m'étais tout bonnement trompé, pensait-il. Dix ans, c'est bien long. Sans doute est-il déjà trop tard pour sauver quoi que ce soit. Mais à quoi ai-je bien pu penser pendant tout ce temps ? »

Comme le lui aurait expliqué Colin, commencer par dire qu'il était « trop tard » supposait que M. Craven n'utilisait pas la magie de la meilleure façon qui soit. En fait, qu'il s'agisse de magie blanche ou noire, il n'y connaissait strictement rien et il lui restait beaucoup à apprendre sur le sujet.

Il s'interrogeait sur la signification de cette lettre.

Qu'est-ce qui avait bien pu pousser Mme Sowerby à lui écrire ? Peut-être était-ce le pressentiment d'une issue fatale et proche ? Heureusement, l'étrange sentiment de calme qui s'était maintenu en lui l'empêcha de s'effondrer et, armé de tout le courage et l'espoir nécessaires, il réussit, cette fois, à chasser ses idées les plus sombres et à croire en un avenir meilleur.

« Peut-être a-t-elle pensé que ma présence serait bénéfique à Colin, qu'elle lui apporterait un peu d'équilibre ? se disait-il. Il faut absolument que je la voie avant d'arriver à Misselthwaite. »

Arrivé sur la lande, M. Craven arrêta sa voiture devant le cottage des Sowerby ; sept ou huit enfants, qui jouaient non loin de là, vinrent l'accueillir et le saluèrent poliment. Ils lui apprirent que leur mère était partie tôt, le matin, aider une femme qui venait de mettre au monde un bébé.

– Dickon, lui, s'empressèrent-ils d'ajouter, est au manoir et travaille dans un jardin presque tous les jours de la semaine.

M. Craven considéra ces gentils visages ronds et roses, et la vue de cette joyeuse marmaille si sympathique le réconforta un instant. Il leur sourit en retour et tira de sa poche un souverain d'or, qu'il tendit à Lizbeth Ellen, l'aînée.

– Tu le partageras en huit demi-couronnes, dit-il.

Ravis et confondus en remerciements, les enfants arboraient de larges sourires. Puis M. Craven repartit, laissant derrière lui les enfants qui se donnaient des coups de coude et sautaient de joie.

La beauté de la lande eut un effet plus apaisant encore. Pour la première fois, il avait vraiment l'impression de rentrer chez lui. Cette terre, ce ciel, et ces tapis de bruyère lui paraissaient soudain si familiers qu'il pensait ne plus ressentir un jour une telle émotion. Il se rapprochait de l'ancienne demeure, qui appartenait à sa famille depuis près de six siècles, et se souvenait avoir fui ces nombreuses pièces closes et froides, ainsi que le petit garçon au fond de son lit à colonnes et aux tentures de velours. Le trouverait-il changé ? Lui serait-il possible de le regarder sans crainte ? Le rêve lui avait semblé si réel et cette voix si proche et si douce qu'il l'entendait encore lui répéter : « Dans le jardin... Dans le jardin... »

« Je trouverai cette clef, se dit-il, et j'essaierai d'ouvrir la porte. Il le faut... Je ne sais pas pourquoi, mais je dois le faire... »

Quand il arriva au manoir, les domestiques – qui l'accueillirent avec les révérences d'usage – remarquèrent qu'il allait mieux et qu'il tardait à rejoindre ses appartements où, loin de tous, il avait l'habitude de s'enfermer avec Pitcher pour unique serviteur. Il

gagna la bibliothèque et convoqua Mme Medlock qui arriva l'air passablement agitée, curieuse et troublée à la fois.

– Dites-moi comment se porte M. Colin, madame Medlock ! lui demanda-t-il.

– Ma foi, monsieur, commença-t-elle, un peu gênée, je dirai que, d'une certaine manière, il n'est pas... disons qu'il n'est plus vraiment le même.

– Son état aurait-il empiré ? demanda M. Craven.

Le visage de Mme Medlock trahit un certain embarras.

– Le problème, voyez-vous, monsieur, c'est que ni le docteur Craven, ni l'infirmière, ni moi-même ne sommes parvenus à comprendre ce qui lui arrive exactement...

– Comment cela ?

– Eh bien, pour tout vous dire, monsieur, il se peut qu'il aille mieux, mais il est possible en même temps qu'il soit sur le point d'aller plus mal. Il a des sautes d'appétit qui dépassent l'entendement, et des façons de se comporter...

– Il est encore plus... « bizarre », c'est bien cela ? suggéra M. Craven, dévoré d'inquiétude.

– C'est exactement cela, monsieur. Colin devient de plus en plus bizarre, surtout quand on se rappelle ce qu'il était avant. Lui qui d'habitude ne mangeait rien, voilà qu'il s'est mis à dévorer comme un ogre ! Et puis, du jour au lendemain, il n'avale plus rien de nouveau, nous retournant ses repas sans les avoir entamés. Peut-être l'ignorez-vous, mais il avait toujours refusé de sortir du manoir. Si vous saviez combien il était difficile de le décider à prendre l'air ! Il se mettait dans des états tels que le docteur Craven lui-même a fini par y renoncer. Et voilà que, à peine remis d'une violente crise d'hystérie, il a demandé à sortir chaque jour avec Mlle Mary et Dickon, le fils de Susan Sowerby, afin qu'il pousse son fauteuil roulant. Il s'est véritablement entiché de ces deux enfants. Le garçon a même amené ici ses animaux apprivoisés ! Eh bien, vous n'allez pas me croire, mais je vous assure que Colin passe désormais toutes ses journées dehors !

– Mais, physiquement, comment est-il ? demanda enfin M. Craven.

– S'il prenait ses repas normalement, on pourrait presque penser qu'il a grossi. Mais, en fait, on redoute un début de congestion ou quelque chose de ce genre. M. Colin rit souvent d'une façon assez bizarre avec Mlle Mary, quand on les laisse seuls tous les deux à jouer ou à lire dans la chambre. Avant, il ne riait jamais. Le docteur Craven, qui s'interroge beaucoup à son sujet, viendra vous en parler personnellement. Je ne l'ai jamais vu aussi déconcerté.

– Où puis-je trouver Colin en ce moment ? dit M. Craven.

– Dans le jardin, monsieur. Dans le jardin... Il y passe tout son temps. Mais il n'autorise personne à l'accompagner, de peur qu'on le regarde !

M. Craven entendit à peine ces dernières paroles.

– Dans le jardin... répéta-t-il après le départ de l'intendante.

Il restait là, immobile dans la bibliothèque, à se répéter sans cesse : « Dans le jardin... Dans le jardin... »

Puis, s'efforçant de reprendre ses esprits et de revenir à la réalité, il sortit précipitamment du manoir.

Il emprunta le même chemin que Mary, passa par la porte donnant sur le potager, longea les lauriers et les massifs près du bassin. Il remarqua que la fontaine chantait à présent, au milieu des parterres fleuris. Il traversa la pelouse et atteignit la grande allée qui suivait le mur couvert de lierre. Il marchait lentement, les yeux rivés au sol. Sans qu'il puisse se l'expliquer, cet endroit qu'il avait si longtemps évité et tenté d'oublier l'attirait aujourd'hui. Au fur et à mesure qu'il approchait, il ralentissait le pas.

Malgré le lierre qui la dissimulait, il savait où était la porte, mais il ne savait plus très bien où il avait enfoui la clef. Il s'arrêta et regarda autour de lui. Tout à coup, il sursauta et prêta l'oreille, en se demandant s'il n'était pas encore en train de rêver.

L'épais feuillage avait envahi la porte, et la clef était enterrée un peu plus loin, sous les buissons. Depuis dix longues années, personne n'avait poussé le portail, et pourtant, des bruits semblaient venir du jardin. Des bruits de pas, de courses autour des arbres, et puis d'étranges conversations à voix basse, ponctuées de cris joyeux. Cela ressemblait à des enfants qui s'empêcheraient de rire mais qui, lorsque l'excitation grandit, oublient cette précaution. M. Craven se demandait ce que tout cela pouvait signifier et si c'était toujours ce rêve qui continuait. Peut-être même était-il en train de perdre la raison et d'entendre des voix ! Mais peut-être était-il, enfin, sur le point de comprendre ce que le doux écho de son rêve avait voulu lui confier.

Puis le moment arriva où les rires éclatèrent et se déchaînèrent enfin. Les bruits de courses se rapprochaient derrière la porte du jardin... Il entendit une forte respiration suivie d'éclats de rires irrépressibles, et, soudain, au-dessous du rideau de lierre, la porte s'ouvrit. Un garçon courant à toute vitesse surgit si rapidement que, sans avoir eu le temps de voir le nouvel arrivant, il tomba presque dans ses bras.

Surpris, M. Craven eut le réflexe de tendre les bras pour empêcher l'enfant de tomber. Mais, lorsqu'il l'écarta de lui pour le regarder, il eut le souffle coupé.

C'était un grand et beau garçon, débordant de vie. Il avait les joues rouges d'avoir couru et, rejetant ses lourdes boucles en arrière, leva vers lui deux grands yeux rieurs.

– Qu'est-ce... Mais... balbutia M. Craven.

Ce n'était pas exactement les retrouvailles que Colin avait espérées. Il n'avait jamais envisagé les choses ainsi, mais finir sa course dans les bras de son père était vraiment la plus belle façon de le retrouver. Il se redressa autant qu'il put, et Mary qui courait derrière lui, franchissant la porte à son tour, le trouva plus grand que jamais.

– Père, dit-il, c'est moi, Colin ! Je devine que vous avez du mal à croire, mais c'est bien moi !

– Dans le jardin... Dans le jardin... ne cessait de répéter M. Craven.

Colin ne comprenait pas pourquoi son père répétait ces mots, mais il s'écria :

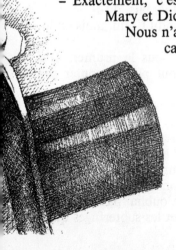

– Exactement, c'est grâce au jardin ! Le jardin, Mary et Dickon, les animaux... et la magie ! Nous n'avons jamais rien dit à personne car nous voulions que vous soyez le premier à l'apprendre. Je suis guéri, maintenant. Je viens même de battre Mary à la course et, si je continue à m'entraîner, je deviendrai un vrai athlète ! Le visage éblouissant, Colin avait parlé avec une telle vivacité et une telle hâte, que M. Craven, ivre de bonheur, ne pouvait contenir sa joie.

– Êtes-vous heureux, père ? dit enfin Colin. Êtes-vous heureux ? Vous rendez-vous compte que je vais vivre ? Je vais vivre pendant des siècles !

M. Craven prit son fils par les épaules et le serra contre lui, incapable de prononcer le moindre mot.

– Emmène-moi dans le jardin, mon garçon, parvint-il à dire enfin. Et tu me raconteras tout.

Ils le firent pénétrer dans le jardin secret qui resplendissait de mille fleurs sauvages aux couleurs pourpres et dorées de l'automne. Les derniers lys jaillissaient de tous côtés en gerbes rouges et blanches, et il se rappela l'année où ils avaient été plantés pour qu'ils embellissent le jardin à la fin de la saison. Les roses d'automne retombaient en bouquets harmonieux alors que les rayons du soleil rehaussaient l'éclat des feuillages jaunissants et brillants comme les coupoles d'un temple d'or. Il restait silencieux et regardait autour de lui, comme les enfants le jour où, pour la première fois, ils avaient découvert le jardin sombre et triste.

– Je croyais ce jardin mort à jamais, dit-il.

– Mary aussi, au début, répondit Colin, mais on lui a rendu la vie.

Ils s'assirent tous ensemble sous le prunier, sauf Colin qui tenait à rester debout pour raconter son aventure.

Jamais M. Craven n'avait entendu pareille histoire et il ne perdait pas un détail du long récit que Colin racontait d'une traite : le mystère, la magie, les animaux, sa rencontre avec Mary au milieu de la nuit... Et puis l'arrivée du printemps, l'insulte de Ben Weatherstaff qui avait blessé son orgueil et l'avait tiré de son fauteuil roulant. Il n'oublia pas non plus l'étrange cercle des magiciens et les subterfuges qu'ils avaient imaginés afin de ne pas éveiller les soupçons et de garder le secret. M. Craven riait, souvent jusqu'aux larmes, même si ce n'étaient pas toujours des larmes de joie. Il découvrait un être gai, drôle et débordant de vie, à la fois athlète, conférencier et savant en herbe !

– Désormais, dit Colin pour conclure, nous n'avons plus besoin de garder le secret ; et même si je m'attends à provoquer quelques attaques en arrivant au manoir, j'y retournerai en marchant à vos côtés et ne remonterai plus jamais dans ce fauteuil.

Ben Weatherstaff était rarement occupé aux cuisines mais, ce jour-là, il trouva le prétexte, plutôt ingénieux, d'apporter quelques légumes.

Mme Medlock lui ayant offert un verre de bière à l'office, il put facilement assister, comme prévu, à l'événement le plus extraordinaire de toute l'histoire de Misselthwaite. Depuis l'une des fenêtres de l'office qui donnaient sur la cour, on pouvait apercevoir un bout de la pelouse. Sachant que Ben arrivait des jardins, Mme Medlock se demandait s'il avait aperçu M. Craven et, qui sait, avec un peu de chance, surpris sa rencontre avec son jeune fils.

– Vous les avez vus, Ben Weatherstaff ? demanda-t-elle.

Après avoir reposé sa chope de bière, Ben s'essuya la bouche du revers de la main.

– Pour sûr que je les ai vus ! lança-t-il avec un sourire malicieux.

– Tous les deux ? dit Mme Medlock.

– Eh, naturellement, tous les deux ! se borna-t-il à répondre. Merci pour la bière, madame, une deuxième chope ne serait pas de refus...

– Ils étaient ensemble ? continua Mme Medlock en lui servant une autre bière qui déborda du verre, tant l'intendante était agitée.

– Ensemble, madame, répondit Ben avant d'avaler la moitié de sa deuxième bière.

– Mais où était M. Colin ? Comment allait-il ? Que se sont-ils dit ?

– Ma foi, ce qu'ils se racontaient, je ne pourrais pas vous dire... J'étais sur mon échelle et, du haut du mur, je n'entendais rien... Mais je peux déjà vous révéler qu'il se passe dehors des événements que vous êtes loin d'imaginer, mais que vous ne tarderez pas à découvrir...

Sa bière à peine terminée, il leva son verre en direction des fenêtres donnant sur la grande pelouse.

– Regardez, venez voir ça ! s'écria-t-il.

Mme Medlock regarda par la fenêtre et, poussant un cri perçant, leva les bras au ciel. Alarmés, tous les domestiques du manoir accoururent à l'office et regardèrent à leur tour, les yeux écarquillés.

Ils virent le maître de Misselthwaite traverser la pelouse l'air radieux. A ses côtés, un jeune garçon, la tête haute et le sourire aux lèvres, marchait d'un pas aussi ferme et décidé que n'importe quel garçon du Yorkshire : c'était Colin !

Table des matières

ISBN 2-07-051844-2
Loi n° 49-956 du 16 juillet 1949
sur les publications destinées à la jeunesse
Dépôt légal : janvier 2000
1er dépôt légal dans la même collection : mars 1992
N° d'édition : 94989 - N° d'impression : 49628
Imprimé en France sur les presses de l'imprimerie Hérissey